TRANSCULTURACIÓN NARRATIVA EN AMÉRICA LATINA

por

ÁNGEL RAMA

siglo
veintiuno
editores

MÉXICO
ESPAÑA
ARGENTINA
COLOMBIA

siglo veintiuno editores, sa
CERRO DEL AGUA 248, MEXICO 20, D.F.

siglo veintiuno de españa editores, sa
C/PLAZA 5, MADRID 33, ESPAÑA

siglo veintiuno argentina editores, sa

siglo veintiuno de colombia, ltda
AV. 3a. 17-73 PRIMER PISO. BOGOTA, D.E. COLOMBIA

edición al cuidado de carmen valcarce
portada de anhelo hernández

primera edición, 1982
© siglo xxi editores, s. a.
ISBN 968-23-1109-8

ÍNDICE

PRIMERA PARTE

SEGUNDA PARTE

TERCERA PARTE

A DARCY RIBEIRO Y JOHN V. MURRA

antropólogos de nuestra América

NOTA

Algunos de los materiales que componen este libro tuvieron primeras redacciones que aparecieron en revistas especializadas.

Los dos primeros capítulos desarrollan ampliamente las tesis ofrecidas en el artículo "Los procesos de transculturación en la narrativa latinoamericana" aparecido en *Revista de Literatura Hispanoamericana* núm. 5, Universidad del Zulia, Venezuela, abril de 1974.

Los capítulos de la segunda parte, son versiones corregidas de los siguientes ensayos: "El área cultural andina (hispanismo, mesticismo, indigenismo", en *Cuadernos Americanos*, XXXIII, núm. 6, México, noviembre-diciembre de 1974; "La gesta del mestizo", prólogo al libro de José María Arguedas, *Fundación de una cultura nacional indoamericana*, México, Siglo XXI, 1975 y "La inteligencia mítica", introducción a los ensayos de José María Arguedas, *Señores e indios*, Montevideo, Arca, 1976.

Los capítulos de la tercera parte han sido escritos especialmente para este libro.

PRIMERA PARTE

I. LITERATURA Y CULTURA

1. *Independencia, originalidad, representatividad*

Nacidas de una violenta y drástica imposición coloni-
zadora que —ciega— desoyó las voces humanistas de
quienes reconocían la valiosa "otredad" que descubrían
en América; nacidas de la rica, variada, culta y popular, enérgica y sabrosa civilización hispánica en el ápice
de su expansión universal; nacidas de las espléndidas
lenguas y suntuosas literaturas de España y Portugal,
las letras latinoamericanas nunca se resignaron a sus
orígenes y nunca se reconciliaron con su pasado ibérico.

Contribuyeron con brío —y no les faltaron razones—
a la leyenda negra, sin reparar demasiado que prolon-
gaban el pensamiento de los españoles que originalmen-
te la fundaron. Casi desde sus comienzos procuraron
reinstalarse en otros linajes culturales, sorteando el
"acueducto" español, lo que en la Colonia estuvo representado por Italia o el clasicismo y, desde la independencia, por Francia e Inglaterra, sin percibirlas como
las nuevas metrópolis colonizadoras que eran, antes de
recalar en el auge contemporáneo de las letras norteamericanas. Siempre, más aún que la legítima búsqueda de enriquecimiento complementario, las movió el
deseo de independizarse de las fuentes primeras, al punto
de poder decirse que, desde el discurso crítico de la segunda mitad del siglo XVIII hasta nuestros días, ésa fue
la consigna principal: independizarse.[1]

Esas mismas letras atizaron el demagógico celo de

---

[1] Uno de los últimos análisis de este comportamiento, en
el libro de Claudio Velis, "Outward-Iooking nationalism and
the liberal pause", en *The centralist tradition of Latin America,* Princeton, Princeton University Press, 1980, pp. 163-
188.

los criollos para que recurrieran a dos reiterados tópicos —el desvalido indio, el castigado negro— para usarlos retóricamente en el memorial de agravios contra los colonizadores, pretextando en ellos las reivindicaciones propias. El indigenismo, sobre todo, en sus sucesivas olas desde el siglo XVIII aludido, ha sido bandera vengadora de muchos nietos de gachupines y europeos, aunque lo que en la realidad éstos hicieron desde la Emancipación, llegada la hora del cumplimiento de las promesas, no les acredita blasones nobiliarios.

El esfuerzo de independencia ha sido tan tenaz que consiguió desarrollar, en un continente donde la marca cultural más profunda y perdurable lo religa estrechamente a España y Portugal, una literatura cuya autonomía respecto a las peninsulares es flagrante, más que por tratarse de una invención insólita sin fuentes conocidas, por haberse emparentado con varias literaturas extranjeras occidentales en un grado no cumplido por las literaturas-madres. En éstas el aglutinante *peso del pasado* no ha alcanzado su fuerza identificadora y estructuradora por no haber sido compensado con una dinámica modernizadora que es, en definitiva, la de la propia sociedad, la cual no se produjo en los siglos de la modernidad.[2]

Dicho de otro modo, en la originalidad de la literatura latinoamericana está presente, a modo de guía, su movedizo y novelero afán internacionalista, el cual enmascara otra más vigorosa y persistente fuente nutricia: la peculiaridad cultural desarrollada en lo interior, la cual no ha sido obra única de sus élites literarias sino el esfuerzo ingente de vastas sociedades construyendo sus lenguajes simbólicos.

La fecha en que se llevó a cabo la que hoy vemos como azarosa emancipación política, colocó de lleno a las literaturas independientes (que entonces debieron

---

[2] Para la literatura de lengua inglesa ha estudiado este punto W. Jackson Bate, *The burden of the past and the English poet*, Nueva York, The Norton Library, Norton & Co., 1970.

ser fundadas con el muy escaso respaldo recibido del iluminismo) en el cauce del principio burgués que alimentó al triunfante arte romántico. Dentro de él, recibió la marca de sus Dióscuros mayores: la originalidad y la representatividad, ambas situadas sobre un dialéctico eje histórico. Dado que esas literaturas correspondían a países que habían roto con sus progenitoras, rebelándose contra el pasado colonial (donde quedaban testimoniadas las culpas), debían ser forzosamente *originales* respecto a tales fuentes. El tópico de la "decadencia europea", al cual se agregará un siglo después el de la "decadencia norteamericana", entró así en escena para no abandonarla, instaurando el principio ético sobre el cual habría de fundarse tanto la literatura como el rechazo del extranjero, que servía para constituirla, sin reflexionar mucho que ese principio ético era también de procedencia extranjera, aunque más antiguo, arcaico ya para los patrones europeos. Así justificó Andrés Bello su "Alocución a la poesía" (1823) pidiéndole que abandonara "esta región de luz y de miseria, / en donde tu ambiciosa / rival Filosofía, / que la virtud a cálculo somete, / de los mortales te ha usurpado el culto; / donde la coronada hidra amenaza / traer de nuevo al pensamiento esclavo / la antigua noche de barbarie y crimen".

Esa originalidad sólo podría alcanzarse, tal como lo postula Bello y lo ratificarán los sucesores románticos, mediante la *representatividad* de la región en la cual surgía, pues ésta se percibía como notoriamente distinta de las sociedades progenitoras, por diferencia de medio físico, por composición étnica heterogénea, y también por diferente grado de desarrollo respecto a lo que se visualizaba como único modelo de progreso, el europeo. La que fue consigna inicial de Simón Rodríguez, "o creamos o erramos", se convirtió en Ignacio Altamirano en una "misión patriótica", haciendo de la literatura el instrumento apropiado para fraguar la nacionalidad. El principio ético se mancomunó con el sentimiento nacional, haciendo de los asuntos nativos la "materia prima", según el modelo de la incipiente economía. Equiparaba al escritor con el agricultor o el industrial en una cadena de producción: "¡Oh! si algo es rico en elementos para el literato, es este país, del mismo modo que lo es para el agricultor y para el industrial."[3]

De tales impulsos modeladores (independencia, originalidad, representatividad) poco se distanció la literatura en las épocas siguientes a pesar de los fuertes cambios sobrevenidos. El internacionalismo del período modernizador (1870-1910) llevó a cabo un proyecto de aglutinación regional por encima de las restringidas nacionalidades del siglo XIX, procurando restablecer el mito de la patria común que había alimentado a la Emancipación (el Congreso Anfictiónico de Panamá convocado por Simón Bolívar) pero no destruyó el principio de representatividad, sino que lo trasladó, conjuntamente, a esa misma visión supranacional, a la que llamó América Latina, postulando la representación de la región por encima de la de los localismos. En cambio, sí, logró restringir, sin por eso cancelarlo, el criterio romántico de lo que se lo debía alcanzar por los asuntos nacionales (simplemente sucesos, personajes, paisajes del país) abogando por el derecho a cualquier escenario del universo, tesis defendida por Manuel Gutiérrez Nájera en términos que merecieron la aprobación de Altamirano.[4] La originalidad, defendida aún más fieramente que en el período romántico-realista del siglo XIX, quedó confinada al talento individual, al "tesoro personal" como dijo Darío, dentro de una temática cosmopolita que, sin embargo, concedía principal puesto a las peculiaridades de los "hombres de la región" más que a la "naturaleza de la región". La acentuación individualista propia del modelo asumido al integrarse el continente sólidamente

[3] Ignacio M. Altamirano, *La literatura nacional*, México, Porrúa, 1949, (ed. y prol. de José Luis Martínez), t. I, p. 10.

[4] V. José Emilio Pacheco, *Antología del modernismo (1884-1921)*, México, Universidad Nacional Autónoma de México, 1978, t. I, p. 5.

a la economía-mundo occidental, había ganado su primera batalla, pero no canceló los principios rectores
que habían dado nacimiento a las literaturas nacionales
cuando la Emancipación. Se lo demostró en la apeten-
cia de originalidad, como nunca se había visto, y, a
pesar del internacionalismo reverente, en un intento de
autonomía que vio en la lengua su mejor garantía.
Dado que se vivía una dinámica modernizadora se pudo
recurrir libremente al gran depósito de tradición acu-
mulada, sin tener su peso sofocante, lo que explica el
hispanismo (que resucitó la Edad Media, el Renacimiento y el Barroco) vibrante por debajo de todos los
galicismos mentales detectables. En esa nueva coyuntura internacional la lengua había vuelto a ser instrumento de la independencia.

El criterio de representatividad, que resurge en el
período nacionalista y social que aproximadamente va
de 1910 a 1940, fue animado por las emergentes clases
medias que estaban integradas por buen número de provincianos de reciente urbanización. Su reaparición permitió apreciar mejor que en la época romántica, el
puesto que se le concedía a la literatura dentro de las
fuerzas componentes de la cultura del país o de la región. Se le reclamó ahora que representara a una clase
social en el momento en que enfrentaba los estratos
dominantes, reponiendo así el criterio romántico del
"color local" aunque animado interiormente por la cosmovisión y, sobre todo, los intereses de una clase, la
cual, como es propio de su batalla contra los poderes arcaicos, hacía suyas las demandas de los estratos inferiores. Criollismo, nativismo, regionalismo, indigenismo, negrismo, y también vanguardismo urbano, modernización
experimentalista, futurismo, restauran el principio de
representatividad, otra vez teorizado como condición de
originalidad e independencia, aunque ahora dentro
de un esquema que mucho debía a la sociología que
había estado desarrollándose con impericia. Esta sociología había venido a sustituir, absorbiéndola, la concepción nacional-romántica, como se percibe en sus

fundadores: de Sarmiento y José María Samper a
Eugenio de Hostos. Estableció las restricciones regionalistas que, para Zum Felde, caracterizan al total
funcionamiento intelectual del continente: "Toda la
ensayística continental aparece, en mayor o menor grado, vinculada a su realidad sociológica. Y esto no es
más que un trasunto de lo que, analógicamente, ocurre
en la novela, la cual es también sociológica en gran
parte, diferenciándose a menudo ambos géneros sólo
en las formas e identificándose en su común sustancia." [5]

Implícitamente, y sin fundamentación, quedó estatuido que las clases medias eran auténticos intérpretes
de la nacionalidad, conduciendo ellas, y no las superiores en el poder, al espíritu nacional, lo cual llevó a
definir nuevamente a la literatura por su misión patrió-
tico-social, legitimada en su capacidad de representación. Este criterio, sin embargo, fue elaborado con
mayor sofisticación. Ya no se lo buscó en el medio físico, ni en los asuntos, ni siquiera en las costumbres nacionales, sino que se lo investigó en el "espíritu" que
anima a una nación y se traduciría en formas de comportamiento que a su vez se registrarían en la escritura.
Si se trataba de una superación del simplista planteo
romántico, era sin embargo criterio más primario o
vulgar que el subterráneo diseño de la representatividad
a través del funcionamiento de la lengua que conci-
bieron los modernizadores de fines del siglo XIX. Se lo
religó, por encima de éstos, a aquellos románticos con
los cuales coincidía en la concepción idealizadora y ética
de la literatura y a los cuales superaba en un instru-
mental más afinado (y más inseguro) para definir la
nacionalidad.

La lectura "mexicana" que hizo Pedro Henríquez
Ureña, seguido con discreción por Alfonso Reyes, de las
obras de Juan Ruiz de Alarcón en las cuales no había

[5] *Indice crítico de la literatura hispanoamericana. Los
ensayistas*, México, Guarania, 1954, p. 9.

rastros del medio mexicano,[6] tuvo su equivalente en la lectura "uruguaya" que hicieron los hermanos Guillot Muñoz de la obra de Lautréamont *Les chants de Maldoror,* o la peruana que hizo José Carlos Mariátegui de la obra de Ricardo Palma y Ventura García Calderón del libro de Alonso Carrió de la Vandera *El lazarillo de ciegos caminantes.* La nacionalidad resultaba, en esos análisis, confinada a modos operativos, a concepciones de vida, a veces a recursos literarios largamente recurrentes en el desarrollo de una literatura. Por afinados que hayan sido, no dejaban de encontrar escollos mayores: por un lado estatuían una pervivencia, a veces de siglos, de los presuntos rasgos nacionales de esas obras, lo que los forzaba a detectarlos en la influencia de la geografía invariable más que en la movediza historia, en tanto que por otro partían de una concepción de la nacionalidad según la había definido una determinada clase en un determinado período, lo que fijaba un criterio historicista móvil. Esta contradicción corroía los fundamentos de la nueva visión de la representatividad, aunque seguía filiando en ella la originalidad literaria y por ende la independencia. Entre el artista individual (a que apostaron los modernizadores del siglo XIX) y la sociedad y/o naturaleza (de los románticos del XIX y regionalistas del XX), se concedía el triunfo a la segunda. Demostraba mayor potencialidad, capacidad modeladora más profunda, enmarque genético más fuerte que la pura operación creadora individual, aunque esas fuerzas ya no respondían meramente a aquella naturaleza ubérrima que había servido a tantos críticos, incluyendo a Menéndez Pelayo, para explicar las peculiaridades diferenciales de las letras hispanoamericanas respecto a otras literaturas de la lengua, sino a los rasgos intrínsecos de la sociedad, cuya exacta denominación todavía no había sido encontrada por la incipiente antropología: cultura.

[6] V. Antonio Alatorre, "Para la historia de un problema: la mexicanidad de Ruiz de Alarcón", en *Anuario de Letras Mexicanas,* 4 (1964), pp. 161-202.

En quien despunta esa nueva perspectiva es en el crítico literario más perspicaz del período, Pedro Henríquez Ureña, quien educado en Estados Unidos había tenido trato con la antropología cultural anglosajona y aspiró a integrarla en una pesquisa de la peculiaridad latinoamericana (hispánica, como prefirió decir) todavía al servicio de concepciones nacionales. El título de su recopilación de estudios en 1928, define su proyecto: *Seis ensayos en busca de nuestra expresión.* Abría el camino a una investigación acuciosa y documentada del funcionamiento de una literatura que, nacida del rechazo de sus fuentes metropolitanas, había progresado gracias al internacionalismo que la había lentamente integrado al marco occidental y al mismo tiempo seguía procurando una autonomía cuya piedra fundacional no podía buscar en otro lado que en la singularidad cultural de la región. La perspectiva de sus dos últimos siglos revelaba un movimiento pendular entre dos polos, uno externo y otro interno, respondiendo, más que a una resolución libremente adoptada, a una pulsión que la atraía a uno u otro. La acción irradiadora de los polos no llegaba nunca a paralizar el empecinado proyecto inicial (independencia, originalidad, representatividad) sino sólo a situarlo en un nivel distinto, según las circunstancias, las propias fuerzas productoras, las tendencias que movían a la totalidad social, la mayor complejidad de la sociedad propia y de la época universal propia. No llegaba esto a fijar una impecable línea progresiva, pues había retrocesos, detenciones, aceleraciones discordantes, y, sobre todo, llegadas las diversas sociedades latinoamericanas a un grado de evolución alta, había una pugna de fuerzas sobre el mismo momento histórico, las cuales reflejaban bien los conflictos de sus diversas clases en lo que todas ellas tenían de portadoras de fórmulas culturales.

Hacia 1940 se abre un vasto cuestionamiento del continente del que han de participar activamente sus escritores y pensadores. Iniciado en algunos puntos antes (Argentina), en otros después (Brasil, México), parece responder al freno con que tropiezan los sectores medios en su ascenso al poder, a la refluencia de sus conquistas, a la autocrítica a que se someten sus orientadores y a la presencia creciente y autónoma de los sectores proletarios (y aun campesinos) sobre la escena nacional. Este largo período es pasible de análisis histórico, sociológico, político, pero también literario, no simplemente en sus autores y obras, en sus cosmovisiones y en sus formas artísticas, sino preferentemente en sus peculiaridades productivas, para responder con ellas a esas normas básicas que regulan la literatura latinoamericana desde sus orígenes.

Proponerse este análisis ahora, conlleva un matiz polémico. Reaccionando contra un torpe contenidismo que hizo de las obras literarias meros documentos sociológicos, cuando no proclamas políticas, un sector de la crítica ha hecho una reconversión autista igualmente perniciosa que, so pretexto de examinar la literatura en sus peculiares modulaciones, la recortó de su contexto cultural, decidió ignorar la terca búsqueda de representatividad que signa a nuestro desarrollo histórico, concluyendo por desentenderse de la comunicación que conlleva todo texto literario. Restablecer las obras literarias dentro de las operaciones culturales que cumplen las sociedades americanas, reconociendo sus audaces construcciones significativas y el ingente esfuerzo por manejar auténticamente los lenguajes simbólicos desarrollados por los hombres americanos, es un modo de reforzar estos vertebrales conceptos de independencia, originalidad, representatividad. Las obras literarias no están fuera de las culturas sino que las coronan y en la medida en que estas culturas son invenciones seculares y multitudinarias hacen del escritor un productor que trabaja con las obras de innumerables hombres. Un compilador, hubiera dicho Roa Bastos. El genial tejedor, en el vasto taller histórico de la sociedad americana.

Pero además, en una época en que los prestigios de la "modernización" han sufrido severas mermas, y el encandilamiento con las aportaciones técnicas de la novela vanguardista internacional ha acumulado, junto a obras mayores de reconocido esplendor (Borges, Cortázar, Fuentes), una serie farragosa de meras imitaciones experimentales que apenas circulan en enrarecidos cenáculos. es conveniente examinar la producción literaria de las últimas décadas para ver si no había otras fuentes nutricias de una renovación artística que aquellas que procedían simplemente de los barcos europeos. El punto lo he examinado en mi ensayo sobre "La tecnificación narrativa" (*Hispamérica* núm. 30), más desde el ángulo de una literatura cosmopolita que se difundió en América Latina, que de esta otra que buscó su nutrición en la organicidad cultural a que se había llegado dentro del continente y a la que se consagra este estudio. La única manera que el nombre de América Latina no sea invocado en vano, es cuando acumulación cultural interna es capaz de proveer no sólo de "materia prima", sino de una cosmovisión, una lengua, una técnica para producir las obras literarias. No hay aquí nada que se parezca al folklorismo autárquico, irrisorio en una época internacionalista, pero sí hay un esfuerzo de descolonización espiritual, mediante el reconocimiento de las capacidades adquiridas por un continente que tiene ya una muy larga y fecunda tradición inventiva, que ha desplegado una lucha tenaz para constituirse como una de las ricas fuentes culturales del universo.

2. *Respuesta al conflicto vanguardismo-regionalismo*

En la década del treinta se formularon de manera orgánica en los conglomerados urbanos mayores de América Latina, particularmente en el más adelantado del momento —Buenos Aires—, una orientación narrativa cosmopolita y una orientación realista-crítica. Ambas conllevaban, por el solo hecho de expandir sus estructuras artísticas —para lo cual disponían de los circuitos de difusión, radicados todos en las mismas ciudades en que se generaban esas proposiciones estéticas— la cancelación del movimiento narrativo regionalista que aparecido hacia 1910 como trasmutación del costumbrismo-naturalismo (el caso de Mariano Azuela) regía en la mayoría de las áreas del continente, tanto las de mediano o escaso desarrollo educativo como las más avanzadas, gracias al éxito de los títulos dados a conocer en los años veinte —*La Vorágine* en 1924 y *Doña Bárbara* en 1929 son sus modelos— cuya difusión oscureció al vanguardismo en marcha en el periodo.

En un primer momento, el regionalismo asumió una actitud agresivo-defensiva que postulaba un enfrentamiento drástico. Hubo una pugna de regionalistas y vanguardistas (modernistas) que se abre con el texto de quien, por su edad y obra, era maestro indiscutido de los primeros, Horacio Quiroga, titulado "Ante el tribunal", que da a conocer en 1931:

De nada me han de servir mis heridas aún frescas de la lucha, cuando batallé contra otro pasado y otros yerros con saña igual a la que se ejerce hoy conmigo. Durante veinticinco años he luchado por conquistar, en la medida de mis fuerzas, cuanto hoy se me niega. Ha sido una ilusión. Hoy debo comparecer a exponer mis culpas, que yo estimé virtudes, y a librar del báratro en que se despeña a mi nombre, un átomo siquiera de mi personalidad.[7]

El tono liviano no esconde la amargura de una batalla a la que elusivamente contribuyó en los años 1928 y 1929, con una serie de textos sobre su arte narrativa y sobre los narradores-modelos, desplegando su Parnaso: Joseph Conrad, William Hudson, Bret Harte, José Eustasio Rivera, Chejov, Kipling, Benito Lynch, etcétera.

Si en este enfrentamiento podría discernirse el típico conflicto generacional no podría decirse lo mismo del

[7] Horacio Quiroga *Sobre literatura* (*Obras inéditas y desconocidas*, t. VII), Montevideo, Arca, 1970, p. 135.

Manifiesto regionalista que en 1926 redactó Gilberto
Freyre para el Congreso Regionalista que animó en Recife, pues la oposición al "modernismo" paulista que lo
inspiraba implicaba la discrepancia con un escritor
como Mario de Andrade que sólo lo aventajaba en siete
años y pertenecía por lo tanto a la misma generación.[8]

El manifiesto procura "un movimiento de rehabilitación de valores regionales y tradicionales de esta parte
del Brasil: movimiento del cual maestros auténticos
como el humanista João Ribeiro y el poeta Manuel
Bandeira van tomando conocimiento", restaurando contra el extranjerismo procedente de la capital Río de
Janeiro y de las ciudades pujantes como São Paulo, el
sentido de la regionalidad, que es así definido: "sentido por así decirlo, eterno en su forma —o modo regional y no sólo provincial de ser alguien de su tierra—
manifestado en una realidad o expresado en una sustancia tal vez más histórica que geográfica y ciertamente más social que política".[9]

Aunque, con orientación antropológica que responde
visiblemente al magisterio de Franz Boas, el manifiesto
atiende más a la cocina del Nordeste y a la arquitectura de los "mucambos" que a las letras, no deja de subrayar la influencia que en la formación espiritual de los
intelectuales nordestinos han tenido los componentes
idiosincráticos de su cultura, los cuales tienen plena
manifestación en el pueblo, aunque Freyre elude una
interpretación clasista, vertical, de las culturas, y defiende una concepción regional, horizontal, de ellas: "En
el Nordeste, quien se aproxima al pueblo desciende a
raíces y fuentes de vida, de cultura y de arte regionales.
Quien se acerca al pueblo está entre maestros y se torna
aprendiz, por más bachiller en artes que sea o doctor en
medicina. La fuerza de Joaquim Nabuco, de Sílvio Romero, de José de Alencar, de Floriano, del padre Ibiapina, de Telles Júnior, de Capistrano, de Augusto dos

[8] Gilberto Freyre, *Manifiesto regionalista*, Recife, Instituto Joaquim Nabuco de Pesquisas Sociais, 1976 (6a. ed.).
[9] *Op. cit.*, pp. 52-3.

Anjos o de otras grandes expresiones nordestinas de la cultura o del espíritu brasileño, vino ante todo del contacto que tuvieron, cuando niños, de ingenio o de ciudad, o ya de hombres hechos, con la gente del pueblo, con las tradiciones populares, con la plebe regional y no sólo con las aguas, los árboles, los animales de la región." [10]

Este regionalismo no quiere ser confundido "con separatismo o con bairrismo, con anti-internacionalismo, anti-universalismo o anti-nacionalismo" en lo que ya testimonia su fatal sometimiento a las normas capitalinas de unidad nacional, su pérdida por lo tanto de empuje para aspirar a la independencia o a la autarquía, limitándose a atacar la función homogeneizadora que cumple la capital mediante la aplicación de patrones culturales extranjeros, sin "atención a la conformación del Brasil, víctima, desde que nació de los extranjerismos que le han sido impuestos, sin ningún respeto por las peculiaridades y desigualdades de su configuración física y social".[11]

Las ciudades-puertos modernizadas quedan simbolizadas por la incorporación del Papá Noel con su vestimenta invernal y su trineo para recorrer zonas nevadas, en tanto la cultura pernambucana y en general nordestina no es superada por ninguna "en riqueza de tradiciones ilustres y en nitidez de carácter" y "tiene el derecho de considerarse una región que ya contribuyó grandemente a dar a la cultura o a la civilización brasileña autenticidad y originalidad", con lo cual además refuta el discurso extranjero despreciativo de los trópicos y el anti-lusitano de los modernizadores que ven "en todo que la herencia portuguesa es un mal a ser despreciado".[12]

Aunque es en Brasil donde el conflicto es teorizado con rigor, dentro de perspectivas renovadas y, sobre todo, modernizadas, no dejó de encararse en los demás países

[10] *Op. cit.*, p. 76.
[11] *Op. cit.*, pp. 54-5.
[12] *Op. cit.*, p. 58.

hispanoamericanos. En el caso peruano, por ejemplo, José Carlos Mariátegui lo visualizó desde un ángulo social y clasista más que cultural, por lo cual pretendió superar el viejo dilema "centralismo/regionalismo" que se resolvía en una descentralización administrativa que en vez de reducir, aumentaba el poder del gamonalismo, mediante una reevaluación social que soldaba el indigenismo con un nuevo regionalismo, que entonces podía ser así definido: "Este regionalimso no es una mera protesta contra el régimen centralista. Es una expresión de la conciencia serrana y del sentimiento andino. Los nuevos regionalistas son, ante todo, indigenistas. No se les puede confundir con los anticentralistas de viejo tipo. Valcárcel percibe intactas, bajo el endeble estrato colonial, las raíces de la sociedad inkaica. Su obra, más que regional, es cuzqueña, es andina, es quechua. Se alimenta de sentimiento indígena y de tradición autóctona." [13]

Esta apreciación muestra que el regionalismo no sólo encontraba la oposición de las propuestas capitalinas oficiales que buscaban la unidad sobre modelos internacionales que implicaban la homogeneización del país, sino también la de propuestas no oficiales, heterodoxas u opositoras, que registraban también una apreciable dosis de internacionalismo. La desatención de Mariátegui por la cultura regional en su manifestación horizontal tiene que ver con su proximidad a una tercera fuerza ideológica que operó en la narrativa latinoamericana de la época y abasteció desde López Albujar hasta Jorge Icaza la llamada literatura social indigenista.

La tercera fuerza componente del período estuvo representada por la narrativa social, que auque emparentada a la realista-crítica, mostró rasgos específicos que permiten encuadrarla separadamente desde la publicación de *El tungsteno* de César Vallejo en 1931, iniciando su difusión en el periodo beligerante que correspon-

---

[13] *Siete ensayos de interpretación de la realidad peruana*, Caracas, Biblioteca Ayacucho, 1979, p. 140.

dió a la "década rosada" del antifascismo universal. Aunque traducía niveles menos evolucionados de la modernidad, respondía a ésta porque estaba signada por la urbanización de los recursos literarios, porque adhería a esquemas importados propios del realismo-socialista soviético de la era estaliniana, porque traducía la cosmovisión de los cuadros políticos de los partidos comunistas. Paradójicamente, algunos de esos componentes la asociaban tanto al realismo-crítico como incluso al fantástico que se expande en Buenos Aires en los treinta ("Tlön Uqbar Tertius Orbis" de Borges es una fecha clave) contra el cual militó aduciendo su identificación con el pensamiento conservador. A esta tercera fuerza se refiere de hecho Alejo Carpentier cuando expresa que "la época 1930-1950, se caracteriza, entre nosotros, por un cierto estancamiento de las técnicas narrativas. La narrativa se hace generalmente nativista. Pero en ella aparece el factor nuevo de la denuncia. Y quien dice denuncia, dice politización".[11] Más correcto hubiera sido decir que las técnicas narrativas de la novela social eran muy simples, opuestas a las del regionalismo como a las del fantástico aunque menos a las del realismo-crítico, porque traducían diversas perspectivas sectoriales, de clases o grupos o vanguardias, que habían entrado en una pugna que la crisis económica habría de agudizar.

Hubo de hecho una guerra literaria, aunque entre las diversas corrientes se verían curiosos puntos de contacto ocasionales. Así por ejemplo, el regionalismo venía elaborando asuntos rurales y por eso mantenía estrecho contacto con componentes tradicionales e incluso arcaicos de la vida latinoamericana, muchos procedentes del folklore, pero de ellos fue sutil apreciador Carpentier dentro del realismo-crítico que desarrollaría, manejándolos muchas veces al servicio de una comprensión de los tiempos históricos americanos; por su parte Borges,

[11] *La novela latinoamericana en vísperas de un nuevo siglo*, México, Siglo XXI, 1981, p. 12.

en su respuesta al libro de Américo Castro *La peculiaridad lingüística rioplatense,* supo estimarlos correctamente en el plano de la lengua en tanto Mario de Andrade apeló a ellos directamente para componer *Macunaima.*

El desafío mayor de la renovación literaria, le sería
presentado al regionalismo: aceptándolo, supo resguardar un importante conjunto de valores literarios y tradiciones locales, aunque para lograrlo debió trasmutarse
y trasladarlos a nuevas estructuras literarias, equivalentes pero no asimilables a las que abastecieron la narrativa urbana en sus plurales tendencias renovadoras. Vio
que si se congelaba en su disputa con el vanguardismo
y el realismo-crítico, entraría en trance de muerte. La
menor pérdida sería el haz de formas literarias (habida
cuenta de su perenne transformación), y la mayor, la
extinción de un contenido cultural amplio que sólo mediante la literatura había alcanzado vigencia aun en los
centros urbanos renovados, cancelándose así una eficaz
acción destinada a integrar el medio nacional en su
período de creciente estratificación y de rupturas sociales.

Dentro de la estructura general de la sociedad latinoamericana, el regionalismo acentuaba las particulari-
dades culturales que se habían forjado en áreas internas,
contribuyendo a definir su perfil diferente y a la vez a
reinsertarlo en el seno de la cultura nacional que cada
vez más respondía a normas urbanas. Por eso se incli-
naba a conservar aquellos elementos del pasado que
habían contribuido al proceso de singularización cultural de la nación y procuraba trasmitir al futuro la
conformación adquirida, para resistir las innovaciones
foráneas. El componente *tradición,* que es uno de los
obligados rasgos de toda definición de "cultura", era
realizado por el regionalismo, aunque con evidente olvido de las modificaciones que ya se habían impreso progresivamente en el equipaje tradicional anterior. Tendía,
por lo tanto, a expandir en las expresiones literarias una
fórmula históricamente cristalizada de la tradición.

De esto procedía la fragilidad de sus valores y de sus mecanismos literarios expresivos, ante los embates modernizadores procedentes del polo externo que eran trasmitidos por puertos y capitales. Los que cedieron primero ante el embate fueron las estructuras literarias. Como es de sobra conocido, éstas registran, aun antes que la cosmovisión inspiradora, las transformaciones del tiempo, procurando resguardar sin cambio aparente los mismos valores, en realidad trasladándolos a otra perspectiva cognoscitiva. Así, el regionalismo habría de incorporar nuevas articulaciones literarias, que a veces buscó el panorama universal pero con mayor frecuencia en el urbano latinoamericano próximo. Se trataba de evitar la drástica sustitución de sus bases, procurando en cambio expandirlas nuevamente hasta cubrir el territorio nacional si fuera posible. Para resguardar su mensaje cargado de tradicionalismo, el cual hasta la fecha se había trasmitido con relativa felicidad a las ciudades, en buena parte porque éstas habían sido ampliadas por la inmigración interior incorporando fuertes sectores pertenecientes a culturas rurales, debió adecuarlo a las condiciones estéticas fraguadas en esas ciudades. Las coordenadas estéticas de éstas, tanto responden a la evolución urbana que absorbe y desintegra a las pulsiones externas que las torna obedientes a los modelos prestigiosos que vienen signados por la universalidad, de hecho plasmados en las metrópolis desarrolladas. No se puede decir que se trate de exclusivas operaciones artísticas reservadas a escritores: es parte de un mayor proceso de aculturación que cubre todo el continente y que bajo el conjugado impacto de Europa y Estados Unidos cumplió un segundo período modernizador entre ambas guerras. Es más visible en los enclaves urbanos de América Latina que se modernizan y en la literatura cosmopolita ligada a las pulsiones externas, pero hemos preferido examinarlo en la interioridad tradicionalista del continente, por entender que allí es más significativo.

Tras la primera guerra mundial, una nueva expansión económica y cultural de las metrópolis se hace sentir en América Latina y los beneficios que aporta a un sector de sus poblaciones no esconde las rupturas internas que genera ni los conflictos internos que han de acentuarse tras el crac económico de 1929. Se intensifica el proceso de transculturación en todos los órdenes de la vida americana. Uno de sus capítulos lo ocupan los conflictos de las regiones interiores con la modernización que dirigen capitales y puertos, instrumentada por las élites dirigentes urbanas que asumen la filosofía del progreso.

La cultura modernizada de las ciudades, respaldada en sus fuentes externas y en su apropiación del excedente social, ejerce sobre su hinterland una dominación (trasladando de hecho su propia dependencia de los sistemas culturales externos) a la que prestan eficaz ayuda los instrumentos de la tecnología nueva. En términos culturales, las urbes comerciales e industriales consienten el conservatismo folklórico de las regiones internas. Es un ahogo, pues dificulta su creatividad y su obligada puesta al día; un previo paso hacia la homogeneidad del país según las pautas modernizadas. A las regiones internas, que representan plurales conformaciones culturales, los centros capitalinos les ofrecen una disyuntiva fatal en sus dos términos: o retroceden, entrando en agonía, o renuncian a sus valores, es decir, mueren.[15]

Es a ese conflicto que responden los regionalistas, fundamentalmente procurando que no se produzca la

---

[15] Vittorio Lanternarie ve en este impacto modernizador un factor de desintegración cultural ("Désintégration culturelle et processus d'acculturation", en *Cahiers Internationaux de Sociologie,* vol. XLI, jul-dic, 1966): "Un tercer factor de desintegración cultural depende del proceso de modernización de los países dependientes y puede interferir con el proceso de urbanización y de migración. Como ha señalado L. Wirht para muchas sociedades, el sacrificio de su integridad cultural aparece como el pesado tributo pagado al progreso. El proceso sociológico es paralelo al de la urbanización." Acerca de la inflexión urbana del proceso, puede verse el artículo de Ralph Beals: "Urbanism, urbanization and acculturation", en *American Anthropoligist,* LIII, 1951.

ruptura de la sociedad nacional, la cual está viviendo una dispareja transformación. La solución intermedia es la más común: echar mano de las aportaciones de la modernidad, revisar a la luz de ellas los contenidos culturales regionales y con unas y otras fuentes componer un híbrido que sea capaz de seguir trasmitiendo la herencia recibida. Será una herencia renovada, pero que todavía puede identificarse con su pasado. En los grupos regionalistas *plásticos,* se acentúa el examen de las tradiciones locales, que habían ido esclerosándose, para revitalizarlas. No pueden renunciar a ellas, pero pueden revisarlas a la luz de los cambios modernistas, eligiendo aquellos componentes que se pueden adaptar al nuevo sistema en curso.

En el campo de las artes de los años veinte y treinta esta operación se cumple en todas las corrientes estéticas y con más nitidez en las diversas orientaciones narrativas del período. No es excepción el Carpentier que, al escuchar las disonancias de la música de Stravinsky, agudiza el oído para redescubrir y ahora valorizar los ritmos africanos que en el pueblecito negro de Regla, frente a La Habana, se venían oyendo desde hacía siglos. Ni tampoco el Miguel Ángel Asturias que deslumbrado por la escritura automática considera que ella sirve al rescate de la lírica y el pensamiento de las comunidades indígenas de Guatemala. En el mismo sentido, examinando *Macunaíma,* Gilda de Mello e Souza adelanta perspicazmente la hipótesis de una doble fuente que simbólicamente expresaría un verso del poeta ("Soy un tupí tañendo un laúd") para comprender la obra: "El interés del libro resulta así, en gran medida, de su 'adhesión simultánea a términos enteramente heterogéneos' o, mejor, a un curioso juego satírico que oscila sin cesar entre la adopción del modelo europeo y la valoración de la diferencia nacional." [16]

[16] Gilda de Mello e Souza, *O Tupi e o Alaude. Una interpretação de Macunaíma,* São Paulo, Duas Cidades, 1979, p. 75.

El impacto modernizador genera en ellas, inicialmente, un repliegue defensivo. Se sumergen en la protección de la cultura materna. Un segundo momento, en la medida en que el repliegue no soluciona ningún problema, es el examen crítico de sus valores, la selección de algunos de sus componentes, la estimación de la fuerza que los distingue o de la viabilidad que revelen en el nuevo tiempo. Es aleccionador el cotejo entre el citado *Manifiesto regionalista* de Gilberto Freyre y los sucesivos prólogos que escribió para sus reediciones. En éstos lo define como "Movimiento Regionalista, Tradicionalista y, *a su modo, Modernista*" y realza que "pioneramente iniciaba un movimiento tan modernista cuanto tradicionalista y regionalista de revolución de las normas de artes brasileñas" el cual ilustra con abundantes nombres en esos generosos panoramas personales de Freyre. No puede, sin embargo, abarcar también a la *Semana de Arte Moderno* de São Paulo, pero en cambio procura diseñar una convergencia con Mario de Andrade, viniendo desde otro polo:

"Desde el principio se propuso también indagar, reinterpretar, valorar inspiraciones procedentes de las raíces telúricas, tradicionales, orales, populares, folklóricas, algunas hasta antropológicamente intuitivas, de la misma cultura. Cosas cotidianas, espontáneas, rústicas, despreciadas por aquellos que en arte o cultura sólo son sensibles a lo alambicado y erudito." [17]

Apunta así al tercer momento en que el impacto modernizador es absorbido por la cultura regional. Después de su autoexamen valorativo y la selección de sus componentes válidos, se asiste a un redescubrimiento de rasgos que, aunque pertenecientes al acervo tradicional, no estaban vistos o no habían sido utilizados en forma sistemática, y cuyas posibilidades expresivas se evidencian en la perspectiva modernizadora.

El esquema de Lanternari, con sus tres diferentes respuestas a la propuesta aculturadora, podría aplicarse

[17] *Op. cit.*, p. 28.

también a la producción literaria regionalista: existe la "vulnerabilidad cultural" que acepta las proposiciones externas y renuncia casi sin lucha a las propias; la "rigidez cultural" que se acantona drásticamente en objetos y valores constitutivos de la cultura propia, rechazando toda aportación nueva; y la "plasticidad cultural" que diestramente procura incorporar las novedades, no sólo como objetos absorbidos por un complejo cultural, sino sobre todo como fermentos animadores de la tradicional estructura cultural, la que es capaz así de respuestas inventivas, recurriendo a sus componentes propios.[18] Dentro de esta "plasticidad cultural" tienen especial relevancia los artistas que no se limitan a una composición sincrética por mera suma de aportes de una y otra cultura, sino que, al percibir que cada una es una estructura autónoma, entienden que la incorporación de elementos de procedencia externa debe llevar conjuntamente a una rearticulación global de la estructura cultural apelando a nuevas focalizaciones dentro de ella.

Para llevarlo a cabo es necesaria una reinmersión en las fuentes primigenias. De ella puede resultar la intensificación de algunos componentes de la estructura cultural tradicional que parecen proceder de estratos aún más primitivos que los que eran habitualmente reconocidos. Éstos ostentan una fuerza significativa que los vuelve invulnerables a la corrosión de la modernización: el laconismo sintáctico de César Vallejo, como luego el de Juan Rulfo y, dentro de otras coordenadas, el de Graciliano Ramos. Para un escritor son meras soluciones artísticas; sin embargo proceden de operaciones que se cumplen en el seno de una cultura, por recuperación de componentes reales pero no reconocidos

---

[18] Las tres categorías son enunciadas por Lanternari (*art. cit.*) quien agrega: "En los innumerables casos de aculturación fundados sobre la 'plasticidad cultural' los elementos de crisis y de desintegración están estrechamente asociados, en la realidad, a los elementos que expresan u orientan la reintegración."

anteriormente, los que ahora son revitalizados ante la agresividad de las fuerzas modernizadoras.

3. *Transculturación y género narrativo*

Los procesos de aculturación son tan viejos como la historia de los contactos entre sociedades humanas diferentes y bajo diversos nombres se han estudiado en los modelos capitales de las antiguas culturas: Creta, Grecia, Alejandría, Roma. Sin embargo, el concepto antropológico es tan reciente como la disciplina en que se ha desarrollado[19] y vistas las relaciones de ésta con el colonialismo europeo (preferentemente inglés) y con la descolonización del xx, ha arrastrado inferencias ideológicas que no pueden desestimarse, máxime tratándose de su aplicación a las artes y a la literatura.

La antropología latinoamericana ha cuestionado el término "aculturación" aunque no las transformaciones que designa, buscando afinar su significado. En 1940 el cubano Fernando Ortiz propuso sustituirlo por el término "transculturación", encareciendo la importancia del proceso que designa, del que dijo que era "cardinal y elementalmente indispensable para comprender la historia de Cuba y, por análogas razones, la de toda América en general". Fernando Ortiz lo razonó del siguiente modo: "Entendemos que el vocablo *transculturación* expresa mejor las diferentes fases del proceso transitivo de una cultura a otra, porque éste no consiste solamente en adquirir una cultura, que es lo que en rigor indica

[19] Los problemas iniciales de definición dieron lugar al "Memorandum of the study of acculturation", en *American Anthropologist*, xxxviii, 1936 de Redfield, Linton y Herskovits. Una ampliación y sistematización en Melville Herskovits, *Acculturation: the study of culture contacts*, Nueva York, J. J. Augustins, 1938. Fuera del ángulo antropológico y dentro de la corriente filosófica de inspiración germana, el ensayo de José Luis Romero, *Bases para una morfología de los contactos culturales*, Buenos Aires, Institución Cultural Española, 1944.

la voz anglo-americana *aculturación,* sino que el proceso implica también necesariamente la pérdida o desarraigo de una cultura precedente, lo que pudiera decirse una parcial desculturación, y, además, significa la consiguiente creación de nuevos fenómenos culturales que pudieran denominarse *neoculturación*." [20]

Esta concepción de las transformaciones (aprobada entusiastamente por Bronislaw Malinowski en su prólogo al libro de Ortiz) [21] traduce visiblemente un perspectivismo latinoamericano, incluso en lo que puede tener de incorrecta interpretación. [22] Revela resistencia a considerar la cultura propia, tradicional, que recibe el impacto externo que habrá de modificarla, como una entidad meramente pasiva o incluso inferior, destinada a las mayores pérdidas, sin ninguna clase de respuesta creadora. Al contrario, el concepto se elabora sobre una doble comprobación: por una parte registra que la cul-

[20] Fernando Ortiz, *Contrapunteo cubano del tabaco y el azúcar,* Caracas, Biblioteca Ayacucho, 1978, p. 86.

[21] Malinowski dice: "Es un proceso en el cual ambas partes de la ecuación resultan modificadas. Un proceso en el cual emerge una nueva realidad, compuesta y compleja; una realidad que no es una aglomeración mecánica de caracteres, ni siquiera un mosaico, sino un fenómeno nuevo, original e independiente" (op. cit. p. 5). Ralph Beals ha observado, en el artículo "Acculturation" (en A. L. Kroeber, *Anthropology today,* Chicago, University of Chicago Press, 1959) que Malinowski no aplicó el concepto del antropólogo cubano en ninguna de sus obras posteriores.

[22] Una discusión terminológica en Gonzalo Aguirre Beltrán, *El proceso de aculturación,* México, Universidad Nacional de México, 1957. Concluye con esta síntesis: "Volviendo a nuestro término: *ad-culturación* indica unión o *contacto de culturas; ab-culturación,* separación de culturas, rechazo; y *trans-culturación* paso de una cultura a otra". Por esta definición, justamente, preferimos el término "transculturación". En favor de la proposición de Fernando Ortiz, aparte de las razones que él aduce y que pertenecen a los mecanismos habituales de la determinación semántica, milita su felicidad expresiva. La sensibilidad de Ortiz por el espíritu de la lengua, hace de sus libros, a diferencia de lo que ocurre con muchos textos de antropólogos y sociólogos hispanoamericanos, una experiencia lingüística creadora.

tura presente de la comunidad latinoamericana (que es un producto largamente transculturado y en permanente evolución) está compuesta de valores idiosincráticos, los que pueden reconocerse actuando desde fechas remotas; por otra parte corrobora la energía creadora que la mueve, haciéndola muy distinta de un simple agregado de normas, comportamientos, creencias y objetos culturales, pues se trata de una fuerza que actúa con desenvoltura tanto sobre su herencia particular, según las situaciones propias de su desarrollo, como sobre las aportaciones provenientes de fuera. Es justamente esa capacidad para elaborar con originalidad, aun en difíciles circunstancias históricas, la que demuestra que pertenece a una sociedad viva y creadora, rasgos que pueden manifestarse en cualquier punto del territorio que ocupa aunque preferentemente se los encuentre nítidos en las capas recónditas de las regiones internas.

Estas culturas internas pueden ser expuestas directamente al influjo de metrópolis externas: es el caso de varias zonas rurales de la cuenca caríbica donde en el primer tercio del siglo se instalaron compañías de explotación de cultivos tropicales, una historia que desde un ángulo patricio fue contada en *La hojarasca* y desde un ángulo realista-social en *Mamita Yunai,* pero que también puede ser contada a través de los diferentes sistemas literarios que se utilizaron para esos fines y sus fuentes originarias, procurando correlacionar estas tres partes: los asuntos, la cosmovisión y las formas literarias.

Con más frecuencia, sin embargo, las culturas internas reciben la influencia transculturadora desde sus capitales nacionales o desde el área que está en contacto estrecho con el exterior, lo cual traza un muy variado esquema de pugnas. Si ocurre que la capital, que es normalmente la orientadora del sistema educativo y cultural, se encuentra rezagada en la modernización respecto a lo ocurrido en una de las regiones internas del país, tendremos un enjuiciamiento que harán los intelectuales de ésta a los capitalinos. Fue eso lo ocurrido en Colombia en las últimas décadas. El suceso cultural más notorio fue la insurrección de la zona costeña (Barranquilla, Cartagena) contra las normas culturales bogotanas, la cual puede seguirse en los artículos que escribía en *El Heraldo* en los años cincuenta el joven Gabriel García Márquez, que no sólo oponían el estilo suelto de vida de su área a la circunspección y constricción de la norma capitalina sino que además se prevalecían de una modernización más acelerada:

Hablando de "Los problemas de la novela" en Colombia, señalaba la ausencia de las grandes corrientes renovadoras de la narrativa universal, en términos de visible provocación:

Todavía no se ha escrito en Colombia la novela que esté indudable y afortunadamente influida por los Joyce, por Faulkner o por Virginia Woolf. Y he dicho "afortunadamente", porque no creo que podríamos los colombianos, ser, por el momento, una excepción al juego de las influencias. En su prólogo a *Orlando*, Virginia confiesa sus influencias. Faulkner mismo no podría negar la que ha ejercido sobre él, el mismo Joyce. Algo hay —sobre todo en el manejo del tiempo— entre Huxley y otra vez Virginia Woolf. Franz Kafka y Proust andan sueltos por la literatura del mundo moderno. Si los colombianos hemos de decidirnos acertadamente, tendríamos que caer irremediablemente en esta corriente. Lo lamentable es que ello no haya acontecido aun, ni se vean los más ligeros síntomas de que pueda acontecer alguna vez.[23]

Concomitantemente, por la misma época de este artículo, considera la inculpación de provinciano que se le endilga y la retorna contra la capital, en una pintoresca y humorística arremetida contra el tradicionalismo que estaría enseñoreado en Bogotá, en tanto que la modernización correspondería a la zona costeña colombiana.

[23] *El Heraldo*, Barranquilla, 24 de abril de 1950. Ahora en Gabriel García Márquez, *Obra periodística. Vol. 1: Textos costeños*, Barcelona, Bruguera, 1980 (ed. Jacques Gilard), p. 269.

Un inteligente amigo me advertía que mi posición respecto a algunas congregaciones literarias de Bogotá, era típicamente provinciana. Sin embargo, mi reconocida y muy provinciana modestia me alcanza, creo, hasta para afirmar que en este aspecto los verdaderamente universales son quienes piensan de acuerdo con este periodista sobre el exclusivismo parroquial de los portaestandartes capitalinos. El provincianismo literario en Colombia empieza a dos mil quinientos metros sobre el nivel del mar.[24]

Su posición tenía abundante fundamento. No sólo porque el grupo de "La Cueva" introduciría en la narrativa colombiana una visible modernización (apenas si anunciada con la novela de Eduardo Zalamea Borda, *Cuatro años a bordo de mí mismo*) sino además porque ya de antes la región costeña venía distinguiéndose por una apertura universal a la cultura con una intensidad que no lograba transparentarse en la capital: el movimiento de "Los Nuevos" en Bogotá de los años veinte no revela una atención por las nuevas corrientes literarias similar al que ya había mostrado la revista *Voces* de Ramón Vinyes al finalizar los años diez. La renovación artística en Colombia vendría de variadas aventuras personales (León De Greiff, José Félix Fuenmayor, Arturo Vidales) con una mayoría de aportaciones de regiones internas del país las cuales acusarían el impacto modernizador que defiende García Márquez, aunque incorporándolo como un fermento que azuzaba la respuesta expansiva de las propias culturales regionales.

Sin embargo, es más frecuente que las regiones internas reciban los impulsos de las más modernizadas, de tal modo que se cumplen dos procesos transculturadores sucesivos: el que realiza, aprovechando de sus mejores recursos, la capital o, sobre todo, el puerto, aunque es aquí donde la pulsión externa gana sus mejores batallas, y el segundo que es el que realiza la cultura regional interna respondiendo al impacto de la transcul-

[24] *El Heraldo,* Barranquilla, 27 de abril de 1950. En *op. cit.*, p. 273.

turación que le traslada la capital. Estos dos procesos, esquemáticamente perfilados y distribuidos en el espacio y en el tiempo, en muchos casos se resolvieron en uno gracias a la migración hacia las ciudades principales de cada país de muchos jóvenes escritores provincianos, asociándose a veces con los igualmente provincianos, aunque nacidos en la capital. Las soluciones estéticas que nacieron en los grupos de esos escritores mezclarán en varias dosis los impulsos modernizadores y las tradiciones localistas, dando a veces resultados pintorescos. En el sur, Pedro Leandro Ipuche acuñó la fórmula "nativismo cósmico" que metaforiza la encrucijada de culturas, la que tuvo la aprobación del Borges inicial. El insólito manejo de la cultura universal que testimonian los ensayos de José Lezama Lima, explica este juicio de Edmundo Desnoes, "las elucubraciones de un genial boticario de pueblo".[25]

El deslinde introducido por Fernando Ortiz hubiera complacido al peruano José María Arguedas, antropólogo como él e igualmente desconfiado de la apreciación académica extranjera sobre los procesos transformadores de la cultura americana. En el discurso de recepción del premio Inca Garcilaso de la Vega (1968) se opuso beligerantemente a que se le considerara un "aculturado", en lo que entendía que decía la palabra: pérdida de una cultura propia sustituida por la del colonizador, sin posibilidad de expresar ya más su tradición singular, aquella en que se había formado:

El cerco podía y debía ser destruido: el caudal de las dos naciones se podía y debía unir. Y el camino no tenía por qué ser, ni era posible que fuera únicamente el que se exigía con imperio de vencedores expoliadores, o sea: que la nación vencida renuncie a su alma, aunque no sea sino en apariencia, formalmente, y tome la de los vencedores, es decir, que se aculture. Yo no soy un aculturado: yo soy

[25] "A falta de otras palabras", ponencia en el coloquio *The rise of the new Latin American narrative, 1950-1976*, Washington, Wilson Center, 18-20 de octubre de 1979.

un peruano que orgullosamente, como un demonio feliz, habla en cristiano y en indio, en español y en quechua.[26]

Cuando se aplica a las obras literarias la descripción de la transculturación hecha por Fernando Ortiz, se llega a algunas obligadas correcciones. Su visión es geométrica, según tres momentos. Implica en primer término una "parcial desculturación" que puede alcanzar diversos grados y afectar variadas zonas tanto de la cultura como del ejercicio literario, aunque acarreando siempre pérdida de componentes considerados obsoletos. En segundo término implica incorporaciones procedentes de la cultura externa y en tercero un esfuerzo de recomposición manejando los elementos supervivientes de la cultura originaria y los que vienen de fuera. Este diseño no atiende suficientemente a los criterios de selectividad y a los de invención, que deben ser obligadamente postulados en todos los casos de "plasticidad cultural", dado que ese estado certifica la energía y la creatividad de una comunidad cultural. Si ésta es viviente, cumplirá esa selectividad, sobre sí misma y sobre el aporte exterior, y, obligadamente, efectuará invenciones con un "ars combinatorio" adecuado a la autonomía del propio sistema cultural. El "stripping down process" sobre el que ha llamado la atención George M. Foster en su libro[27] sobre la colonización española de América, responde a una selectividad que el donante cultural introduce en sus aportaciones para darles la mayor viabilidad. La misma selectividad se encuentra en el receptor cultural en todos aquellos casos en que no le es impuesta rígidamente una determinada norma o producto, permitiéndole una escogencia en el rico abanico de las aportaciones externas, o buscándola en los escondidos elementos de la cultura de dominación, vistos en

---

[26] El discurso, bajo el título "Yo no soy un aculturado", fue incluido a pedido del autor como epílogo a su novela póstuma e inconclusa *El zorro de arriba y el zorro de abajo*, Buenos Aires, Losada, 1971.

[27] *Culture and conquest: America's Spanish heritage*, Nueva York, Wenner Gren Foundation for Anthropological Research, 1960.

sus fuentes originarias. El impacto transculturador europeo de entre ambas guerras del siglo xx no incluía en su repertorio al marxismo y sin embargo éste fue seleccionado por numerosos grupos universitarios de toda América, extrayéndolo de las que Toynbee hubiera llamado fuerzas heterodoxas de la cultura europea originaria. Más aún, podría decirse que la tendencia *independentista* que hemos señalado como rectora del proceso cultural latinoamericano, siempre ha tendido a seleccionar los elementos recusadores del sistema europeo y norteamericano que se producían en las metrópolis, desgajándolos de su contexto y haciéndolos suyos en un riesgoso modo abstracto. Así, el teatro latinoamericano de las últimas décadas no se ha apropiado de la "comedia musical" norteamericana pero sí del espectáculo off Broadway que define *Hair*. Conduce un mensaje crítico, el cual se adapta a las posibilidades materiales de los grupos teatrales y a su vocación de crítica social.

La capacidad selectiva no sólo se aplica a la cultura extranjera, sino principalmente a la propia, que es donde se producen destrucciones y pérdidas ingentes. En el examen a que ya aludimos y que puede deparar el redescubrimiento de valores muy primitivos, casi olvidados dentro del sistema cultural propio, se pone en práctica la tarea selectiva sobre la tradición. Es de hecho una búsqueda de valores resistentes, capaces de enfrentar los deterioros de la transculturación; por lo cual se puede ver también como una tarea inventiva, como una parte de la *neoculturación* de que habla Fernando Ortiz, trabajando simultáneamente con las dos fuentes culturales puestas en contacto. Habrá pues pérdidas, selecciones, redescubrimientos e incorporaciones. Estas cuatro operaciones son concomitantes y se resuelven todas dentro de una reestructuración general del sistema cultural, que es la función creadora más alta que se cumple en un proceso transculturante. Utensilios, normas, objetos, creencias, costumbres, sólo existen en una articulación viva y dinámica, que es la que diseña la estructura funcional de una cultura.

a] *Lengua.* Tal como ocurriera en el primer impacto modernizador de fines del siglo xix que nos deparó el "modernismo", en el segundo de entre ambas guerras del xx el idioma apareció como un reducto defensivo y como una prueba de independencia. Los comportamientos respecto a la lengua fueron decisivos en el caso de los escritores, para quienes la opción de la *serie lingüística* que los proveía de su materia prima, resultaba determinante de su producción artística. El modernismo había fijado dos modelos: uno de reconstrucción purista de la lengua española, que se adaptaba preferentemente a los asuntos históricos (*La gloria de Don Ramiro* de Enrique Larreta, la novela colonialista mexicana) y otro que fijaba una lengua estrictamente literaria mediante una reconversión culta de las formas sintácticas del español americano. Subyaciendo al modernismo, se había extendido el costumbrismo romántico en formas que llegaron a llamarse "criollas" y donde comenzaban a recogerse las formas idiomáticas dialectales. Esta línea es la que triunfa con la aparición de los regionalistas que puede fijarse hacia 1910, en el ocaso del modernismo: habrán de procurar un sistema dual, alternando la lengua literaria culta del modernismo con el registro del dialecto de los personajes, preferentemente rurales, con fines de ambientación realista. No se trata de un registro fonético, sino de una reconstrucción sugerida por el manejo de un léxico regional, deformaciones fonéticas dialectales y, en menor grado, construcciones sintácticas locales. Esa lengua, como ya observó Rosenblat,[28] está colocada en un segundo nivel, separada de la lengua culta y "modernista" que aún usan los narradores, e incluso es condenada dentro de las mismas obras: son las lecciones que Santos Luzardo no cesa de impartir a Marisela en *Doña*

---

[28] Ángel Rosenblat, "Lengua literaria y lengua popular en América" (1969), recogido ahora en *Sentido mágico de la palabra,* Caracas, Universidad Central de Venezuela, 1977. V. cap. cuarto, "La novela social del siglo XX", pp. 191-198.

Bárbara; la utilización de comillas estigmatizadoras para las voces americanas que aparecen en el texto, práctica que venía desde los primeros románticos (Echeverría) y la adopción de glosarios en el apéndice de las novelas, debido a que eran términos que no registraba el Diccionario de la Real Academia Española. Caracteriza a estas soluciones literarias su ambigüedad lingüística que es reflejo fiel de la estructura social y del lugar superior que dentro de ella ocupa el escritor. Si éste se aproxima a los estratos inferiores, no deja de confirmar lingüísticamente su lugar más elevado, debido a su educación y a su conocimiento de las normas ideomáticas, que lo distancia del bajo pueblo.

Respecto a estos comportamientos de los escritores regionalistas, sus herederos y transformadores introducen cambios, bajo los efectos modernizadores. Reducen sensiblemente el campo de los dialectalismos y de los términos estrictamente americanos, desentendiéndose de la fonografía del habla popular, compensándolo con una confiada utilización del habla americana propia del escritor. Tanto vale decir que se prescinde del uso de glosarios, estimando que las palabras regionales trasmiten su significación dentro del contexto lingüístico aun para quienes no las conocen, y además se acorta la distancia entre la lengua del narador-escritor y la de los personajes, por estimar que el uso de esa dualidad lingüística rompe el criterio de unidad artística de la obra. En el caso de personajes que utilizan alguna de las lenguas autóctonas americanas, se procura encontrar una equivalencia dentro del español, forjando una lengua artificial y literaria (Arguedas, Roa Bastos, Manuel Scorza) que sin quebrar la tonalidad unitaria de la obra permite registrar una diferencia en el idioma. En resumen, son éstas algunas de las vías por las cuales se propone la unificación lingüística del texto literario, respondiendo a una concepción de organicidad artística evidentemente más moderna, gracias a una muy nueva e impetuosa confianza en la lengua americana propia, la que el escritor maneja todos los días. Con las varian-

tes previsibles, ésta es la línea rectora de toda la producción literaria posterior a 1940. Es visible en uno de
los mejores exponentes del cosmopolitismo literario, en
el Julio Cortázar que unifica el habla de todos los personajes de *Rayuela,* sean argentinos o extranjeros, mediante el uso de la lengua hablada de Buenos Aires (con
sus típicos *vos* y *che*) la cual manifiesta mínimo distanciamiento respecto a la lengua del escritor en la misma novela, resolución lingüística que puede considerarse drástica venida después de las normas impartidas
por las autoridades argentinas para combatir en escue-
las y liceos las formas dialectales que en el país tenían
no menos de dos siglos.

En el caso de los escritores procedentes del regionalismo, colocados en trance de transculturación, el léxico, la prosodia y la morfosintaxis de la lengua regional,
apareció como el campo predilecto para prolongar los
conceptos de originalidad y representatividad, solucio-
nando al mismo tiempo unitariamente, tal como reco-
mendaba la norma modernizadora, la composición literaria. La que antes era la lengua de los personajes
populares y, dentro del mismo texto, se oponía a la
lengua del escritor o del narrador, invierte su posición
jerárquica: en vez de ser la excepción y de singularizar
al personaje sometido al escudriñamiento del escritor,
pasa a ser la voz que narra, abarca así la totalidad del
texto y ocupa el puesto del narrador manifestando su
visión del mundo. Pero no remeda simplemente un dialecto, sino que utiliza formas sintácticas o lexicales que
le pertenecen dentro de una lengua coloquial esmerada, característica del español americano de alguna de
las áreas lingüísticas del continente. La diferencia entre estos dos comportamientos literarios, aun más que
lingüísticos, la da el cotejo entre dos excelentes cuentos:
la "Doña Santitos" de la chilena Marta Brunet, última
representante del regionalismo, y "Luvina" de Juan
Rulfo, ya representación de esta transculturación narrativa en curso.

El autor se ha reintegrado a la comunidad lingüística y habla desde ella, con desembarazado uso de sus recursos idiomáticos. Si esa comunidad es, como ocurre frecuentemente, de tipo rural, o aun colinda con una de tipo indígena, es a partir de su sistema lingüístico que trabaja el escritor, quien no procura imitar desde fuera un habla regional, sino elaborarla desde dentro con una finalidad artística. Desde el momento que no se percibe a sí mismo fuera de ella, sino que la reconoce sin rubor ni disminución como propia, abandona la copia, con cuidada caligrafía, de sus irregularidades, sus variantes respecto a una norma académica externa y en cambio investiga las posibilidades que le proporciona para construir una específica lengua literaria dentro de su marco. Hay aquí un fenómeno de neoculturación, como decía Ortiz. Si el principio de unificación textual y de construcción de una lengua literaria privativa de la invención estética, puede responder al espíritu racionalizador de la modernidad, compensatoriamente la perspectiva lingüística desde la cual se lo asume restaura la visión regional del mundo, prolonga su vigencia en una forma aun más rica e interior que antes y así expande la cosmovisión originaria en un modo mejor ajustado, auténtico artísticamente solvente, de hecho modernizado, pero sin destrucción de identidad.

b] *Estructuración literaria.* La solución lingüística al impacto modernizador externo, fue sutilmente reconstructora de una tradición y habría de depararnos algunas obras estimadas ya como clásicas de la literatura latinoamericana: *Pedro Páramo* de Juan Rulfo. En ese nivel, con todo, los problemas derivados de la nueva circunstancia modernizadora eran menos difíciles que los que se presentaron en el nivel de la estructuración literaria. Aquí la distancia entre las formas tradicionales y las modernas extranjeras era mucho mayor. La novela regional se había elaborado sobre los modelos narrativos del naturalismo del xix los que adecuó a sus necesidades expresivas. Enfrenta ahora el abanico de recursos vanguardistas que inicialmente pudieron ser absor-

bidos por la poesía y recién después fecundaron la
narrativa realista crítica y prácticamente engendraron
la narrativa cosmopolita, en particular su vertiente
fantástica. Las dotaron de una destreza imaginativa,
una percepción inquieta de la realidad y una impregnación emocional mucho mayores, aunque también im-
primieron una cosmovisión fracturada. Si se recuerda
que el regionalismo respondía a una concepción racionalizadora rígida, hija del sociologismo y el psicologismo del xix sólo remozados superficialmente por las filosofías vitales del 900, se puede medir lo difícil de su
adaptación a las nuevas estructuras de la novela vanguardista.

También en este nivel, surtió de respuestas el repliegue dentro del venero cultural tradicionalista, merced
al cual se retrocedió aún más a la búsqueda de mecanismos literarios propios, adaptables a las nuevas circunstancias y suficientemente resistentes a la erosión
modernizadora. La singularidad de la respuesta consistió en una sutil oposición a las propuestas modernizadoras. Así, al fragmentarismo de la narración mediante
el "stream of consciousnes" que de Joyce a V. Woolf
invadió la novela, le opuso la reconstrucción de un
género tan antiguo como el monólogo discursivo (que
se ejercita en el *Gran Sertão: veredas* de Guimarães
Rosa) cuyas fuentes no sólo pueden rastrearse en
las literaturas clásicas sino asimismo, vivamente, en las
fuentes orales de la narración popular; al relato
compartimentado, mediante yuxtaposición de pedazos
sueltos de una narración, (en John Dos Pasos, en Huxley) se le opuso el discurrir dispersivo de las "comadres
pueblerinas" que entremezclan sus voces susurrantes
(tal como lo aplica Rulfo en *Pedro Páramo*). Ambas
soluciones proceden de una recuperación de las estructuras de la narración oral y popular. Quizás su mejor
ejemplo pueda buscarse en el problema a que se enfrentó García Márquez cuando en los *Cien años de
soledad* debió resolver estilísticamente una conjunción
del plano verosímil e histórico de los sucesos y el del

maravilloso en que se sitúa la perspectiva que los personajes tienen de ese suceder real. Es atendible la explicación proporcionada por el autor, que apunta hacia esas fuentes orales de la narración y, más aún, a la cosmovisión que rige sus peculiares procedimientos estilísticos, evocando la conducta de una de sus tías:

Una vez estaba bordando en el corredor cuando llegó una muchacha con un huevo de gallina muy peculiar, un huevo de gallina que tenía una protuberancia. No sé por qué esta casa era una especie de consultorio de todos los misterios del pueblo. Cada vez que había algo que nadie entendía, iban a la casa y preguntaban y, generalmente, esta señora, esta tía, tenía siempre la respuesta. A mí lo que me encantaba era la naturalidad con que resolvía estas cosas. Volviendo a la muchacha del huevo, le dijo: "Mire usted, ¿por qué este huevo tiene una protuberancia?" Entonces ella la miró y dijo: "Ah, porque es un huevo de basilisco. Prendan una hoguera en el patio." Prendieron una hoguera y quemaron el huevo con gran naturalidad. Esa naturalidad creo que me dio a mí la clave de *Cien años de soledad*, donde se cuentan las cosas más espantosas, las cosas más extraordinarias con la misma cara de palo con que esta tía dijo que quemaran en el patio un huevo de basilisco, que jamás supe lo que era.[29]

Con todo, las pérdidas literarias, en este nivel de las estructuras narrativas, fueron muy amplias. Naufragó gran parte del repertorio regionalista, que sólo pervivió en algunos epígonos y curiosamente en la línea de la narrativa social posterior a 1930. Estas pérdidas fueron ocasionalmente remplazadas por la adopción de estructuras narrativas vanguardistas (el García Márquez que encuentra la apuntada solución estilística de los *Cien años,* es el mismo que traslada de las invenciones de Faulkner y Woolf, la serie de monólogos alternos de *La hojarasca*), pero esas soluciones imitativas no rindieron

[29] Gabriel García Márquez y Mario Vargas Llosa, *La novela en América Latina*: *diálogo*, Lima, Carlos Milla Batres, Ediciones UNI, 1968, pp. 15-16.

el dividendo artístico que produjo el retorno a estructuras literarias pertenecientes a tradiciones analfabetas. Sobre todo porque fueron elegidas las que no estaban codificadas en los cartabones folklóricos, sino que pertenecían a una fluencia más antigua, más real, más escondida también.

Estos dos niveles (lengua, estructura literaria) adquirieron importancia capital en otro continuador-transformador del regionalismo, el brasileño João Guimarães Rosa, tal como lo definió Alfredo Bosi: "El regionalismo, que dio algunas de las formas menos tensas de escritura (la crónica, el cuento folklórico, el reportaje), estaba destinado a sufrir, en manos de un artista-demiurgo, la metamorfosis que lo devolvería al centro de la ficción brasileña." [30]

En los dos niveles, la operación literaria es la misma: se parte de una lengua y de un sistema narrativo populares, hondamente enraizados en la vida sertaneja, lo que se intensifica con una investigación sistemática que explica la recolección de numerosos arcaísmos lexicales y el hallazgo de los variados puntos de vista con que el narrador elabora el texto interpretativo de una realidad, y se proyectan ambos niveles sobre un receptor-productor (Guimarães Rosa) que es un mediador entre dos orbes culturales desconectados: el interior-regional y el externo-universal. El principio mediador se introduce en la propia obra: el Riobaldo de *Gran sertão:veredas* es yagunzo y letrado, papel que asimismo ocupa el Grivo de *Carade-Bronze* que transporta, al señor encerrado, los nombres de las cosas. Está aquí diseñado el género peculiar del relato de Riobaldo, que Roberto Schwarz reconoció como un habla que nace de un interlocutor que la promueve,[31] en lo que Unamuno hubiera definido sagazmente como un "monodiálogo". Este interlocutor que nunca habla pero sin cuya existencia el mo-

³⁰ Alfredo Bosi, *História concisa da literatura brasileira*, São Paulo, Editóra Cultrix, 1972, pp. 481-482.
³¹ *A Sereia e o desconfiado*, Río de Janeiro, Editóra Civilização Brasileira, 1965.

nólogo no se conformaría, aporta la incitación modernizadora que conocemos a través de las formas del
"reportaje" para investigar una cultura básicamente
ágrafa, que sigue trasmitiéndose por la vía oral. De un
extremo a otro de la obra de Guimarães Rosa dispone-
mos de su testimonio sobre este procedimiento para
recolectar una información y para estudiar lengua y
formas narrativas de una cultura pecuaria: en 1947 es
el texto "Com o Vaqueiro Mariano", por lo tanto contemporáneo de *Sagarana*; en 1962 es "A Estória do
Homen do Pinguelo" que también reconstruye la escena
original del informante rural que va siendo evaluado
por el escritor, mientras desarrolla su discurso.[32] En el
primer ejemplo, la narración de Mariano sobre los bue-
yes va siendo observada por el interlocutor que a esa
información agrega referencias al estilo y las palabras
("Reflexionaba para responderme, en coloquial mezcla
de *quasca* y de *mineiro*." "Unas palabras intensas, diferentes, abren vastos espacios donde lo real roba a la fábula") hasta reconocer que el sistema narrativo es el que
construye a la persona, al personaje narrador: "Tampoco las historias se desprenden, sin más, del narrador:
lo realizan, narrar es resistir." [33] De otro modo: la resistencia de la cultura que recibe la modernización se
sostiene, aún más que sobre la pervivencia del nivel
lexical, sobre el otro superior de los sistemas narrativos,
en los cuales podemos avizorar un homólogo de las
formas de pensar. Al transcribir el mensaje va manifestando simultáneamente el código con el cual se elabora, no siendo escindibles ambos, como sugiere Bosi
apoyándose en Lucien Sebag: es por lo tanto el esfuerzo
de construir una totalidad, dentro de la cual se recu-
peran las formas inconexas y dispersivas de la narración
rural pero ajustadas a una unificación que ya procede
del impacto modernizador. Este mismo está transcultu-

---

[32] Ambos textos están recogidos actualmente en João Guimarães Rosa, *Estas estórias*, Río de Janeiro, Livraria José
Olympio, 1969.

[33] *Op. cit.*, pp. 73-4.

rado, pues para realizarse apela en primer término a una manifestación tradicional, el discurso hablado, extendiéndolo homogéneamente a todo el relato. Correctamente Walnice Nogueira Galvão ha observado que "el habla es también el gran unificador estilístico; anula la multiplicación de recursos narrativos: variación de persona del narrador, cartas, diálogos, otros monólogos —hasta los personajes de la trama hablan por boca de Riobaldo".[34] Dentro de ella, como la misma crítica ha observado, opera una unificación superior mediante la inserción de un modelo matricial, que es donde el autor ajusta su código con el del narrador.

c] *Cosmovisión.* Queda aún por considerar un tercer nivel de las operaciones transculturadoras, que es el central y focal representado por la cosmovisión que a su vez engendra los significados. Las respuestas de estos herederos "plásticos" del regionalismo, depararon aquí los mejores resultados. Este punto íntimo es donde asientan los valores, donde se despliegan las ideologías y es por lo tanto el que es más difícil rendir a los cambios de la modernización homogeneizadora sobre patrones extranjeros. Tal como venimos subrayando, la modernización de entre ambas guerras (que en el hemisferio brasileño se llama "modernismo" y en el hispanoamericano "vanguardismo") actúa sobre las diversas tendencias literarias poniendo en casi todas una marca similar, salvo que las intensidades de este fenómeno serán bastante distintas y, sobre todo, las respuestas dadas por cada una de ellas señalarán el puesto que ocupan en la multiplicidad cultural latinoamericana de la época.

El vanguardismo puso en entredicho el discurso lógico-racional que venía manejando la literatura a consecuencia de sus orígenes burgueses en el xix. Tres tendencias literarias lo utilizaban, ya sea por la vía de un lenguaje denotativo referencial, ya sea por la de los mecánicos diseños simbólicos: la novela regional, la no-

---

[34] *As formas do falso,* São Paulo, Editóra Perspectiva, 1972, p. 70.

vela social y la realista crítica. La novela social se mantuvo aferrada a su logicismo didascálico, conservó el modelo narrativo burgués del XIX, pero invirtió su jerarquía valorativa, desarrollando un mensaje antiburgués; la novela realista-crítica (en el amplio espectro que la caracterizó, donde caben Juan Carlos Onetti, Graciliano Ramos, Alejo Carpentier) aprovechó sugerencias estructurales y sobre todo la escritura renovada de la vanguardia, de la respuesta de la novela regional hablaron luego. La tendencia que sin embargo se adaptó rápidamente al impacto vanguardista, la que incluso se desarrolló bajo su impulso, fue la que llamamos narrativa cosmopolita, atendiendo a su mejor expositor, Jorge Luis Borges, y a la definición que de su obra hiciera Etiemble. Dentro de esa tendencia caben diversos conjuntos, los que se desarrollaron preferentemente en Buenos Aires: una, la narrativa fantástica, que aprovechó su permeabilidad a la pluralidad de significados gracias a su construcción abierta y a las corrientes subterráneas, inconscientes, que mueven su escritura, aunque el propio Julio Cortázar, que es su representante genuino, no ha dejado de observar que puede volverse rígida y logicista como una novela social;[35] otra fue la que Jorge Rivera[36] ha preferido llamar de la ambigüedad, atendiendo a la obra de José Bianco, aunque en esa definición también puede caber una parte destacada de la obra de Juan Carlos Onetti.

No es éste el lugar para examinar causas, rasgos, consecuencias del movimiento irracionalista europeo que impregnó las plurales áreas de la actividad intelectual: se registró en el pensamiento filosófico y el político, lo que explica la condena conjunta a que lo sometió Lukács en su libro *El asalto a la razón*; modeló los

---

[35] "Del sentimiento de lo fantástico", en *La vuelta al día en ochenta mundos,* Madrid, Siglo XXI de España, 1970, t. I, pp. 69-75.

[36] "La nueva novela argentina de los años 40", prólogo a José Bianco, *Las ratas,* Buenos Aires, Centro Editor de América Latina, 1981, pp. IV-VI.

centros de renovación artística, tanto el expresionismo
alemán, el surrealismo francés como el futurismo ita-
liano, con un punto máximo en la aventura Dada; impregnó las filosofías de la vida, las divergentes vías de
los existencialismos; incluso corrientes básicamente ajenas al movimiento, como la antropología o el psicoaná-
lisis, hicieron aportaciones que sirvieron a los recusadores de la razón. De esas aportaciones, ninguna más
vivamente incorporada a la cultura contemporánea que
una nueva visión del mito, la cual, en algunas de sus
expresiones, pareció sustitutiva de las religiones que
habían sufrido honda crisis en el xix. Partiendo de las
revisiones promovidas por la antropología inglesa (Ed-
ward Taylor, James Frazer), esta concepción del mito
fue retomada por los psiconalistas del xx (Sigmund
Freud, Otto Rank, Ferrenczi, Carl Jung), así como por
los estudiosos de la religión (Georges Dumézil, Mircea
Eliade) e inundó el siglo xx. Hacia 1962, Mircea Eliade
registraba este cambio operado "desde hace más de medio siglo" en las ideas de los estudiosos:

En vez de tratar, como sus predecesores, el mito en la acep-
ción usual del término, esto es, en tanto que "fábula", "invención", "ficción", lo ha aceptado tal como era compren-
dido en las sociedades arcaicas, donde el mito designa, por
el contrario, una "historia verdadera" y, lo que es más, ina-
preciable, por ser sagrada, ejemplar y significativa.[37]

Entre los más autorizados centros que restablecieron
esa concepción del mito y lo redescubrieron actuando
vivamente en las sociedades racionalizadas, estaba la
Alemania pre-hitlerista donde se produjo la capital obra
de Ernst Cassirer, conjuntamente con la Francia donde
desarrolló su magisterio Lucien Lévy-Bruhl, cuyo libro
La mentalité primitive (1922) fue autoridad hasta la
discusión crítica por la antropología estructural de Lévi
Strauss, y prestó un fondo teórico al desarrollo coetáneo
del surrealismo. A través de los hispanoamericanos que

[37] *Aspects du mythe*, París, Gallimard, 1963, p. 9.

residieron en Europa en el período de entre ambas guerras (nuestra "lost generation") y por la mediación de
los cenáculos intelectuales españoles (*Revista de Occidente*) este novedoso "objeto" de la cultura internacio-
nalizada de la hora se trasladó a la América Latina,
aunque probablemente con menor retraso del que le ha
supuesto Pierre Chaunu en sus múltiples ejemplos del
"retraso" hispanoamericano respecto a las invenciones
europeas:

Otro signo de este largo desplazamiento intelectual: la
conquista, entre 1940 y 1950, de las principales universi-
dades hispanoamericanas —México y luego Buenos Aires—
por el pensamiento alemán de las dos primeras décadas
del siglo xx. Es, superficialmente consecuencia de la diás-
pora americana de la España republicana, cuyos cuadros,
procedentes de la pequeña y mediana burguesía, bebieron,
como Ortega y Gasset, en las fuentes de la filosofía alemana de principios de siglo, como reacción contra la alta
burguesía y la aristocracia afrancesadas.[38]

De hecho Chaunu se refiere a las traducciones alema-
nas del Fondo de Cultura (Dilthey por Ímaz) y a la
incorporación de la estilística idealista (Vossler, Spit-
zer), las que coincidieron con la introducción del pensamiento francés y del arte surrealista, cuyos postulados
míticos hicieron suyos escritores tan diversos como Asturias, Carpentier, Borges, y cuyo examen aún puede encontrarse en los ensayos iniciales de Julio Cortázar (en
especial "Para una poética", de 1954). El mito (Asturias), el arquetipo (Carpentier), aparecieron como categorías válidas para interpretar los rasgos de la América
Latina, en una mezcla *sui generis* con esquemas sociológicos, pero aun la muy franca y decidida apelación
a las creencias populares supervivientes en las comunidades indígenas o africanas de América que esos autores
hicieron, no escondía la procedencia y la fundamenta-

[38] *L'Amérique et les Amériques*, París, Armand Colin,
1964, p. 43.

ción intelectual del sistema interpretativo que se aplicaba. Alguno de los equívocos del real-maravilloso proceden de esta doble fuente (una materia interna, una significación externa) al punto que la mayor coherencia alcanzada por la literatura de Jorge Luis Borges procede de la franca instalación en la perspectiva cosmopolita y universal. Desde "Tlön, Uqbar, Tertius Orbis" (1938) el "mito" fue un sueño bibliográfico que se componía a partir de los libros que integraban la Biblioteca de Babel. Con lo cual se cumplía la inversión simétrica que detectaron Horkheimer-Adorno, al observar que al trasmutarse el iluminismo en mito dentro del irracionalismo dominante en el siglo xx, se recobraba la originaria trasmutación del mito en iluminismo, como puntos de apoyo de la civilización burguesa.[39]

La desculturación que en las culturas regionalistas promovió la incorporación de este corpus ideológico habría de ser violenta, pero paradojalmente serviría para abrir vías enriquecedoras. El discurso literario de la novela regionalista respondía básicamente a las estructuras cognoscitivas de la burguesía europea. Por lo tanto funcionaba, respecto a la materia que elaboraba, a la misma distancia con que lo hacía la lengua culta del narrador respecto a la lengua popular del personaje. Esta discordancia lingüística remedaba la discordancia entre la estructura discursiva y los materiales. En ambos casos se ejercía una imposición distorsionadora. Al ser puesto en entredicho el discurso lógico-racional, se produce nuevamente el repliegue regionalista hacia sus fuentes locales, nutricias, y se abre el examen de las formas de esta cultura según sus ejercitantes tradicionales. Es una búsqueda de realimentación y de pervivencia, extrayendo de la herencia cultural las contribuciones valederas, permanentes.

Este repliegue restablece un contacto fecundo con las fuentes vivas, que son las inextinguibles de la invención

[39] Marx Horkheimer y Theodor Adorno, *Dialéctica de la Aufklarung*, Buenos Aires, Sur, 1969.

mítica en todas las sociedades humanas, pero aun más alertas en las comunidades rurales. Se redescubren las energías embridadas por los sistemas narrativos que venía aplicando el regionalismo, se reconocen las virtualidades del habla y las de las estructuras del narrar popular. Se asiste así al reconocimiento de un universo dispersivo, de asociacionismo libre, de incesante invención que correlaciona ideas y cosas, de particular ambigüedad y oscilación. Existía desde siempre, pero había quedado oculto por los rígidos órdenes literarios que respondían al pensamiento científico y sociológico propiciado por el positivismo. En la medida en que este pensamiento estaba incapacitado para apreciar un imaginario protoplasmático, discursivo, apegado a una realidad inmediata que daba sostén a sus esquemas opositivos, había preferido imponerse con rigidez y forzar ese material aparentemente errátil a la logicidad sistemática que tenía sus fuentes en Spencer, en Comte o en Taine. La quiebra de este sistema lógico deja en libertad la materia real perteneciente a las culturas internas de América Latina y permite apreciarla en otras dimensiones.

En la frase con que Riobaldo reflexiona sobre el universo sertanejo, está captada la oscilación que servirá de base a la novela: "Sertón es esto, sabe usted: todo incierto, todo cierto." La extraordinaria fluidez y el constante desplazamiento de vidas y sucesos, las trasmutaciones de la existencia y la inseguridad de los valores, tejerán entonces el sustrato sobre el cual se desplegará el discurso interpretativo. No de otro modo, en "La cuesta de las comadres" de Rulfo, el discurso oscilante del personaje se construye sobre la dispersión y la contradicción de los elementos componentes. El narrador, en ambos casos, se transforma en el mediador que trabaja sobre la dispersión y construye un significado que será igualmente problemático. La construcción de la historia es reproducida por la construcción del discurso, de tal modo que las formas de la peripecia equivalen a las formas de la narratividad. Benedito Nunes ha visto estos dos viajes superpuestos en *Cara-de-bronze* y ha percibido en la función mediadora un característico papel mítico: "Esa visión bifocal de la obra se ajusta a la naturaleza ambigua y mediadora de Grivo, personaje que tiene por fondo la figura del Niño mítico, uno de los arquetipos de lo *sagrado,* que domina, por encima de otras encarnaciones importantes, como Diadorim y Miguilim, la ficción de Guimarães Rosa." [40] En esta novela corta, la correlación de ambos planos es notoria, ya que el asunto es la búsqueda de la palabra. Pero también la observa Walnice Nogueira respecto a *Gran sertão: veredas,* aproximando dos *leit-motiv* de la obra; "Vivir es muy peligroso", "Contar es muy, muy difícil".[41]

Es por eso que los transculturadores descubrirán algo que es aún más que el mito. A diferencia de la narrativa cosmopolita de la época que revisa las plasmaciones literarias en las cuales ha sido consolidado un mito y, a la luz del irracionalismo contemporáneo, lo somete a nuevas refracciones, a instalaciones universales, los transculturadores liberan la expansión de nuevos relatos míticos sacándolos de ese fondo ambiguo y poderoso como precisas y enigmáticas acuñaciones. Nada más vano que el intento de ajustar las historias de Comala a los modelos fijados en las mitologías grecolatinas: no hay duda de que sin cesar éstos son rozados o, mejor, enturbiados, por las invenciones de Rulfo, pero su significación está fuera de ellos, proceden de otras llamas y buscan otros peligros, se desprenden espontáneamente de un trasfondo cultural desconocido que torpemente manejan métodos de conocimiento.[42]

Todavía más importante que la recuperación de estas

[40] *O aorso do tigre,* São Paulo, Editóra Perspectiva, 1969, p. 185.

[41] *Op. cit.,* p. 80.

[42] Para el caso de la narrativa de Rulfo lo observa Carlos Monsiváis en su ensayo "Sí, tampoco los muertos retoñan. Desgraciadamente", en *Juan Rulfo. Homenaje nacional,* México, Instituto Nacional de Bellas Artes, 1980, pp. 35-36.

estructuras cognoscitivas en incesante emergencia, será la indagación de los mecanismos mentales que generan el mito, el ascenso hacia las operaciones que los determinan. En el ejemplo paradigmático proporcionado por José María Arguedas, un antropólogo que recogió mitos indios acuñados y los estudió, encontraremos ese segundo nivel, en que no sólo el narrador de la novela, sino el propio autor construye a base de esas operaciones, trabaja sobre lo tradicional indígena y lo modernizado occidental, indistintamente asociados, en un ejercicio del "pensar mítico".

Por lo tanto, la respuesta a la desculturación que en este nivel de la cosmovisión y del hallazgo de significados promueve el irracionalismo vanguardista, sólo en apariencia parece homologar la propuesta modernizadora. En verdad, la supera con imprevisible riqueza, a la que pocos escritores de la modernidad fueron capaces de llegar: al manejo de los "mitos literarios", opondrá el "pensar mítico". Lo analizaremos concretamente en la literatura de José María Arguedas.

En cualquiera de esos tres niveles (lenguas, estructura literaria, cosmovisión) se verá que los productos resultantes del contacto cultural de la modernización, no pueden asimilarse a las creaciones urbanas del área cosmopolita pero tampoco al regionalismo anterior. Y se percibirá que las invenciones de los transculturadores fueron ampliamente facilitadas por la existencia de conformaciones culturales propias a que había llegado el continente mediante largos acriollamientos de mensajes. Probablemente el contacto directo entre las culturas regionales y la modernización, hubiera sido mortal para las primeras, habida cuenta de la distancia entre ambas que, en casos como el de la polaridad europeísmo-indigenismo era abismal. La mediación la proporcionó esa conformación cultural que había logrado imponerse tras seculares esfuerzos de acumulación y reelaboración: en el caso del Brasil la orgánica cultura nacional; en el caso de Hispanoamérica, el desarrolló de una intercomunicación fructífera de sus diversas áreas. Por eso, el diálogo entre el regionalista y el modernista se hizo a través de un sistema literario amplio, un campo de integración y mediación, funcional y autorregulado. La contribución magna del *período de modernización* (1870-1910) había preparado esta eventualidad, al construir en Hispanoamérica un sistema literario común.

II. REGIONES, CULTURAS Y LITERATURAS

1. Subculturas regionales y clasistas

La unidad de América Latina ha sido y sigue siendo un proyecto del equipo intelectual propio, reconocida por un consenso internacional. Está fundada en persuasivas razones y cuenta a su favor con reales y poderosas fuerzas unificadoras. La mayoría de ellas radican en el pasado, habiendo modelado hondamente la vida de los pueblos: van desde una historia común a una común lengua y a similares modelos de comportamiento. Las otras son contemporáneas y compensan su minoridad con una alta potencialidad: responden a las pulsiones económicas y políticas universales que acarrean la expansión de las civilizaciones dominantes del planeta.

Por debajo de esa unidad, real en cuanto proyecto, real en cuanto a bases de sustentación, se despliega una interior diversidad que es definición más precisa del continente. Unidad y diversidad ha sido una fórmula preferida por los analistas de muchas disciplinas.[1]

La diversidad es regida, en un primer nivel, por el de los países hispanoamericanos, algunos de los cuales han sido capaces de constituir naciones, gracias a factores integradores que otros no han alcanzado. En un segundo nivel, más robusto y valedero, la diversidad es acreditada por la existencia de regiones culturales. Aunque éstas se perfilan extensas y nítidamente delineadas en los grandes países, haciendo que el mapa regional brasileño sea un equivalente del mosaico de países independientes del hemisferio hispanoamericano, la división en regiones culturales se reencuentra aun en los países

---

[1] Ejemplo: el libro de José Luis Martínez, *Unidad y diversidad de la literatura hispanoamericana*, México, Joaquín Mortiz, 1972.

[57]

pequeños, habiendo podido ser fundamentada por la antropología para islas del tamaño de Puerto Rico.[2] La división en regiones, dentro de cualquier país, tiene una tendencia multiplicadora que en casos límites produce una desintegración de la unidad nacional. Lo mismo puede decirse de las vastas regiones dentro de un país, pasibles de división en subregiones con la misma tendencia desintegradora, tal como le ocurre a Guimarães Rosa cuando intenta ofrecer un perfil de su Minas Gerais natal.[3]

Estas regiones pueden encabalgar asimismo diversos países contiguos o recortar dentro de ellos áreas con rasgos comunes, estableciendo así un mapa cuyas fronteras no se ajustan a las de los países independientes. Este segundo mapa latinoamericano es más verdadero que el oficial cuyas fronteras fueron, en el mejor de los casos, determinadas por las viejas divisiones administrativas de la Colonia y, en una cantidad no menor, por los azares de la vida política, nacional o internacional. En este segundo mapa el estado Rio Grande do Sul, brasileño, muestra vínculos mayores con el Uruguay o la región pampeana argentina que con Matto Grosso o el nordeste de su propio país; la zona occidental andina de Venezuela se emparenta con la similar colombiana, mucho más que con la región central antillana. Estas semejanzas son contrarrestadas por las normas nacionales que dominan a las regiones internas de cada país, imponiéndoles lengua, educación, desarrollo económico, sistema social, etc., constituyendo una influencia no desdeñable en la conformación cultural, que impide que se maneje el esquema de división por regiones con prescindencia del fijado por la existencia de países independientes.

La relación entre la unidad latinoamericana y estos

[2] Julián H. Steward *et al., The people of Puerto Rico; a study in social anthropology*, Urbana, University of Illinois Press, 1956.

[3] João Guimarães Rosa, "Minas Gerais", en *Ave, palavra*, Río de Janeiro, José Olympio, 1970, pp. 245-250.

dos niveles (nacional y regional), también puede reencontrarse dentro del exclusivo nivel regional vinculando macro-regiones y mini-regiones culturales, las cuales frecuentemente se manejan de acuerdo a los fines que se propone una indagación. La división antropológica mayor, que aun se encuentra en Charles Wagley,[4] fija tres grandes regiones latinoamericanas: Afroamérica (costa atlántica, zonas bajas, cultivos en haciendas, esclavitud, aportación cultural negra y fuerte disminución de la indígena, régimen señorial); Indoamérica (cordillera de los Andes, pisos términos de zonas templadas y frías, fuerte composición indígena, agricultura y minería, dominación hispánica, religión católica) e Iberoamérica (región templada del sur, tardía colonización, inmigración europea, escaso aporte indígena y africano, ganadería y agricultura, régimen de explotación burgués). Similar diseño general se reencuentra en Darcy Ribeiro,[5] quien atiende especialmente a los procesos de mestización transculturadora: Pueblos-Testimonio (mesoamericanos y andinos); Pueblos-Nuevos (brasileños, grancolombianos, antillanos y chilenos) y Pueblos-Transplantados, rioplatenses).

Es un diseño de máxima amplitud, como quien dice la traducción de la unidad latinoamericana a sus tres componentes básicos. Si la unidad implica un sistema de diferenciaciones con las culturas externas (incluso las progenitoras) y sobre todo con el sector anglosajón (Estados Unidos y Canadá) que fue el primero que sirvió de término opuesto para la autodefinición de quienes, entonces, resolvieron llamarse latinoamericanos, la macrorregionalización implica una diferenciación interna mediante un correlativo sistema de oposiciones

[4] Charles Wagley, *The Latin American tradition, essays on the unity and the diversity of Latin American culture*, Nueva York, Columbia University Press, 1968.

[5] Darcy Ribeiro, *As América e a civilização, estudos de antropologie da civilização*, Petrópolis, Editóra, Vozes, 1979 (3a. ed.).

que se funda principalmente en los criterios de la antropología cultural, aunque cuenta con el refuerzo de la historia y de la más reciente economía.

Vista la complejidad del continente y las necesidades de indagaciones concretas en países o áreas más reducidas, también se ha avanzado en la microrregionalización, de la cual son ejemplo los estudios citados de Julian Steward *et al.*, sobre Puerto Rico. Con más razón se han aplicado a un país como Brasil, cuyas dimensiones, variedad de condiciones ecológicas, componentes étnicos, factores históricos, producciones, etc., han propiciado el desarrollo autónomo de culturas internas. El Brasil ha contado con una calificada aportación de antropólogos nacionales y extranjeros, quizás la más alta concentración de estudios de este tipo en América Latina, lo que nos ha deparado diversas taxonomías. Así, Wagley[6] propuso inicialmente una clasificación en seis mayores regiones que representarían sendas subculturas dentro de la que estimó unidad cultural avanzada del país: valle del Amazonas, costa noreste, noreste árido, extremo sur, estados industrializados y la frontera oeste. Por su parte Manuel Diegues Júnior,[7] discípulo de Gilberto Freyre, hizo el diseño de nueve regiones culturales del Brasil: noreste agrario del litoral, mediterráneo pastoril, Amazonia, minería del Plan Alto, centro-oeste, extremo sur pastoril, colonización extranjera, zona cafetalera, faja urbano-industrial, previendo aun otras tres que rotarían sobre la producción de sal, cacao y pesca.

Estas clasificaciones se apoyan en una reflexión metodológica que así ha expresado Wagley: "Encuentro útil pensar en América Latina en términos de regiones, cada una de las cuales tiene un tipo diferente de medio

---

[6] Charles Wegley, "Regionalism and cultural unity in Brazil" (*Social Forces*, 1948, xxvi), en Dwight B. Heath y Richard N. Adams (comps.), *Contemporary cultures and societies of Latin America*, Nueva York, Random House, 1965, pp. 124-136.

[7] Manuel Diegues Júnior, *Etnias e culturas no Brasil*, Río de Janeiro, Civilização Brasileira, 1976 (5a. ed.).

físico, población de diferente composición étnica y distinta variedad de cultura latinoamericana." [8] Atiende al medio físico, a la composición étnica de la población, a la producción económica dominante, al sistema social derivado, a los componentes culturales modelados y trasmitidos dentro de esos marcos, pero sobre todo privilegia la expansión horizontal de una subcultura (concepto sin el cual no puede hablarse de región) reconociendo que establece comportamientos, valores, hábitos, y que genera productos que responden al generalizado consenso de los hombres que viven dentro de los límites regionales, sean cuales fueren sus posiciones dentro de la estructura social. Efectivamente, reconoce usos culinarios, manejos lingüísticos, creencias fundamentales, que impregnan por igual a los miembros de la comunidad y permiten que se reconozcan a sí mismos como integrantes de una subcultura regional, diferenciándose u oponiéndose a otras regiones.

Esta concepción, principalmente culturalista, ha dado paso progresivamente a una "tipología evolucionista" según la calificó Strickon,[9] observando la mayor atención concedida a la economía y a la estructura social: "Los criterios fueron económicos y estructurales. Su teoría sostenía que la interacción entre tecnología, medio y economía era decisiva para comprender sociedad y cultura." El ejemplo proporcionado por la taxonomía puertorriqueña establecida por Steward, observando los efectos de los diversos sistemas productivos (tabaco, caña de azúcar, café) en las conformaciones culturales, ha contribuido a evidenciar sus vínculos con las fuerzas externas, dentro del campo transculturador modernidad/tradicionalismo, que sostiene la totalidad dinámica de América Latina. Esto permitiría agrupar las diversas regiones, sean cuales fueren las zonas de América Lati-

[8] *Op. cit.*, p. 14.
[9] Arnold Strickon, "Anthropology in Latin America", en Charles Wagley (comp.), *Social science research on Latin America*, Nueva York, Columbia University Press, 1965, pp. 125-167.

na donde son reconocidas, dentro de tipos estructurales, que, dice Strickon, "eran vistos como sociedades emergentes resultantes de la estructura cambiante de los grandes centros comerciales e industriales del mundo occidental".[10] Ejemplo sistemático lo proporcionó la tipología establecida por Charles Wagley y Marvin Harris,[11] quienes a partir de la distinción entre sociedad y cultura, escalonaron nueve tipos de subculturas que pueden reordenarse en seis agrupaciones: 1] indias tribales; 2] indias modernas; 3] campesinas; 4] y 5] plantación de ingenio y plantación de fábrica; 6] citadinas; 7], 8] y 9] clase alta metropolitana, clase media metropolitana y proletariado urbano. Como sus autores reconocen, varias se encabalgan debido a los distintos criterios que se usan (raciales, sociales) lo que exigiría nuevas subdivisiones. También el registro de otros tipos equivalentes, como la cultura de la ganadería y la incorporación, en el capítulo urbano, de la cultura de la población marginal que no puede equipararse al proletariado urbano y ya tampoco a la cultura rural de que procede.

La introducción de criterios económicos y sociológicos, complementa la concepción horizontal de las subculturas. Les confiere espesor, verticalidad. Aun aceptando la comunidad básica que presta la región, fija la existencia de los *stratta* que se encuentran superpuestos en el mismo espacio, definiendo las diferencias entre los sectores que componen la sociedad. Donde se hace flagrante es en las ciudades, pues la reducción de la horizontalidad, derivado del menor espacio ocupado respecto a las regiones rurales, se compensa con una ampliación de la verticalidad, la cual puede establecerse según conceptos de clase, grupo, ocupación, renta, educación, etc. y también según las concomitantes variaciones culturales que cualquiera de esas clasificaciones per-

---

[10] Art. cit., p. 153.
[11] "A tipology of Latin American subcultures" (*American Anthropology*, LVII, núm. 3, par. I, junio de 1955) ahora en Wagley, *The Latin American tradition*, cit.

mite avizorar. Aunque también en la ciudad rige la distribución espacial (las colonias, barrios, urbanizaciones, casco central y suburbio, áreas residenciales o industriales, etc.) es sin embargo la vertical la que adquiere primacía y fuerza el reconocimiento de los plurales estratos. Las clasificaciones sociológicas de éstos derivan de criterios de economía y de ubicación en la pirámide social y mucho menos de los culturales que manejan los antropólogos. La coparticipación de varios estratos urbanos en las normas —siempre más estrictas y homogéneas— impartidas por la educación, el régimen de prestaciones y la dominación del sector que los rige, no impide que registremos notorias diferencias en el uso de este marco cultural general y por lo tanto podamos reconocer la existencia de diferentes subculturas que se superponen en el mismo espacio. Las creencias, comportamientos, intereses, gustos y opciones, ocupaciones y hábitos, son marcadamente diferentes entre los distintos grupos: el empresarial, el burgués rentista, la media clase funcional, los obreros industriales, los pequeños propietarios, los estudiantes universitarios, la población marginal, etc. Es visible en los productos culturales que usan para su satisfacción, en los modos de comunicación y los mensajes que con ellos formulan, incluso en los repertorios lexicales que utilizan. Nuestra pionera dialectología que, aplicando el criterio antropológico horizontal, diseñaba los mapas lingüísticos americanos (Pedro Henríquez Ureña) ha debido dar paso a la sociolingüística (Bernstein o Fishman), que encuentra en las ciudades un campo privilegiado de investigación, fijando las conexiones entre el habla y los grupos sociales. Ya Theodore Caplow había señalado que "hay más variación cultural dentro de la ciudad latinoamericana que en la mayoría de las ciudades de Estados Unidos o Europa", característica que arranca de los orígenes mismos de la ciudad fundada por los conquistadores; más por los españoles que por los lusitanos ya que pusieron en práctica un designio civilizador con el cual oponerse a esa variación cultural que anidaba incluso dentro del recinto fortificado y que desde luego se extendía más allá de sus murallas. Este designio, para el cual Romero ha acuñado la fórmula "ciudad ideológica", es el que ha de instaurar la profunda marca hispánica en el continente, porque invirtiendo la normal práctica que había ido constituyendo los burgos medievales, a la ciudad se encomienda la tarea de modelar el espacio circundante desde una concepción centralista y autoritaria. La ciudad no nace del medio ecológico; se impone a él trasladando las normas que ni siquiera proceden espontáneamente de la cultura de los países conquistadores, sino del proyecto que lleva adelante una monarquía absoluta. Romero observa que "el supuesto de la capacidad virtual de la ciudad ideológica para conformar la realidad se apoyaba en dos premisas. Una era el carácter inerte y amorfo de la realidad preexistente. La otra era la decisión de que esa realidad suscitada por un designio preconcebido no llegara a tener —no debía tener— un desarrollo autónomo y espontáneo".[12] Si efectivamente lo tuvo, construyendo las poderosas culturas regionales, fue debido a que la ciudad era incapaz de ejercer prácticamente la dominación sobre tan vasto hinterland, pero eso no significó que abandonara, ni en la Colonia ni en la República, ni por los administradores españoles ni por los criollos que los sucedieron, su proyecto de imposición y dominación. El proyecto centralista[13] recién comienza a madurar a fines del XIX y triunfa en el XX, lo que da la señalada colisión de la modernización, que ahora se apoya en otras metrópolis que no Madrid, sobre las culturas tradicionales internas.

Esa modernización se ejerce, aun más duramente, sobre la heteróclita composición cultural de la propia ciudad, mediante un rígido sistema jerárquico. Para que éste se pudiera consolidar en el campo cultural se aplicó el patrón aristocrático que ha sido el más vigoroso mo-

[12] José Luis Romero, *Latinoamérica: las ciudades y las ideas*, México, Siglo XXI, 1976, p. 13.

[13] Claudio Velis, *The centralist tradition of Latin America*, Princeton, Princeton University Press, 1980.

delador de las culturas latinoamericanas a lo largo de toda su historia, cometiendo esa tarea a una élite intelectual, cuya importancia en la época colonial es desmesurada y, a pesar de los avatares de la vida americana, lo ha seguido siendo hasta nuestros días. Es lo que en otro lado he llamado la "ciudad letrada" que fue la que, con confiscatorio exclusivismo, se apropió del ejercicio de la literatura e impuso las normas que la definían y, por lo tanto, fijó quiénes podían practicarla. Salvo pocos momentos, posteriores a fuertes conmociones sociales (la Emancipación, la Revolución mexicana, la violencia inmigratoria en el sur, la reciente masiva emigración rural a las ciudades), es la "ciudad letrada" la que conserva férreamente la conducción intelectual y artística, la que instrumenta el sistema educativo, la que establece el Parnaso de acuerdo a sus valores culturales.

El crecimiento de las ciudades y las citadas conmociones sociales, aumentaron vertiginosamente los estatutos dominados y balancearon la acción homogeneizadora de la "ciudad letrada" sobre la sociedad intramuros: la expansión del teatro criollo en las ciudades del cono sur a fines del xix o de la novela de la revolución en las ciudades mexicanas al filo de los años treinta de este siglo, señalan un desafío a las normas con que estaba fijado el código literario, como más recientemente la adscripción a la literatura de las canciones de la mezzo-música (tangos, boleros) por sectores ya urbanizados. No por esto ha sido invalidada la "ciudad letrada" que en algunos casos ha sido capaz de adaptación y en otros ha sostenido el embate y mantenido sus normas, a lo cual contribuye su asiento en las instituciones educativas y su correlación con las metrópolis. Quizás nada lo revele mejor que su capacidad para evitar la incorporación a la enseñanza pública de las lenguas indias, a pesar de repetidas propuestas, o para evitar el ingreso de formas peculiares del español americano a las aulas de la primaria. Pero también los estratos sociales y sus peculiares subculturas se han tornado visibles.

Si en las ciudades se vuelve flagrante este corte vertical, nada justifica que no se lo encuentre también en las áreas rurales que fueron el territorio privilegiado regionalista. Se lo ve en las clases que reaparecen, aun bajo las formas paternalistas hacendarias que tienden a disolver o, mejor, a escamotear, la pirámide social y sus crueldades. Sólo la introducción de esta perspectiva sociocultural puede permitirnos reconstruir con mayor rigor el funcionamiento de la sociedad regional, pues a los valores comunes que la impregnan a través de un largo proceso evolutivo, se agregarán los diferenciales clasistas o sectoriales que bocetarán subculturas dentro de una subcultura. Esta vía también ha sido transitada por la antropología reciente (véase la obra de Ricardo Pozas en México) y puede medirse nítidamente en la apreciación, admirativa pero crítica, que hace Darcy Ribeiro de la obra monumental de Gilberto Freyre, básica para la constitución legitimada de la cultura mulata brasileña pero afectada, como anota su prologuista, de "miopía hidalga".[14] Un ejemplo del manejo de ambas coordenadas, horizontal y vertical, para el análisis de una subcultura regional, puede encontrarse en quien unió la condición de etnólogo a la de narrador, el peruano José María Arguedas. Escribió *Todas las sangres* procurando ofrecer un panorama completo, no sólo de las clases sociales de la sierra, sino de las formas culturales dentro de las cuales sus criaturas narrativas se articulaban. Sin embargo, aun en este afinado ejemplo, se evidencia la superior potencia integradora que caracteriza a la cultura regional, incomparablemente más fuerte que la que puede vincular a las diversas clases de una cultura urbana, por lo mismo que tiene un desarrollo histórico que puede remontarse a siglos y se ejerce sobre comunidades de muy escasa movilidad social, donde los patrones de comportamientos han sido internalizados, convalidados y aceptados, de padres a

[14] Prólogo a *Casa Grande y Senzala*, Caracas, Biblioteca Ayacucho, 1977, p. XXVII.

hijos, durante generaciones. Sólo catástrofes, sólo la brusca inserción modernizadora, parecen capaces de evidenciar a la conciencia las rígidas estratificaciones que sostienen el edificio social regional.

Tales despertadores conturbaron varias zonas regionales internas de América Latina en el período de entre ambas guerras. Algunas, como las de la serranía sur del Perú, vivían en un estado de congelación, al margen de las renovaciones, lentas pero firmes, que se cumplían en el país y que alcanzaban a otras regiones internas (en 1922, un poeta de Ciudad Trujillo, César Vallejo, escribe *Trilce*, que es un sacudimiento en la vida intelectual nacional) y cuya interpretación intelectual correría a cargo de una generación de jóvenes que asumen las consignas indigenistas (Haya de la Torre, Mariátegui, L. A. Sánchez, C. Vallejo, J. Sabogal) dotando al viejo regionalismo nacional de un sentido social agresivo, como se vio en el examen del tema efectuado por Mariátegui. Es significativo que este aparato intelectual resultara estrictamente contemporáneo de la modernización que comienza a ejercerse desde la capital, trasladando a las regiones su régimen económico, procurando la tan retrasada unificación bajo su égida y trayendo como consecuencia la subversión de valores culturales que el grupo *Amauta* idealizará sin tasa. Treinta años después de los textos programáticos de Mariátegui, podrá comprobar José María Arguedas que "el movimiento *Amauta* coincide con la apertura de las primeras carreteras",[15] esos impositivos caminos de la modernidad, aunque no necesariamente del progreso regional armónico del país.[16]

[15] José María Arguedas, "José Sabogal y las artes populares en el Perú", en *Folklore Americano*, Lima, IV, 4, 1956.
[16] Datos sobre los desequilibrios económicos de las regiones de América Latina, en Comisión Económica para América Latina, *La segunda década del desarrollo de las Naciones Unidas*, Sesión XIII, Lima, Perú, abril de 1969. Una consideración global del problema en Walter B. Stöhr, *El desarrollo regional en América Latina. Experiencias y perspectivas*, Buenos Aires, SIAP, 1972.

Aunque parezca paradojal, es cierto que la reactivación del problema regionalista en América Latina fue consecuencia de la modernización que comenzó a penetrar zonas apartadas, inmovilizadas, o en decaimiento luego de uno de los habituales "boom and bust" de la economía continental. Aunque esto no pueda seguirse en su detallada progresión económica, hay dos índices fehacientes que se aprecian en el estricto campo intelectual: uno es la reacción defensiva que se genera en las regiones internas respecto a las capitales o ciudades dinámicas del país, la cual sólo se puede explicar por una agresión a sus valores tradicionales venida de esos centros del país, tal como pudieron percibirla los habitantes de la región; el otro es concomitante y deriva de esa reacción defensiva, pues no hubiera sido posible sin la existencia de un equipo intelectual con estimables niveles de preparación, capaz de recoger el desafío y oponerse a él entablando el debate en un mismo plano. Tanto las teorizaciones indigenistas peruanas, como las negristas que se conocieron en la zona antillana coetáneamente (la obra de Fernando Ortiz, pero también la literatura de Palés Matos, Nicolás Guillén, etc.), como el Primer Congreso Regionalista de Recife, indican el desarrollo de fuerzas autónomas capaces de oponerse a la dominación homogeneizadora de las ciudades dinámicas o de sus valedores extranjeros (ambos serán puestos en el mismo saco), aunque no de inspirar tendencias separatistas que sólo se podían permitir las regiones modernizadas. En zonas aparentemente sumergidas, destinadas a ser arrasadas por la aculturación, surgen equipos de investigadores, artistas y escritores que reivindican la localidad y se oponen a la indiscriminada sumisión que se les exige. La protesta de José María Arguedas no será distinta de la de José Lins do Rego, dentro del grupo de Recife, aunque sean diferentes los productos artísticos.

Si la aparición de estos intelectuales testimonia un cierto desarrollo regional con peculiares neoculturaciones, capaces de disponer ya de ese "surplus" con qué sostener una capa social, adecuada y especializada, también testimoniará una agudización de los conflictos con las capitales modernizadas. La dualidad debe registrarse. En los textos que en la época escribe Gilberto Freyre y en los posteriores en que evocó el período,[17] en su mismo proyecto de escribir *Casa Grande e Senzala*, es notoria la modernización internacional en que se movía, esos vínculos con el vasto mundo intelectual que codiciaba ingenuamente, esa apropiación de un aparato intelectual moderno (Boas), a partir de los cuales puede enfrentar el debate con posibilidades de éxito. Eso mismo se vio en las lecturas narrativas de García Márquez, más radicalmente vanguardistas que las que permitieron a Juan Rulfo adelantarse hacia su vía propia mediante la recurrencia a la narrativa rusa y nórdica europea, aunque ambos habrían de coincidir en un maestro norteamericano, William Faulkner, que no por azar pertenece a un área cultural, la de la región "Plantation-America" definida por Wagley y en la cual asoció zonas hispanoamericanas (fundamentalmente caríbicas) con las norteamericanas sureñas. Se puede decir que no sólo el equipo intelectual, sino las enteras regiones internas son sacudidas por procesos modernizadores y que es a base de ellos que desarrollan su discurso defensivo. Al mismo tiempo debe reconocerse que los equipos capitalinos cumplen simultáneamente un vertiginoso avance, abastecidos por una incorporación externa creciente y favorecidos por el uso de medios técnicos masivos que les aseguran mayor influencia y por ende dominación: es de esta época la aparición de la radio, al tiempo que se amplían los circuitos de difusión cinematográfica. La aceleración del proceso modernizador y los incesantes desequilibrios que genera, han sido ilustrados por la historia contada por

[17] Una revisión retrospectiva en su presentación del número de *Diogène* (París, núm. 43, julio-septiembre de 1963) dedicado a "Problèmes d'Amérique Latine".

Lévi-Strauss de la construcción de la línea telegráfica brasileña hasta Cuiabas, inaugurada después de ímprobas hazañas en 1922, cuando el descubrimiento de la radiotelegrafía (inalámbrica) la volvía obsoleta.[18]

El panaroma, por lo tanto, está movido por un conflicto. No es la primera vez que se produce, y este de entre ambas guerras repite el ya conocido del último tercio del XIX, el cual a su vez repetía el de fines del XVIII del llamado período emancipador. Sin embargo, en ninguno de los anteriores se dio una respuesta tan vigorosa y coherente. Las regiones contaron con un avisado equipo intelectual que interpretó el conflicto, ya mediante teorizaciones, ya a través de construcciones estéticas. Eso impidió que pudiera aplicarse la típica política de tierra arrasada de la aculturación, con la cual debutó en América la conquista hispano-lusitana en el XVI. Más aún, debe considederarse significativo que en el cauce de esta resistencia del XX, se encuentre una valiosa contribución que reexamina la conquista y colonización del XVI y trata de restablecer la oposición intelectual que fuera entonces entablada por los intelectuales indios y que durante mucho tiempo pasó desapercibida. Paralelamente, los investigadores europeos avisados procedieron a visualizar la "otredad" que algunos evangelizadores habían entrevisto en pleno trauma de la conquista y procedieron a corregir el perspectivismo eurocéntrico.[19]

[18] Claude Lévi-Strauss, *Tristes tropiques,* París, Plon, 1955.

[19] En la abundante bibliografía consagrada al punto, se destacan las contribuciones mexicanas de Ángel María Garibay y Miguel León-Portilla (*Visión de los vencidos,* México, UNAM, 1954) en el redescubrimiento de la literatura y la filosofía de los pueblos indígenas, y las contribuciones andinas de Jesús Lara y José María Arguedas. Una antropóloga, Laurette Séjourné, ha dado fundamento actual al alegato sobre los indios (*Antiguas culturas precolombinas,* Madrid, Siglo XXI de España). En la misma línea el volumen de Nathan Wachtel, *La vision des vaincus. Les indiens du Pérou devant la conquête espagnole,* París, Gallimard,

Considero importante subrayar estas dos evaluaciones porque definen simultáneamente la permanencia y el cambio: no es un conflicto nuevo desde el momento que evoca una sucesión iniciada con el conflicto por excelencia que fue el de la superposición de la cultura hispánica a las americanas indígenas y cuya versión acriollada y regionalizada se dio con la dominación de la oligarquía liberal urbana sobre las comunidades rurales bajo la República; es un conflicto resuelto de distinta manera, donde no se produce una dominación arrasadora y donde las regiones se expresan y afirman, a pesar del avance unificador. Se puede concluir que hay, en esta novedad, un fortalecimiento de las que podemos llamar culturas interiores del continente, no en la medida en que se atrincheran rígidamente en sus tradiciones, sino en la medida en que se transculturan sin renunciar al alma, como habría dicho Arguedas. Al hacerlo robustecen las culturas nacionales (y por ende el proyecto de una cultura latinoamericana), prestándoles materiales y energías para no ceder simplemente al impacto modernizador externo en un ejemplo de extrema vulnerabilidad. La modernidad no es renunciable y negarse a ella es suicida; lo es también renunciar a sí mismo para aceptarla.

2. Conflictos del regionalismo con la modernización

Este conflicto secular ha sido denominado de muy diversas maneras a lo largo del tiempo. Fue inicial-

1971. De su prólogo es esta observación: "Hay que esperar los tiempos contemporáneos, el fin de la hegemonía europea y los movimientos de descolonización, para que el Occidente adquiera conciencia de que las demás sociedades también existen, o sea que tienen su historia particular, que no por fuerza sigue los pasos del modelo europeo. Con el avance de las ciencias antropológicas sociológicas, históricas, el mundo llamado 'subdesarrollado' (con respecto al Occidente) surge en su originalidad y complejidad: el campo de las ciencias humanas sufre un vuelco al caer el europeocentrismo."

mente el de religión y moral católicas vs. paganismo y salvajismo indígenas. Después tomó otros nombres: libertad de comercio contra monopolio colonial; emancipación republicana contra coloniaje imperial; principio europeo contra principio americano (Sarmiento); liberalismo contra conservadorismo; progreso positivo contra oscurantismo religioso y atraso indígena; pensamiento social revolucionario contra pensamiento retrógrado oligárquico. Desde hace dos décadas, es el conflicto de la modernización y el tradicionalismo, pero también del centro y la periferia, de la dependencia y la autonomía.

Los equívocos del dualismo modernidad/tradición no son mayores que los antiguos ni mezclan menos virtudes y perjuicios. Sin embargo ninguno se repite estrictamente, ni hay modo de que ningún contemporáneo pueda asumir siempre el mismo puesto en las diversas dicotomías, pues lo peculiar es el desplazamiento: la religión, que pertenecía al beligerante impacto externo, pasó a ocupar la defensa del campo interno desde el siglo XIX, oponiéndose a las ideologías que entonces visualizó como "foráneas"; lo mismo puede decirse del liberalismo a sólo dos siglos de su incorporación. La reaparición de los dualismos se hace sobre nuevos niveles de desarrollo en cada uno de los campos: en los internos se registra una acumulación de potencialidad idiosincrática y en los externos una intensificación expansiva de sociedades que han alcanzado una alta tecnología.

Ese desarrollo histórico sigue una persistente transculturación del campo interno y al mismo tiempo una fuerte compartimentación y estratificación que transpone el conflicto exterior/interior en uno que se juega internamente, con ambos polos representados dentro del continente. La distancia entre los cogollos de sociedades consumistas capitalinas y las sociedades rurales pauperizadas, tipifica esa bipolaridad dentro de América. Por su parte, el proceso transculturador se evidencia en los desplazamientos que registran los *corpus* doctrinales al cabo de un extenso período de acriollamiento, posterior al ingreso desde el exterior. La transformación que sufren en ese acriollamiento, que concluye identificándolos con la nacionalidad o la región, puede ser ilustrada por la religión católica, que es la que cuenta con mayor tiempo de asentamiento y más honda penetrabilidad popular. En el último tercio del xix en que se produjo la modernización positivista, llegó a ser el modo expresivo de las reivindicaciones rurales contra la aculturación violenta a que estaban siendo sometidas las poblaciones de las regiones internas (el trágico episodio de Canudos que contó Da Cunha en *Os sertões*, 1902).

El esquema puede ser visualizado como una constante pulsión externa que a lo largo del tiempo pasa de períodos de intensificación a otros remansados, sucesivamente, presentándose a cada nueva irrupción con un pertrechamiento intelectual y técnico renovado. Menos dinámica, pero no por eso menos evolutiva, es la línea de desarrollo tradicional de las culturas internas del continente, en cuyo frente se juega la resistencia y la neoculturación. A pesar de que esta línea conlleva los patrones culturales generales de la unitaria cultura latinoamericana y, dentro de ella, de sus tres vertientes básicas, por largos períodos no alcanzó la unificación compacta que parece en vías de conquistar en estas últimas décadas del xx. A eso se debe que fueran fragmentos de América, o sea las variadas culturas regionales, las que, independientemente, hacían frente a la pulsión modernizadora externa y cumplían sus etapas de resistencia, recuperación de fuentes y neoculturación. Esta fragmentación regionalista (en el caso de las culturas isleñas tan marcada) fue una de las causas de la debilidad y a veces de la extremada fragilidad con que enfrentaron la transculturación, encontrando la acción de poderosas fuerzas externas que tendían a un arrasamiento de las culturas internas. La pérdida de lenguas es su índice en las islas antillanas sometidas a sucesivas y variadas colonizaciones. Como es índice de la capacidad de resistencia la conservación del español en Puerto Rico, único país de América que consagra un día del año a la Fiesta de la Lengua.

En oposición a esta fragmentación de las culturas regionales (que reproduce la fragmentación de países y, dentro de ellos, la incomunicación de enormes extensiones por largos períodos) la pulsión modernizadora ha contado con normas unificadoras, por debajo de las diversas culturas europeas que la conducían, sobre todo en los dos últimos siglos que corresponden a la vida independiente de América Latina y al desarrollo del capitalismo industrial e imperial que buscó dominar al planeta. Las diversas coyunturas de estas diversas fuerzas han sido estudiadas por Ribeiro bajo las fórmulas de modernización refleja y actualización histórica.[20]

Hemos reconocido en la modernización una básica unidad, derivada de la línea técnico-industrial que le ha concedido alto poderío y que arrastra una conformación cultural y una ideología específica. Sin embargo sus aplicaciones en América Latina y los efectos subsiguientes pueden ser muy distintos, según las variables que la acompañan: épocas distintas, intensidad de su inserción, tiempo de duración de la pulsión, adaptabilidad a las circunstancias regionales, resistencia que encuentra o dinámica neoculturadora que promueve, etcétera.

También hemos reconocido una básica unidad de la cultura latinoamericana, pues sus tres principales vertientes han sido fuertemente encuadradas por los patrones culturales peninsulares (españoles y lusitanos). Sin embargo la extremada fragmentación de sus regiones con su correspondiente multiplicidad de formas culturales peculiares, ofrecen variadas respuestas al impacto modernizador. Así, el insularismo antillano, como apuntamos, se reveló débil ante la fuerza de las pulsiones externas, frecuentemente sostenidas militarmente, y los "booms" económicos parciales provocados por la deman-

---

[20] *Op. cit.*, cap. "A Civilização Occidental e Nós".

da externa de productos (salitre, guano, caucho, etc.)
originaron violentas y pasajeras modernizaciones, perci-
biéndose sus perjuicios preferentemente en las propias
zonas extractivas que recibieron la menor parte de los
beneficios. Cuanto más aisladas se encontraban las regiones o subculturas sobre las cuales se ejerció el impacto modernizador, mayores fueron las aculturaciones,
pues se contó con menores defensas y menor capacidad
de adaptabilidad. Por lo tanto, cuanto más integrada la
nacionalidad y desarrolladas sus tendencias culturales
propias, el proceso fue menos pernicioso, permitió un
avance armónico resguardando tradiciones e identidad
y adaptándolas a las nuevas circunstancias.

No es el caso de establecer una tipología de los conflictos culturales en América Latina, que rebasan el
marco de este estudio, sino de diseñar una descripción
de algunos ejemplos, sobre todo en su expresión contemporánea, pues ellos proporcionan el fondo cultural sobre
el cual se han construido originales aportaciones narrativas en las últimas décadas, dado que nuestro propósito es registrar los exitosos esfuerzos de componer un
discurso literario a partir de fuertes tradiciones propias
mediante plásticas transculturaciones que no se rinden
a la modernización sino que la utilizan para fines propios. Si la transculturación es la norma de todo el
continente, tanto en la que llamamos línea cosmopolita
como en la que específicamente designamos como trans-
culturada, es en esta última donde entendemos que se
ha cumplido una hazaña aun superior a la de los cos-
mopolitas, que ha consistido en la continuidad histórica
de formas culturales profundamente elaboradas por la
masa social, ajustándola con la menor pérdida de identidad, a las nuevas condiciones fijadas por el marco
internacional de la hora.

a] *Congeladas culturas indígenas.* El conflicto más
grave, el de solución más incierta, corresponde a la vieja y esclerosada compartimentación entre las culturas
indias autóctonas y las aportadas desde la inicial conquista y colonización ibérica que ha sido seguida por el

traslado modernizador a otras metrópolis (Francia, Inglaterra, Estados Unidos, sobre todo) en los siglos posteriores. Su punto de mayor rigidez se encuentra en el área andina (Perú, Bolivia, Ecuador) aunque también se revela en diferentes grados en otras zonas de fuerte impregnación indígena (México, Guatemala, Paraguay). En el caso andino, la "rigidez cultural" operó en ambos campos enfrentados, frustró los intentos de integración y condenó tanto a la cultura autóctona como a la dominante española a autoabastecerse independientemente una de otra, lo que, como veremos, aumentó el mutuo arcaísmo y dificultó su expansión creativa. Por tratarse del caso más antiguo y grave, será el que analizaremos en detalle, estudiando los componentes culturales del área andina, la aparición de los agentes de comunicación (los mestizos), las diversas versiones ofrecidas por las partes, para concluir con el estudio de la obra narrativa de José María Arguedas como un paradigma de las soluciones transculturadas, registrando, en la construcción de su principal novela, *Los ríos profundos:* 1] las desculturaciones; 2] la selección de proposiciones extranjeras preferentemente elegidas entre las heterodoxias recusadoras de la modernización europea; 3] la búsqueda y descubrimiento de elementos culturales internos capaces de responder a la modernización; 4] la neoculturación literaria por manejo de todos esos componentes pero, sobre todo, por reestructuración del íntegro campo de las fuerzas que diseñan una cultura particular.

Sin embargo, para representar en este apartado ese conflicto, preferimos referirnos a una región mucho menos prestigiosa y más desatendida, que corresponde al corazón de la América del Sur, a las culturas indias de la selva pluvial amazónica instaladas sobre la red hidrográfica de los afluentes norteños del río Amazonas, en la región fronteriza de Brasil, Colombia y Venezuela donde viven numerosas tribus, algunas aún poco conocidas, pertenecientes a diversas familias lingüísticas y culturales. Estas tribus, especialmente las de la región colombiana del Uaupés-Caquetá y de los afluentes del río Negro en el Brasil, reconocen diversas procedencias, pues sobre el primer estrato de la región, que habría quedado representado por los actuales Makú, Waiká y Xiri003, se habrían superpuesto las olas migratorias de los Arawak del norte (los actuales Baré, Manao, Warekêna, Baníwa) y otras del oeste procedentes de la poderosa familia Tukâno que impregnó fuertemente el área y, según algunos antropólogos (Nimuendaju) dio origen a las culturas supervivientes en la zona, de conformidad con sus dos alas: la occidental de las tribus que viven sobre los ríos Napo y Putumayo y la oriental de la selva tropical brasileña del río Negro, con concentración en São Gabriel de Cachoeira.

Después de los documentados estudios de la primera mitad del siglo (Koch-Grünberg, Curt Nimuendaju, Irving Goldman, James Steward), en la última década se ha registrado una considerable acumulación de investigaciones de la cultura tukâna, entre las cuales ocupan un lugar relevante las de Gerardo Reichel-Dolmatoff, a las que se han agregado los trabajos de los Hugh-Jones (Stephen y Christine) y Rubin Wright. A todos ellos ha proveído de singular punto de referencia la publicación en Brasil del libro de dos indios desâna, Umúsin Panlõn Kumu y Tomalãn Kenhíri, en una versión portuguesa a cuya traducción contribuyó la antropóloga Berta Ribeiro: *Antes o mundo não existia.* En el prólogo con que ella presenta el libro, señala que: "En la historia de la antropología brasileña, ésta es la primera vez que protagonistas indígenas escriben y firman su mitología. Tolemãn Kenhíri, indio desâna del clan del mismo nombre, y su padre, Umúsin Palõn Kumu, de 33 y 53 años de edad, respectivamente, decidieron hacerlo para dejar a sus descendientes el legado mítico de su tribu, convencidos de que, de otra manera, se perdería o corrompería." [21]

---

[21] *Antes o mundo não existia,* São Paulo, Livraria Cultura Editóra, 1980, p. 9.

Su observación evoca un distingo hecho en 1928 por José Carlos Mariátegui acerca de la literatura indigenista de su época: "Es todavía una literatura de mestizos. Por eso se llama indigenista y no indígena. Una literatura indígena, si debe venir, vendrá a su tiempo. Cuando los propios indios estén en grado de producirla." [22] El libro de los desâna está producido por indios y el significado raigal de esta procedencia queda acreditado por los asuntos míticos y legendarios que evoca, más radicalmente indios que los de múltiples libros que con posterioridad a Mariátegui fueron publicados en lenguas autóctonas de América por quienes eran indios-mestizados (es el caso del libro de poemas *Taki Parwa*, de Kilku Waraka —Andrés Alencastre— que José María Arguedas encomió por su dominio del idioma que estimó sólo comparable al del *Ollantay*, sorprendido de su pericia: "Creíamos que tal dominio era ya inalcanzable para el hombre actual de habla quechua"),[23] aunque la legítima y previsible producción india que resultó más habitual fue la que se hizo en el español americano, sobre asuntos sociales, políticos y literarios correspondientes al ancho cauce de la cultura criolla nacional. El más visible y productivo de sus representantes ha sido el aymara Fausto Reinaga, uno de los orientadores del Partido Indio de Bolivia, sobre quien ha ejercido influencia el modelo del intelectual revolucionario e indigenista del área andina.[24]

[22] *Siete ensayos de interpretación de la realidad peruana*, Caracas, Biblioteca Ayacucho, 1979, p. 221.

[23] José María Arguedas, "*Taki Parwa* y la poesía quechua de la República", en *Letras peruanas*, Lima, agosto de 1955, Año IV, núm. 12, p. 73.

[24] Fausto Reinaga ha dedicado mucha atención a los problemas del intelectual, desde su *Alcides Arguedas*, La Paz, 1960, con especial desarrollo en tres libros: *El indio y el cholaje, proceso a Fernando Díez de Medina*, La Paz, PIAKK, 1964, y *La "intelligentsia" del cholaje boliviano*, La Paz, PIB, 1967, *El indio y los escritores de América*, La Paz, PIB, 1968. El tono polémico de estos libros y de sus numerosos trabajos doctrinales, ha motivado respuestas. Entre

Otra es la línea que practican los dos escritores indios amazónicos, en quienes se manifiesta la línea defensiva de una resistencia cultural que sin embargo no deja de evidenciar las profundas transculturaciones ya cumplidas. Antes de considerar su libro, conviene anotar que el área a la que pertenecen es de las más extensas y menos habitadas de los tres países limítrofes en que está aposentada la cultura tukâno a la cual pertenecen.[25] Las tribus se distribuyen a lo largo de los ríos, especialmente en la zona de rápidos (cachoeiras), con una laxa vinculación entre las "malocas" que habitan. Su número se ha reducido progresivamente, al punto que los que hablan la lengua desâna no parecen superar hoy a los mil individuos. Sus contactos con las culturas occidentales han sido constantes, intensificándose desde la instalación en su territorio, desde 1926, de la Misión salesiana, y han aumentado volviéndose peligrosamente disolventes desde los proyectos de la carretera perimetral norte del Brasil.

La región conoció un efímero esplendor a fines del XIX y comienzos del XX cuando el "boom" del caucho, que en la literatura dio lugar a los informes de Euclides Da Cunha y a las imágenes del "infierno verde" que recorrió Arturo Cova en *La vorágine* de José Eustasio Rivera. Un sector marginal, correspondiente a la zona del Marañón que rige Iquitos, en el Perú, ingresó a la literatura en la novela de Mario Vargas Llosa *La casa verde*. Más recientemente, la Amazonia brasileña, que ya había sido asunto de muchos libros de escritores pertenecientes a otras regiones del país, ha revelado una

éstas, véase Luis Antezana, *El populismo criollo y la necesidad de combatirlo*, La Paz, 1970.

[25] Para la zona colombiana, Reichel-Dolmatoff señala que la Comisaría del Vaupés, creada en 1910, tiene un área de 100 000 kilómetros cuadrados con una población de 14 000 habitantes, y que la Comisaría del Guainía, creada en 1963, tiene 78 000 kilómetros cuadrados con sólo 4 000 habitantes. Véase *Amazonian, cosmos. The Sexual and Religious Symbolism of the Tukâno Indians*, Chicago, The University of Chicago Press, 1971, p. 9.

productividad literaria mayor, la cual traduce el afán de resguardar y acrisolar sus peculiares tradiciones.

Nadie lo ha expresado mejor que Marcio Souza (1946), desde la publicación en 1976 de su folletín *Galves, imperador do Acre* y nadie ha procurado como él fundamentar esta actitud con un discurso histórico y teórico que revive en el Brasil la perspectiva cultural regionalista, cuya manifestación en los años veinte ya hemos visto. Más que en las novelas, donde maneja técnicas narrativas folletinescas emparentables con algunas usadas por García Márquez, la peculiaridad de la producción literaria de Marcio Souza radica en la combinación de formas tradicionales (rituales o escenificaciones indias, composiciones musicales y dramáticas a manera de óperas populares) con aprovechamiento de sistemas modernos de comunicación (preferentemente el cine que estudió en sus años pasados en São Paulo cuando se especializó en ciencias sociales) produciendo un complejo barroco, disonante, antiguo y a la vez muy sofisticado.

En su libro *A expressão amazonense: do colonialismo ao neocolonialismo*, Marcio Souza dictamina que "la historia del Amazonas es la más oficial, la más deformada, enclavada en la más retrógrada y superficial tradición oficializante de la historiografía brasileña" [26] y ataca esta situación desde el ángulo de un escritor altamente modernizado que maneja creativamente las categorías marxistas y las estéticas más recientes: "El arte es una escritura peligrosa, un ejercicio de contramasacre, luchando en el terreno en que se estableció el lenguaje del silencio, represivo y castrador". [27]

Registrando el etnocidio sistemático de la civilización occidental en su desplazamiento por el mundo, Marcio Souza apunta su fracaso tecnológico al llegar a los trópicos que va acompañado por el de los intelectuales : "Lo mismo sucedió con los artistas 'civiliza-

[26] *A expressão amazonense*, São Paulo, Editóra Alfa-Omega, 1978, p. 17.
[27] *Op. cit.*, p. 28.

dos', que nunca resolvieron los enigmas del lenguaje regional."[28] Estas comprobaciones conducen a reponer el ya viejo discurso americano opuesto al eurocéntrico, que a lo largo de no menos de dos siglos se ha apoyado una y otra vez en el autoctonismo indígena: "Un conocimiento más detallado de las culturas autóctonas echa por tierra las viejas pretensiones etnocentristas. ¿Cómo tildar de bárbaras a culturas que han producido páginas literarias como las reunidas por Nunes Pereira en *Moronguetá, um Decameron Indígena*? ¿Cómo calificar de primitiva una civilización que reúne lo dionisiaco y lo apolíneo en una sola fuerza creadora? Entre los indios no hay separación entre trabajo manual e intelectual, entre poeta y filósofo, entre vida y ser." [29]

Hacia ese conocimiento de las culturas autóctonas, tanto en la fuerza de su persistencia secular como en los procesos de gradual mestización, apunta el libro de Umúsin Panlõn Kumu y Tolamãn Kenhíri, que corresponde al estrato interior más profundo de las literaturas latinoamericanas, porque está ligado a una lengua india, porque busca recuperar la visión mítica de una cultura e insertarla en la sociedad contemporánea que le es ajena, porque no es una mera remanencia arcaica que se adscribe al capítulo sobre "literaturas precolombinas" sino una obra contemporánea producida por ese segundo trauma que —freudianamente— revive el primero originario y que es consecuencia del proceso modernizador en curso.

En su descripción de la Amazonia, Manual Diegues pone el acento en la unidad cultural del hombre amazónico a pesar de las diversidades de sus muy diversas actividades, con lo cual concede puesto central en la conformación cultural de la región a la mestización criolla básicamente regida por pautas portuguesas e impregnada por el sustrato indígena. Los testimonios

[28] *Op. cit.*, p. 34.
[29] *Op. cit.*, p. 37.

antropológicos del último medio siglo han probado la pervivencia de poderosos contingentes indios que no pueden ser asimilados al "caboclo" amazónico que de hecho describe Diegues y han permitido acceder a las fuentes originarias de la peculiaridad cultural amazónica. Lo reconoce el mismo Diegues ("la Amazonia es, pues, fundamentalmente indígena, y esto constituye su característica más fuerte como región cultural") [30] aunque está más interesado que en esta continuidad cultural de siglos en los productos de la miscigenación con el portugués y con las poblaciones nordestinas, en las actividades extractivas (caucho) y en la adopción de la cocina india, todo combinado en el molde de los patrones culturales occidentales que modelan al Brasil.

Sin embargo, esta inmensa región selvática, escasamente poblada, no sólo conserva uno de los hábitat menos tocados por Occidente que se conozcan en el mundo, sino también una sociedad extraordinariamente conservadora de sus tradiciones sociales, económicas y culturales. Para entender los productos literarios que emergen en este profundo estrato de las culturas americanas, es indispensable una breve visión sumaria de sus características.

El resumen que en 1948 hacía Irving Goldman (a quien debemos el más amplio informe sobre los Cubeos) [31] de las tribus de la región del Uaupés-Caquetá, reconocía tres procedencias (tukâno, arawak y caribes) de las cuales la más extensa correspondía a no menos de 18 tribus tukâno extendidas en el cuadrilátero que tiene al norte el Guaviare, al este el Río Negro y el Guiainía, al sur el Caquetá y al oeste la muralla de los Andes. Los rasgos culturales de toda el área eran sintetizados así por Goldman:

[30] Manuel Diegues, *Regiões culturais do Brasil,* Río de Janeiro, Centro Brasileiro de Pesquisas Educacionais INEP, 1960, p. 221.

[31] *The Cubeo Indians of the Northwest Amazon,* Urbana, University of Illinois Press, 1963.

Destacan primero el cultivo de la mandioca amarga y la pesca, con la caza en segundo lugar; el uso de grandes casas multifamiliares, constituyendo cada una un grupo de parentesco local, en vez de aldeas; un complejo de ritos masculinos asociados con el culto a los antepasados, al que se ha referido inadecuadamente la literatura al respecto como yurupari; la existencia de clanes patrilineales; máscaras pintadas de corteza y tejidos, distribuidas desigualmente en la zona; bebida frecuente y prolongada de chicha, siendo común la intoxicación; mascado de coca pulverizada mezclada con cenizas de hoja y el uso de lianas que producen visiones; el chamanismo asociado con el jaguar y el notable acento en la brujería. La organización tribal es débil o no existe, y la autoridad investida es el líder del clan o del grupo de parentesco local.[32]

Posteriores estudios no se han apartado demasiado de este sumario. Los desâna, que viven en las riberas del Papurí y del Tiquié, en la latitud de la línea equinoccial, habitan dispersas *malocas* de grupos familiares entre 20 y 100 personas y se caracterizan por las prácticas exogámicas con residencia virilocal, lo que ha contribuido a los vínculos entre las diversas tribus tukâno. El mejor testimonio que poseíamos sobre su cultura procedía hasta el presente del excelente libro de G. Reichel-Dolmatoff,[33] gracias a un informante desâna de nacionalidad colombiana, Antonio Guzmán, que es quien cuenta la cosmología y los mitos de la tribu del Vaupés a que pertenecía, y quien mantuvo con Reichel-Dolmatoff el largo intercambio que permitió a éste una inteligente lectura de sus peculiares formas culturales.

Los textos que Reichel-Dolmatoff transcribe son pocos, grabados en sucesivas sesiones de trabajo y articulados en un discurso coherente. Son muy diferentes de los que encontramos en el libro de Tolamãn Kenhíri,

---

[32] "Tribes of the Uaupes-Caqueta Region", en Julián H. Steward (comp.), *Handbook of South American Indians*, Washington, Smithsonian Institution, 1948, pp. 763-764.

[33] *Desâna; simbolismo de los indios tukâno del Vaupés*, Bogotá, Universidad de Los Andes, 1968. Traducción inglesa citada: *Amazonian cosmos*, 1971.

quien, a diferencia de Antonio Guzmán, los escribió
él mismo en lengua desâna y él mismo, con ayuda de
Berta Ribeiro, los tradujo al portugués. Mientras Antonio Guzmán había llegado a vivir en Bogotá y su
educación le permitió ocupar puestos de maestro, Tolamãn Kenhíri (en portugués Luis Lana) vive en la
aldea de São João sobre el río Tiquié, aprendió portugués en la Misión salesiana e inferimos que también
allí aprendió a escribir el desâna. El libro *Antes o
mundo não existía* está firmado por él y su padre
(Umúsin Panlõn Kumu = Firmiano Arantes Lana)
pero éste, que nunca quiso aprender portugués aunque
permitió que lo hicieran sus hijos, cumple el puesto de
informante, prevalido de los conocimientos que le otorga
el ser *kumu* de su tribu, función educativa espiritual
emparentable con la de los *payés,* que ya en su libro
Reichel-Dolmatoff había establecido como la más alta
en el conocimiento de los mitos, la que autorizaba una
sabiduría (*mahsí-doári*) que permitía la más profunda
comprensión del significado de lo que, para la mayoría de la tribu, no eran ya sino rituales.[34] Berta Ribeiro señala en su introducción que de todos sus hijos,
es Tolamãn Kenhíri quien está más apegado a la tradición que representa su padre, al punto de haber
heredado, mediante el aprendizaje correspondiente, el
puesto de *kumu.*

Los motivos que le llevaron a escribir el libro son
curiosos: por una parte el deseo de resguardar tradiciones que estaban perdiéndose en el proceso de aculturación que está viviendo la zona; por la otra el sentimiento de que la aparición del grabador permitía que
"hasta muchachitos de 16 años" comenzaran a registrar la memoria de los ancianos, con peligro de que
"todo mundo va a pensar que nuestra historia está
errada, va salir todo desordenado". De ahí la resolución de escribir él mismo lo que su padre aceptó dic-
tarle, en unos cuadernitos de una raya que le propor-

---

[34] *Amazonian cosmos,* cit., pp. 249-252.

cionó el padre Casemiro Beksta de la misión salesiana. Un orgullo de autor, autor de libros, que Berta Ribeiro estimó cuando le conoció, ante la resistencia de hijo y padre a transformarse en informantes: "Ambos alegarán que nosotros, antropólogos, vamos a sus aldeas, colectamos sus leyendas, estudiamos sus tradiciones y después publicamos nuestras obras en Brasil y en Estados Unidos, mientras ellos, sus depositarios, ganan unos míseros presentes" de lo cual salió la resolución de Berta Ribeiro de ayudarlos a que el libro apareciera bajo sus nombres y que el copyright les perteneciera.

Es aquí evidente una conciencia del libro y del autor, que obviamente no pertenece a las tradiciones culturales de la tribu sino a las prácticas de la cultura brasileña, previsiblemente conocidas a través del trato escolar, la cual es asumida y manejada en contra de las imposiciones de esa cultura. La ambición de los autores se cifró en que el libro volviera a la tribu y pudiera ser leído por los jóvenes que están perdiendo los lazos culturales internos, como un modo de contrabalancear una educación que, como apunta la antropóloga, habla más de Grecia, Roma y la historia política de Río de Janeiro, que de los asuntos concretos de la vida desâna y de su pasado. Pero es aquí también evidente la presencia de un modelo de intelectual, representado por el antropólogo, un típico agente de contacto cultural que en las últimas décadas, por obra de una generación joven marcada por los movimientos tipo 68, sustituyó la neutral recolección de datos para estudios académicos, por una participación mayor en los destinos de sociedades indias que vieron en proceso de desintegración. La positiva revalorización de la herencia cultural de las sociedades arcaicas hecha por esos antropólogos, ha servido de modelo para la emergencia de éste que no puede designarse sino como un intelectual, un escritor, indio. Su producción es incomparablemente más interesante y valiosa que la que han propiciado otras influencias educativas ejercidas sobre los indios, como las procedentes de las misiones religiosas que, a pesar de los progresos en su percepción del problema cultural indio, no pueden sino corroer su cosmovisión procurando sustituirla por la religión occidental y las procedentes de los grupos políticos y sociales que buscan la misma corrosión para sustituir una concepción mítica por una clasista y social de acuerdo con sus diversas doctrinas.

Bajo la influencia del modelo antropológico se alcanza una forma de resistencia cultural, de preservación de identidad, la cual no deja de asemejarse a la que vanamente y trágicamente trataron de preservar los franciscanos milenaristas en el primer siglo de la colonización (la obra del padre Mendieta en la Nueva España) forjando una quimera aislacionista. Pero en la medida en que estos intelectuales indios trabajan sobre un fondo cultural aún viviente, inmersos en su máscaras sociales. No es por eso menor la transculturación que se percibe en su trabajo.

La resistencia cultural que anima su libro transita ya por un nuevo sistema educativo (y por ende sociocultural), por el manejo de la escritura, por medios de comunicación que, por prestigiosos que nos parezcan en las sociedades modernas, son bastate más pobres que los tradicionales de las sociedades arcaicas. La transmisión de los mitos de la creación y los mitos explicativos de la realidad ambiente, se ejercía en las malocas desânas a través de dos fiestas colectivas (*dabucurí* y *cachirí*) de las que participaban todos sus habitantes y los moradores de malocas vecinas. Eran fiestas a las que se asistía con pinturas ceremoniales, instrumentos músicos, atuendos especiales, donde se cumplía con un prefijado ritual, se bebía, se danzaba y se recitaban los mitos con participación de los *kumu* y *payés* que por lo común eran los ancianos de la tribu, intensificándose ese clima comunitario por el uso de drogas, en particular el *yajé*.[35] Es esta comunidad orgánica que religa a

[35] Información en el citado libro de Reichel-Dolmatoff, *Amazonian, cosmos*, en el capítulo 5, "Society and the su-

una colectividad, alcanzando una participación espiritual, física, social, que maneja la pluralidad de energías emocionales y racionales de los seres humanos, la que ahora resulta sustituida por un hombre que ya no habla a otro sino que escribe y escribe solitariamente con su lápiz y papel, ambicionando que otros hombres lejanos e igualmente solos lo lean y procuren reconstruir con su imaginación los complejos códigos que se ponían en ejecución en las fiestas comunitarias. El atroz empobrecimiento que implica la escritura, los principios de la gramatología con su sistema de signos gráficos despojados de voz y de piel, se testimonia en este salto que ha hecho ingresar a un indio a los sistemas culturales modernos.

Por nuestra experiencia con un género literario privilegiado que desde Aristóteles oponemos a todos los demás géneros, el teatro, que hunde sus raíces en el rito religioso, conocemos la enorme distancia que separa el espectáculo teatral de su partitura, es decir, de su texto, y podemos medir la dificultad técnica extremada que encuentra el escritor para insertar en el nivel gramatológico la presencia de los múltiples códigos que conforman la escena teatral (los gestos, las entonaciones, las luces, los trajes, etc.). Conservamos el texto de la adaptación escénica dialogada de la pantomima *Juan Moreira*, que hizo Juan José Podestá, más que a partir del folletín de Eduardo Gutiérrez, a partir de esa pantomima realista; nuestro conocimiento histórico de cómo era ese espectáculo puesto sobre la escena permite medir la enorme distancia a que se encuentra el

pernatural", pp. 159-166. También en otros libros del mismo autor, *The shaman and the jaguar: a study of narcotics drugs among the Indian of Colombia*, Filadelfia, Temple University Press, 1975; *Beyond the Milky Way: hallucinatory imagery of the Tukano Indian*, Los Ángeles, UCLA Latin American Center Publications, 1978; y en algunos de los *Estudios antropológicos*, Bogotá, Instituto Colombiano de Cultura, 1977, especialmente el brillante "Cosmología como análisis ecológico: una perspectiva desde la selva pluvial", anteriormente publicado en *Man*, 11 (3), 1976.

texto escrito y la suprema pobreza expresiva que manifiesta.[36] Puede inferirse algo semejante del libro de Tolamãn Kenhíri, respecto a los modelos que conocemos por los testimonios antropológicos. Con un segundo empobrecimiento que podemos hacer derivar de las observaciones de Basil Bernstein acerca del uso popular en la lengua de "códigos restringidos", "símbolos condensados", "roles colectivos", que no pueden separarse del contexto y que lo presuponen, aunque no lo registran en la escritura.[37]

En esta transposición de un espectáculo compartido y vivido por sus ejercitantes, cuyo modelo histórico fue el ditirambo griego preanunciador de la tragedia (y cuyo modelo contemporáneo en la Amazonia brasileña puede rastrearse en algunas piezas de Marcio Souza que parten de modelos indígenas, como *Tem piranha no piraruem* y *As folias do látex*),[38] reconstruido ahora como un texto escrito, encontramos subrepticiamente la permanencia del "informe antropológico" como guía, lo cual apunta al predominio del nivel denotativo y referencial del texto, por incapacidad para traducir en él la pluralidad connotativa y ricamente simbólica del espectáculo original. Con todo, debe reconocerse que la cosmogonía que cuenta Tolamãn Kenhíri es más sutil, compleja y cargada de sugerencias que la que Antonio Guzmán comunicó a Reichel-Dolmatoff que, en el cotejo, parece responder a una racionalización más avanzada y a una adaptación más rigurosa al modelo "informe antropológico".

Con todo, la mayor importancia del libro *Antes o mundo não existia* queda por decir, aunque ella implica

---

[36] Lo he analizado en mi libro *Los gauchipolíticos rioplatenses. Literatura y sociedad*, Buenos Aires, Calicanto, 1976.

[37] Véase *Class, codes and control*, Londres, Routledge and Kegan Paul, 1971-1974, 3 vols.

[38] *Tem piranha no piraruen & As folias do látex*, Río de Janeiro, Codecrí, 1978. Véase también su *Teatro indígena do Amazonas*, Río de Janeiro, Codecrí, 1979.

proponer una modificación, realmente urgente, en el habitual manejo de las concepciones literarias. Por un deslizamiento derivado de la creciente especialización y tecnificación del discurso historiográfico, que se caracteriza —como otras disciplinas científicas o pretendidamente tales— por una incesante cancelación de los discursos anteriores remplazados por los nuevos mejor fundados, la literatura ha venido recibiendo una considerable masa le materiales que ha abandonado su originario cauce disciplinario, trasladándose a otro encuadre que le proporciona significación y valor perviviente. No hay en esto nada nuevo en la historia milenaria de la cultura. La literatura latinoamericana ha recibido la ingente masa de las crónicas de la conquista y la colonización y la ha aceptado; está ahora en camino de recibir la más ingente acumulación de la hagiografía, la catequística, la oratoria sacra y la historiografía religiosa. También recibió el discurso religioso, ritual e historiográfico indígena (*Popol Vuh, Chilam Balam,* etc.) y muy tempranamente lo incorporó a la literatura debido a su prestigio fundacional.

Esta alta receptividad para la producción heterogénea del pasado, no ha sido acompañada de una similar para la mucho más amplia que en el último siglo ha hecho la antropología. El monumental *corpus* de mitos y leyendas recogido por los antropólogos prácticamente no ha rozado a la literatura, ni ha provocado el interés de los estudiosos contemporáneos, ni aun de aquellos que vienen proponiendo una renovación del concepto de literatura pero siguen estudiando las que tradicionalmente se han llamado *obras literarias,* según la pauta cultista de esta indesarraigable "ciudad letrada" que rige al continente desde los albores de la colonización hasta hoy.

El libro *Antes o mundo não existia* es una obra literaria y pertenece de lleno a su órbita específica, incluso por esta transculturación que significa haber adoptado el libro como vehículo de comunicación y haber asumido un modelo procedente de los discursos intelectuales en vigor en la modernidad. Al trasponer una fiesta ritual a un texto escolar y al manejar las dos lenguas principales (desâna y portugués) para asegurar una comunicación amplia, de radio nacional, entra de lleno a la literatura brasileña, dentro de un estrato límite en el espesor de la producción literaria de cualquier época. Era una obra en lengua india, trasmitida oralmente y por lo tanto fijada por la censura comunitaria, situada dentro y fuera de la historia, que registraba un género compuesto (palabras, ritmos, creencias, danzas, dibujos, olores, sexo, piel) destinado a regular la vida de la comunidad; es ahora un texto con autores individuales, en lengua portuguesa, del género relato mítico, que ha adquirido marcados rasgos de la definición corriente (occidental) de literatura.

El vasto conjunto de esos materiales literarios (un mito es un cuento ha dicho Barthes) que usualmente son llamados antropológicos, está visiblemente intermediado por las rejillas intelectuales epocales y las primitivas de los antropólogos. Basta comparar una recopilación con otra, aun las referidas a la misma comunidad, basta con cotejar dos épocas distantes en la recolección. En estos últimos casos se hacen nítidas las rejillas culturales de cada época de Occidente, tal como ocurre con las obras literarias al cabo de pocas décadas de difundidas; en los primeros se puede establecer una tipología que tiene marcas de fábrica con nombres prestigiosos: Frazer, Boas, Levy Bruhl, Malinowski, Whorf, Lévi Strauss, etc. Estas rejillas sufren modificación cuando es un indio quien compone el relato, pero no por eso desaparecen, por la incidencia que sobre cualquier individuo tienen los patrones culturales que lo rigen.

Todas ellas tienden a establecer un informe objetivo, a encadenar coherentemente un discurso y aunque a partir de estas imposiciones que llamaríamos "antropológicamente genéricas" tienden a diversificarse según épocas, según individuos, según doctrinas; todas, sin embargo, pecan de desatención para los aspectos estrictamente literarios del mensaje, los aspectos poéticos diría Jakobson, debido a que fijan el interés en la comunicación de significaciones para someterlas luego a una lectura de símbolos en una suerte de evemerismo. Tal concentración sobre significados, traducibles además, ha sido legitimada por Lévi-Strauss, lo que sin duda ha revertido en la mayor eficacia de su análisis lógico-estructural que investiga categorías, pero ha perjudicado una estimación literaria y, por lo mismo, una captación integral del sentido.[39] El distingo que tesoneramente ha llevado adelante Lévi-Strauss separando la literatura del mito, decretando la traductibilidad de este último para hacer descansar su operatividad en los haces de significación desprendidos del texto mismo, no es obviamente convincente ni se ajusta a cualquier mensuración lingüística de un mensaje. Es impensable un texto en que no cumplan una función los significantes, ni actúen sobre la producción del sentido. Llegar a ese plano de la interpretación parece por ahora excesivamente ambicioso, cuando recién se trabaja en la determinación de los códigos a base de los cuales se construyen los mensajes. Con todo, se ha avanzado lentamente en la apreciación de las operaciones psíquicas que presiden su construcción, las que conocemos por la larga contribución de la retórica.

Los estudios de Reichel-Dolmatoff se hacen cargo, en la medida de lo posible, de estos problemas. Su lectura apela a los habituales métodos de simbolización, con una marcada inclinación freudiana, aunque afinándolos por la incorporación de la tropología que le permite reconstruir las operaciones que deben recurrir a las metáforas o a las metonimias.[40] De hecho, parte del reconocimiento de las represiones que son componentes obligados de las culturas, observando su acción sobre la producción de mensajes, es decir, sus encadenamien-

---

[39] Véase *Anthropologie structurale*, París, Plon, 1958 (cap. XI, "La structure des mythes") y *Mythologiques*, París, Plon, 1964, (t. I, *Le cru et le quit*).

[40] *Amazonian cosmos*, pp. 93-97.

tos analógicos y sus desplazamientos sobre elementos
contiguos, para lo cual debe rehacer el conocimiento
minucioso del hábitat para aproximarse al significado
de textos que muestran una muy alta contextualidad
implícita. Su lectura es persuasiva y ha sido celebrada
por Lévi-Strauss. Sus limitaciones responden al casi
insoluble problema lingüístico, tanto de los textos como
del área en que se producen, los cuales pueden medirse
por las dificultades que apunta Berta Ribeiro para la
traducción al portugués del original de Tolamãn Kenhíri.

El desâna —recordemos— es una lengua en vías de
extinción hablada por no más de mil individuos disper-
sos en *malocas* a lo largo de los ríos Tiquié y Papuri,
la cual pertenece al tronco tukâno que manejan no
menos de dieciocho tribus del área (Goldman) y que
oficia de *lengua franca*. Se suma a otras diversas familias lingüísticas (Arawak, Caribe, Witoto) distribuidas
en desperdigadas tribus, y a la difusión del *nheengatú*,
la "lingua geral" indígena introducida por los misione-
ros desde el XVIII, tomándola del tupi que encontraron
en las costas y en la cual aculturaron diversas tribus (en
la región los Warekêna). Parece una algarabía lingüística, que se complica aún más debido a las prácticas exogámicas que trasladan a las mujeres a la residencia marital, y todavía más si cabe por tratarse de
una zona fronteriza en que se mézclan dos lenguas
oficiales, el español y el portugués. Éstas, por ser las
lenguas dominantes, se han transformado en los vehícu-
los por los cuales recibimos buena parte de la producción
literaria indígena, como lo ejemplifica el esfuerzo de
Tolamãn Kenhíri, quien después de escribir en desâna
su libro lo tradujo al portugués, mientras que el texto
mítico proporcionado por Antonio Guzmán se ha for-
mulado en español.

Berta Ribeiro ejemplifica cabalmente el problema al
reseñar su colaboración para traducir el texto desâna
al portugués. Optó por una traducción estrictamente
literal, palabra a palabra, para aquellos pasajes que el

autor, Tolamãn Kenhíri, había dejado en desâna en su propia traducción.

La traducción literal permite, según yo, inferir la estructura de pensamiento de los Tucâno y el significado simbólico de expresiones como Tolamãn Kenhíri ponlãn, el clan al que pertenecen los autores. Tolamãn = nombre propio; Kenhíri = flores o dibujos que aparecen en los sueños; ponlãn = descendiente. Antes, esta expresión había sido traducida por "hijos de las flores del sueño".[41]

El mismo problema lo encontraremos en las observaciones críticas de Arguedas sobre los poemas y canciones populares en lengua quechua, delimitando la zona irreductible del encuentro cultural que está representada por la traducción lingüística. En él registraremos las mismas dificultades que encuentra la antropóloga, cuando agrega: "Aun así, dejó de darme la traducción de algunas palabras ceremoniales que considera secretas, o cuyo equivalente en portugués desconocía."

Lo que la barrera de la traducción revela es nuestra carencia de los códigos culturales que enmarcan los textos indígenas, los cuales encarnan en las operaciones lingüísticas estrictas que sirven a la formulación del pensamiento y el sentimiento, a la significación. Los productos literarios indios que pertenecen al cauce de la resistencia cultural son los que diseñan los límites de la literatura en América Latina, pues manifiestan, como ninguna otra comunicación lingüística, la otredad cultural. Por lo mismo postulan una nueva funcionalidad de la literatura, a la cual competería la integración de estos discursos en un marco homogéneo. La literatura ha servido a múltiples funciones dentro del continente y (en el mundo) y del mismo modo que en la Colonia fundó la occidentalización y en la Repúbli-

[41] *Op. cit.*, p. 33.

ca fundó la nacionalidad, bien puede fundar en este siglo los mensajes culturales, prestándoles la homogeneidad de su discurso. Ya señalamos que la literatura ha ido devorando disciplinas ajenas, bastante más divergentes de su naturaleza que el "informe antropológico" que pertenece a la transcripción de las literaturas orales, por lo tanto afín a las más libres construcciones del imaginario.

3. *Regiones maceradas aisladamente*

Las peculiaridades de la conquista y colonización de América Latina son el origen de la multiplicidad de regiones que se desarrollaron lentamente con escasos vínculos con los centros virreinales, registrando marcadas tendencias separatistas o al menos aislacionistas que les permitieron elaborar patrones culturales propios, frecuentemente muy arcaicos, a menudo producto de originales sincretismos, los cuales sirvieron de asiento a fuertes tendencias localistas. El inmenso territorio americano fue dominado en un escaso medio siglo, pero esta dominación se consolidó en las ciudades que dificultosamente regían su cercano hinterland sin tocar vastas extensiones en que la colonización se atuvo a la explotación extractiva y a las crecientes haciendas. Más aún en el largo período que cubre el XVII y parte del XVIII hasta la reforma borbónica y pombaliana, que sirvió para incubar el regionalismo y el separatismo. En algunos casos las divisiones administrativas —las Audiencias— sirvieron para consolidar regiones e incluso para fraguar las futuras nacionalidades, pero aun dentro de éstas se repitió la rivalidad que las opuso a las capitales virreinales, de tal modo que aun dentro de las Audiencias, valiéndose de su ejemplo autonomista, se consolidaron regiones menores, favorecidas por las muy dificultosas comunicaciones que las religaban a sus centros dirigentes.

El mapa latinoamericano está construido a base de

regiones y minirregiones, las cuales se acostumbraron, en períodos seculares, a desarrollar prácticas autónomas y endogámicas, a partir de: los componentes étnico-culturales, las actividades económicas que les proveían de subsistencia, una adaptación no siempre cómoda al marco geográfico y una laxa aceptación del orden suprarregional. La dominación real del territorio y su sujeción a los centros administrativos, sólo se pondrá en ejecución severamente en el último tercio del siglo XIX dentro del proyecto modernizador y aun así serán muchas las regiones que hasta bien entrado el XX conserven su aislamiento y su peculiaridad cultural, largamente sedimentada en los siglos transcurridos desde la conquista.

En algunos de los actuales estados, estas condiciones, históricamente fundadas, se vieron acrecentadas por la extensión y por la configuración geográfica: es el caso del Brasil, Colombia, México, Bolivia, cuyo perfil regionalista es definitorio hasta el día de hoy, aunque cualquiera de los otros acepta nítidas divisiones regionales, aun los más pequeños. Si son múltiples los índices para componer la definición de cada una de las regiones (geográficos, económicos, históricos, étnicos, sociales) todos ellos concurren al establecimiento de peculiaridades culturales, dentro de las cuales son educados sus habitantes, especialmente en el período decisivo de su infancia y adolescencia, al punto de que la mayoría de quienes abandonan sus regiones en la juventud y se integran a centros urbanos o capitalinos, no pierden la marca profunda con que los ha moldeado su cultura regional, aunque la combinen con otras influencias y otras prácticas. Es la norma de los escritores que son absorbidos por las capitales donde muchas veces cumplen su tarea literaria adulta, sin que por eso puedan desligarse de sus orígenes y de los moldes culturales formativos. Claramente se lo ve en los narradores que llamamos de la transculturación: João Guimarães Rosa es indesarraigable de su Minas Gerais, como también lo es García Márquez del área costeña colom-

biana o Juan Rulfo de Jalisco. Lo que no quiere decir
que ellos se conformen al estereotipo que se ha acuñado
acerca de sus regiones natales, lo que valdría como una
negación del carácter productivo e inventivo de sus
creaciones artísticas que, como ya hemos anotado, postula un rescate de formas a veces desatendidas pero
que pertenecen a la configuración cultural de la región, las que ellos reelaboran en las circunstancias de-
rivadas del conflicto modernizador.

Hablar de éste es ya hablar simplemente de la historia. Y es ésta la particularidad del nuevo regionalismo en América Latina: corresponde a una instancia
histórica en que son conmovidos los valores y comportamientos tradicionales que han venido singularizando
una cultura, adquiriendo estatus definitorio gracias a
la repetición. El conflicto modernizador instaura el movimiento sobre la permanencia, pero aún más que los
objetos o valores que transporta desde fuera, es sobre
aquellos macerados interiormente que ejerce su impulso. Pone en movimiento a la cultura estática y tradicionalista de la región enquistada, desafía sus potencialidades secretas reclamándoles respuesta, conmueve los
patrones rígidos extrayéndoles otros significados no co-
dificados con los cuales estructurar un mensaje válido
para la nueva circunstancia. La literatura que surge en
el movimiento conflictivo, no será por lo tanto ni el
discurso costumbrista tradicional (que es simple consecuencia de la aceptación del estado de minoría dominada, en que se es sólo materia y pintoresquismo
para ojos externos) ni el discurso modernizado (que
también sería una aceptación sumisa con equivalente
cuota de pintoresquismo para ojos internos), sino una
invención original, una neoculturación fundada sobre
la interior cultura sedimentada cuando ella es arrasada
por la historia renovadora. En la medida en que la
cultura tiende a constituirse en una segunda naturaleza
que define aun mejor la interior constitución del grupo
humano que la genera, podemos decir que la literatura
que surge en esas ocasiones de tránsito, encabalga la

naturaleza y la historia, más aún, las asocia dentro de una estructura artística que aspira a integrarlas y equilibrarlas, confiriéndoles mediante estas operaciones, una significación y una pervivencia: el sentido de la historia se vuelve accesible a través del empleo de las fuerzas culturales específicas de la comunidad regional, y éstas se insertan en el devenir que la historia postula aspirando a prolongarse sin perder su textura íntima.

Si el factor histórico puede ser bastante semejante en las diversas regiones interiores latinoamericanas, en la medida en que responde a la pulsión universal de la hora, a los niveles adquiridos por las metrópolis externas para su penetración ecuménica, en cambio la composición cultural regional manifiesta una alta especificidad y una particularidad que difícilmente se rinden a las taxonomías que proponen sociólogos o economistas. La mayoría de estas regiones tienen acusados rasgos rurales y son asociadas en algunas de las más afinadas tipologías (Wagley) con relativa fortuna, pero aun el reconocimiento de los rasgos comunes que servirían para asociarlas a otras del Tercer Mundo no alcanza para disolver un componente irreductible que pertenece a los orígenes étnicos, a la lengua, a las tradiciones, a las circunstancias siempre propias y originales de su desenvolvimiento. Podemos trazar relaciones entre Jalisco y Minas Gerais, en México y Brasil respectivamente, tal como los recogemos en la literatura de Juan Rulfo o de Guimarães Rosa, podemos encontrar similares operaciones literarias y ejercicios comunes de un cierto imaginario popular afín, pero jamás podríamos equipararlas estrictamente. Lo original de cualquier cultura es su misma originalidad, la imposibilidad de reducirla a otra, por más fundamentos comunes que compartan. Esto hace su diferencia con el factor histórico modernizador, al cual no se le reconoce el terco rasgo específico, interno, perviviente aunque se cambio se le reconce a la cultura regional ounque se sea bien crítico de ella. Para Juan Rulfo uno de sus rasgos nefastos es el que hace que los pobladores "se considéraron dueños absolutos", pero es sobre este valor que construye su novela: "Se oponían a cualquier fuerza que pareciera amenazar su propiedad. De ahí la atmósfera de terquedad, de resentimiento acumulado desde siglos atrás, que es un poco el aire que respira el personaje Pedro Páramo desde su niñez." [42]

Al vigor y fijeza de estos componentes culturales tradicionales, puede atribuirse la atención que los novelistas de la transculturación otorgaron a los arquetipos del poder de la sociedad regional, y la muchas veces subrepticia y no querida atracción por las permanencias aristocráticas. Hay una visión patricia que subyace a las invenciones de José María Arguedas, Gabriel García Márquez, Juan Rulfo, João Guimarães Rosa, la cual funciona sobre una oposición dilemática entre pasado y presente, donde los reclamos justos de la actualidad no logran empañar la admiración por los rezagos de una concepción aristocrática del mundo que está siendo objeto de idealización. Ha sido detectada esa actitud en el monumental libro de Gilberto Freyre, *Casa Grande e Senzala,* que es uno de los capitales productos de la neoculturación regional del xx, pero bajo manifestaciones concretas y artísticas puede reencontrarse en casi todos los escritores citados: es el universo feudal de señores de la guerra al cual se incorpora Riobaldo en *Gran sertão: veredas,* cuya tesitura está emparentada con el imaginario desarrollo por la literatura de cordel, y este parentesco entre el universo de la ficción literaria popular y el de los hombres que en la misma realidad ejecutan acciones similares da nacimiento a la novela de Ariano Suassuna *A pedra do reino;* ese mismo orbe del pasado idealizado abastece la visión patricia en la cual surge la narrativa de García Márquez, construyendo la serie de sus austeros coroneles de la guerra de los mil días, quienes se ven

---

[42] "Los muertos no tienen tiempo ni espacio (un diálogo con Juan Rulfo)", en Joseph Sommers, *La narrativa de Juan Rulfo. Interpretaciones críticas,* México, Sep-Setentas, 1974, p. 22.

forzados a presenciar la descomposición de los valores
en que han edificado su cosmovisión por la aparición
de "la hojarasca" que es movida de un lado a otro por
las apetencias económicas o por los intereses rapaces
políticos y materiales de los grupos sociales pueblerinos.

No hay en esta visión una concepción clasista que
apostaría al patriciado contra el populacho vulgar, sino
una opción cultural que reitera la que ya fue notoria
en la modernización latinoamericana de fines del xix
cuando aparecieron esos mismos patricios enfrentados
a los inescrupulosos comerciantes. Hay en cambio una
visión culturalista que defiende una tradición local, un
sistema de valores austeros, un pasado que ha conforma-
do a los hombres de la región, lo que queda subra-
yado por la ruina económica en que se encuentran y
por los lazos estrechos que son capaces de desarrollar
con el pueblo bajo que participa de la misma cultura.

Esta atención por los señores es también visible en
las obras de Rulfo y Arguedas, aunque dentro de parámetros sociales más modernos y precisos. Tanto en
Pedro Páramo como en *Todas las sangres* (y antes en
Diamantes y pedernales) los señores son capaces de una
grandeza e incluso un desprendimiento, que pertenece
por entero a los componentes culturales básicos en que
han sido educados. Son ejemplos de esa "resistencia"
de que hablaba Guimarães Rosa, la que no sólo construye las visiones patricias, sino también mueve la
pluma de los escritores. Pueden resultar condenados
por el esquema ideológico de las obras pero no pueden
sino ser admirados por algo que está incluso más allá
de su poder o personalidad, que es el sistema cultural
propio que representan.

Estos personajes representan uno de los polos de un
esquema de fuerzas; el otro corresponde al narrador de
las historias, frecuentemente un personaje, a veces un
elemento externo a la obra al cual van dirigidas las
narraciones. Este narrador o este destinatario del relato, ocupa el papel de mediador, uno de los "roles"
característicos de los procesos de transculturación: en

él se deposita un legado cultural y sobre él se arquitectura para poder trasmitirse a una nueva instancia del desarrollo, ahora modernizado. Es el escritor quien ocupa el puesto de mediador, porque ésa es su función primordial en el proceso, y es él quien devuelve al relato esa función mediante personajes que desempeñan dentro del texto esa tarea. Todo el largo discurso de Riobaldo no es un monólogo, sino una comunicación a un "senhor" que por lo tanto está presente dentro del texto, a cuyo conocimiento del medio puede recurrirse confiadamente, y sin embargo está fuera, en ese límite que diseña la función mediadora. Es interno y externo al mensaje porque está encabalgado entre esa segunda naturaleza de la cultura y la irrupción de la historia modernizadora. La vaguedad con que a veces se diseña al mediador apunta a su misma ambigüedad, a sus dobles comportamientos, a su vacilación entre un territorio y otro. Ya lo veremos en el personaje de Ernesto en *Los ríos profundos*, donde se justifica cabalmente que se trate de un niño, pues permite los desequilibrios (imaginación/operatividad) y dispone de la plasticidad necesaria para moverse entre las fuerzas opuestas.

El narrador se introduce en el relato como una de las fuerzas polares indispensables a la elucidación del esquema de transformaciones que los textos postulan. En la novela de Juan Rulfo la bipolaridad es constitutiva de la estructura narrativa, desde el momento que tenemos dos narradores fundamentales, vinculados y opuestos: el narrador personal que es Juan Preciado contando desde su sepultura la historia de su reingreso a Comala y el narrador impersonal que se concentra sobre la historia de Pedro Páramo y sus amores con Susana San Juan. Aunque las dos narraciones se entrecruzan e intercalan su distribución a lo largo de la novela no esconde sus posiciones opuestas y contrastadas: una abre la novela, dominando toda su primera parte; otra va creciendo dentro de esa primera narración, como un eco o redoble, para dominar la segunda parte y clausurar la novela con el ritual del parricidio.

Esta bipolaridad que organiza el texto es acompañada y subrayada por múltiples recursos literarios, los cuales se superponen a la articulación literaria básica establecida mediante la oposición gramatical: personal/apersonal. En el nivel manifiesto del texto esta oposición define la bipolaridad de los narradores, pero es además duplicada en el plano del contenido porque coloca como objetos de cada enunciación a los dos términos opuestos hijo/padre que constituyen la clave significativa de toda la literatura rulfiana. El salto que se produce entre un relato personal y otro apersonal es, como ha visto Benveniste, el de una heterogeneidad que ha sido enmascarada por los hábitos gramaticales, por las que diríamos las leyes lingüísticas que remedan las leyes de la sociedad, forzando una homogeneidad que no es tal pues la llamada tercera persona se enuncia fuera del estatuto de persona:

Por no implicar a ninguna persona, puedo adoptar no importa qué sujeto o no llevar ninguno, y este sujeto, expresado o no, jamás es planteado como persona.[43]

La novela opone así la persona a la no persona, en el campo de los narradores, en tanto que en el de los predicados opone también dos seres distintos, con nombre y apellidos distintos, Juan Preciado y Pedro Páramo. Pero éstos son, sin embargo, hijo y padre, con lo cual la estructura de narradores gramaticales y la estructura de enunciados en los que se predica, respectivamente sobre uno y otro, reproduce una estructura igualmente discorde, en que la homogeneidad de la sangre no puede esconder la real heterogeneidad de los seres, y es nada menos que la relación hijo/padre. Es ésta una relación que domina ásperamente la narrativa rulfiana ("¡Diles que no me maten¡", "No oyes ladrar los perros") fraguada sobre la percepción de la diferencia y la ruptura, las cuales sólo alcanzan su más alta

[43] Emile Benveniste, *Problemes de lingüistique générale,* París, Gallimard, 1966. p. 231.

visibilidad cuando se refieren a quienes están unidos por un vínculo estrecho y ninguno mayor que el del lazo de sangre entre padre e hijo, con tesonera exclusión del término materno ("La herencia de Matilde Arcángel"). Juan Preciado es el hijo de Pedro Páramo, el hijo que viene a buscar al padre no conocido. El encuentro inicial que sostiene es, sin embargo, con Abundio, otro hijo de Pedro Páramo que tampoco lleva el nombre del progenitor (testimonio en la escritura del lazo de sangre) y a quien cabe la muerte ritual del padre al finalizar la novela. La continuidad y la ruptura son así jugadas simultáneamente. Se repite isotópicamente en todos los planos en que se subdivide el texto literario, el mismo esquema: proceso de continuación derivada y ruptura, homogeneidad aparencial y heterogeneidad profunda, esfuerzo de reconstrucción del ligamen familiar e imposibilidad de restaurarlo. El esquema apunta a la particular situación cultural en la cual Rulfo trata de insertar la función mediadora, cuya dramaticidad y frustración puede vincularse a la de Arguedas, pero en cambio es distinta de las soluciones que alcanzan Guimarães Rosa o García Márquez.

Este último, que, recordemos, habla desde una región que se moderniza por encima del centro capitalino que la rige, ha de privilegiar la función escrituraria del mediador, oponiéndola a la incesante pérdida de memoria que condena a la incesante repetición. Es el papel que le confiere a Melquíades bajo el sistema de una escritura cifrada, la cual da paso al desciframiento por Aureliano y a la constitución del discurso literario como absorción y cancelación del pasado cultural todo, para lo cual también debe introducir al cenáculo de jóvenes literatos de La Cueva y dentro de él inscribirse a sí mismo como el mediador, el que cree en la realidad de la leyenda que se desmigaja en las memorias, el que recupera así la tradición de una cultura, al menos centenaria, y le confiere nueva vida a través de un sistema modernizado ajeno a sus prácticas: la escritura de un libro.

El "rol" del mediador es equiparable al del agente de contacto entre diversas culturas y así estamos visualizando al novelista que llamamos transculturador, reconociendo sin embargo que más allá de sus dotes personales, actúa fuertemente sobre él la situación específica en que se encuentra la cultura a la cual pertenece y las pautas según las cuales se moderniza. Aunque el punto lo analizaremos centralmente en torno a las ideas y creaciones de Arguedas, puede tratar de mostrarse sumariamente otro ejemplo de esta original neoculturación, referida a una zona bien distinta de la sierra sur peruana como lo es la zona centro-oeste de México, que reúne los estados de Michoacán, Jalisco, Colima y parcialmente los circunvecinos Guanajuato, Aguascalientes, Zacatecas, Nayarit, zona que vivió en un aislamiento histórico prolongado, aunque tendió a organizarse autónomamente en torno a la Audiencia de Nueva Galicia, cuyas vicisitudes pueden seguirse en los libros de José López Portillo y Weber[44] y que económica y socialmente se plasmó a la par del desarrollo casi autárquico de las grandes haciendas coloniales.[45]

En el punto opuesto a la serranía peruana, la región mexicana que tiene su centro en el estado de Jalisco ha sido caracterizada por la ausencia de componentes indios importantes, remplazados por contingentes españoles que allí plasmaron una cultura rural en condiciones de aislamiento. "El rasgo más notable, por el que esta región se distingue de México, es la ausencia de una tradición indígena, aun si aquí y allá se encuentran hábitos alimenticios e indumentarias concep-

---

[44] Véase *La conquista de la Nueva Galicia*, México, 1935, *La rebelión de la Nueva Galicia*, Tacubaya, Instituto Panamericano de Geografía e Historia, 1939.
[45] Véase François Chevalier, *La formación de los grandes latifundios en México*, México, 1956.

tuadas como indígenas" dice Jean Meyer,[46] y Luis González y González, en su espléndido libro sobre San José de Gracia, agrega a esta aparente pureza racial un orgullo consciente: "No hay indicios de que se hayan sabido y sentido mexicanos. El sentimiento de raza era más fuerte que el sentimiento de patria. Aunque su cultura difería muy poco del estilo de vida de los indios de Mazamitla, se sentían orgullosos de su ascendencia española." [47] Por último, Juan Rulfo interpreta condenatoriamente esta conciencia de superioridad, dentro de una subrepticia economía del espíritu: "Pero el hecho de haber exterminado a la población indígena les trajo una característica muy especial, esa actitud criolla que hasta cierto punto es reaccionaria, conservadora de sus intereses creados." [48]

Sin embargo, esta región que sólo secundariamente atiende a uno de los componentes primordiales de la nacionalidad mexicana, el indio, se ha constituido en la proveedora de algunos de sus definitorios comportamientos. Al estudiar la región Jean Meyer dice que si se atreviera a las más descabelladas hipótesis, consideraría "a Jalisco como un paradigma de la 'mexicanidad': charros, toros, machismo, un equipo de fútbol (el Guadalajara) donde nunca ha jugado un extranpero, la religiosidad, los cultos matrimoniales, el afrancesamiento, etc.".[49] Es evidentemente el estereotipo que canta el corrido (¡Ay Jalisco no te rajes!) pasible de severas correcciones, pero esa misma región ha proveído en este último medio siglo a las letras mexicanas de algunos de sus sagaces renovadores narrativos: Agustín Yáñez, Juan José Arreola, Juan Rulfo. Ellos proponen, más que una visión, una revisión profunda de tal estereotipo: sin negarlo, lo subvierten y le conceden

---

[46] Jean Meyer *et al.*, *Regiones y ciudades en América Latina*, México, Sep-Setentas, 1973, p. 156.

[47] *Pueblo en vilo*: *microhistoria de San José de Gracia*, México, El Colegio de México, 1979 (3a. ed.), p. 45.

[48] Joseph Sommers, *op. cit.*, p. 21.

[49] *Op. cit.*, p. 149.

otro sentido. Escarban en su interioridad, redescubren los funcionamientos privativos que se adecuan a las nuevas circunstancias históricas, proceden a su evaluación crítica y sin embargo, curiosamente, no hacen sino consolidarlo. El mismo Luis González y González reconoce su deuda, al escribir en 1968 su libro, "con Agustín Yáñez por *Al filo del agua* y *Las tierras flacas*, Juan José Arreola por *La feria* y Juan Rulfo por *El llano en llamas* y *Pedro Páramo*". Por su parte Jean Meyer prefiere la contribución de "la literatura y la vena popular", donde encuentra consignados los "rasgos de carácter" mejor que en las obras de alto valor literario, y adelanta un curioso paralelo valorativo entre Rulfo y Arreola, estrictos contemporáneos y partícipes de la misma primera aventura literaria de la revista *Pan* (junto con Antonio Alatorre). Los distingue, ya no por la común procedencia cultural jalisciense, sino por la ubicación social diferente dentro del mismo complejo:

Juan Rulfo nació en San Gabriel, Venustiano Carranza, en el seno de una de las familias más ricas de la localidad. Externa el pesimismo terrateniente de un grupo social arruinado por la Revolución, agravado aun por la historia particular de San Gabriel, que no se ha repuesto jamás de los daños causados por la guerra cristera. Arreola, de una familia humilde de Zapotlán el Grande (Ciudad Guzmán), participa a la vez del optimismo de todos aquellos que viven una ascensión social y habitan en una ciudad pequeña dinámica. Por otra parte, Rulfo vive en México y Arreola pasa la mayor parte del tiempo que puede en su tierra natal.[50]

A partir de la aceptación de las premisas que proporciona Meyer, es sin embargo posible hacer otra interpretación, aun dentro del ámbito de la sociología literaria, que apunta a la distinta recepción del mensaje modernizador por parte de ambos escritores, es

[50] *Op. cit.,* p. 152.

decir, a las opciones que hacen dentro del amplio abanico de las literaturas extranjeras que les son propuestas por la modernidad, las que incluso pueden religarse a su peculiar situación de ascenso o descenso
dentro de los grupos sociales en que han surgido. Des-
cartamos las categorías optimismo/pesimismo que, aunque tienen ingenuo predicamento entre los cuadros
políticos renovadores, se han demostrado poco aptas
para medir la excelencia artística de las letras universales, sobre todo cuando el reiterado pesimismo de algunas obras y algunos escritores no ha sido sino
corroborado posteriormente por la historia. Más importante es la opción de modelos literarios, porque está
genéticamente orientada por los patrones culturales y
las posiciones sociales de los escritores. Es evidente la
confianza de Arreola en las proposiciones vanguardistas
europeas, tal como ha examinado la crítica al considerar sus primeros libros *Varia invención* (1949), *Confabulario* (1952), *Confabulario total* (1962) reconociendo la presencia del mismo Marcel Schwob[51] que
integra el Parnaso de las preferencias borgianas en el
sur. Es posible ver en estos sutiles ejercicios de la vida
del espíritu que son ubicados diestramente en marcos
humanos y universales, una confianza imprecavida en
las proposiciones intelectuales de la modernización,
cuya fundamentación pretendidamente universalista es
asumida sin recelo. Puesto en la misma circunstancia
de las opciones literarias, Juan Rulfo se inclinará por
la producción de la periferia europea de la zona nórdica
(Noruega, Suecia, Dinamarca, pero también Finlandia
e Islandia) correspondiente a dos períodos sucesivos: el
del fin del xix y comienzos del xx y el posterior de
entre ambas guerras. Del mismo modo, su inclinación
por las letras norteamericanas se dirigirá a la periferia
sureña representada por Faulkner en detrimento de la
línea más urbanizada e industrializada neoyorkina que

[51] Emmanuel Carballo, *Arreola y Rulfo, Revista de la
Universidad de México* t. viii, núm. 7, México, marzo de
1954, recogido en Sommers, cit.

deparará las vanguardias y la narrativa de Hemingway. Y dentro de las letras de lengua francesa, no serán los jefes más difundidos que educaron a los latinoamericanos (Valéry, Gide, Malraux, Céline, Proust, Breton) los que prefiera, sino los narradores de la tierra, cargados de aliento poético y de inquietud social: el suizo Charles-Ferdinand Ramuz y el cantor de Manosque, Jean Giono. El escritor que para muchos inicia la escritura de vanguardia en la narrativa mexicana, no se ha dirigido a las figuras centrales de la vanguardia europea que han respaldado la gran producción cosmopolita latinoamericana (Joyce, Woolf, Kafwa, Musil) sino a los representantes de una periferia europea que, medio siglo antes que los hispanoamericanos, hicieran la experiencia de una modernidad que les venía de los grandes centros metropolitanos. No se ha atendido suficientemente a este irregular comportamiento, que es sin embargo bien significativo, y conviene recoger diversas declaraciones de Rulfo sobre el tema de las influencias literarias, en general coincidentes:

En 1959 confesaba a José Emilio Pacheco: "La escuela alemana y nórdica de principios de siglo —que creó una realidad, una perspectiva especial, basada en el vuelo de la imaginación— me ha brindado uno de mis deleites preferidos. He leído a Sillanpää, a Bjornson, a Ian Mail, a Hauptmann y al primer Hamsun. En ellos supe hallar los cimientos de mi fe literaria. Sucesor de aquéllos, 'heredero de su manera de contar' es Halldór Laxness. Laxness reconstruye la epopeya islandesa, crea el *Kalevala* de nuestros días." [52]

En 1974 era más explícito con Joseph Sommers, contestando a la pregunta sobre sus lecturas caóticas de juventud: "Entre ellas, las obras de Knut Hamsun, las cuales leí —absorbí realmente— en una edad temprana. Tenía unos catorce o quince años cuando descubrí este autor, quien me impresionó mucho, llevándome a

---

[52] "Imagen de Juan Rulfo", *México en la Cultura*, núm. 540, México, 1959.

planos antes desconocidos. A un mundo brumoso, como es el mundo nórdico, ¿no? Pero que al mismo tiempo me sustrajo de esta situación luminosa donde vivimos nosotros, este país tan brillante, con esa luz tan intensa. Quizá por cierta tendencia a buscar precisamente algo nublado, algo matizado, no tan duro y tan cortante como era el ambiente en que uno vivía. Entonces, de los autores nórdicos, Knut Hamsun fue en realidad el principio, pero después continué buscándolos, leyéndolos, hasta que agoté los pocos autores conocidos en ese tiempo, como Bjornson, Jens Peter Jacobsen, Selma Lagerlöf. Para mí fue un verdadero descubrimiento Halldór Laxness, eso fue mucho antes de que recibiera el premio Nobel. De modo que yo sentía una especie de simpatía hacia esos autores. Me daban una impresión más justa, o mejor, más optimista que el mundo un poco áspero como era el nuestro." [53]

En 1966 le reitera a Luis Harss la misma serie de nombres, más los rusos (Andreiev y Korolenko) y confiesa: "Tuve alguna vez la teoría de que la literatura nacía en Escandinavia, en la parte norte de Europa, y luego bajaba al centro, de donde se desplazaba hacia otros sitios." [54]

Es un repertorio literario que puede sorprender al lector actual pues reúne nombres que han desaparecido de su horizonte de lecturas y del que creo que incluso somos pocos los que lo hemos cultivado. (Es posible prever otros nombres que faltan en sus listas, como Jensen o Strindberg, y es posible que a ellos pudieran agregarse los maestros de la narrativa de la tierra, Reymont, Andric, Kazantzakis, Panait Istrati, y no es raro que, a pesar del hedonismo de estas lecturas, no incluyeran también a Kierkegaard, al menos la fraudulenta edición del *Diario de un seductor*.) Es la literatura que domina los veinte y los treinta, cuyos autores habrán de recoger incesantes premios Nobel antes de

[53] *Op. cit.*, pp. 17-18.
[54] *Los nuestros*, Buenos Aires, Sudamericana, 1977 (7a. ed.), p. 335.

que los narradores de la vanguardia comiencen a remplazarlos y condenarlos al temporario olvido, del cual ahora han comenzado a emerger. Es la literatura de la periferia europea cuando comienza a recibir el impacto modernizador procedente de París, Londres, Viena o Berlín. Si tuviera que caracterizar sus rasgos comunes, tendría que decir: son asuntos fundamentalmente de la vida rural en insignificantes pueblos y regiones desamparadas donde sin embargo surge una intensa vida espiritual (la carrera de Olafur Kárason en la tetralogía de Laxness *La luz del mundo*); son tensas personalidades puestas en situaciones límites las que el escritor construye, abusando a veces del patético o del absurdo, como en la serie de cuatro novelas iniciales de Hamsun, *Misterios, Pan, Victoria, Hambre*; son rapsódicas animaciones del paisaje puesto a vibrar al unísono con los personajes, como en *La saga de Gösta Berling* de Selma Lagerlöf; son elusivas, lacónicas, difíciles, "brumosas" como dice Rulfo, relaciones afectivas y amorosas, sumergidas en la vivencia de la naturaleza, como en las dos notables novelas de Jacobsen, *María Grubbe* y *Niels Lyhne*; son durísimas relaciones humanas en que se expande la irracionalidad inesperada de los temperamentos en pugna con formas extraordinariamente rígidas de la vida social, como en las novelas de Strindberg o de Bjornson (*El padre*); son claras concepciones de la justicia social y claras rebeliones contra el orden oprimente de la vida rural en que se prolongan ásperas jerarquías arcaicas, tal como construyó en sus novelas Laxness y teorizó en su libro de ensayos, de 1929, *El hombre del común*; son frecuentes respuestas ardientes a la modernización en curso, asumiendo esquemas científicos (el darwinismo de Jacobsen) o las propuestas naturalistas, o las doctrinas socialistas (en Ramuz) pero al tiempo defendiendo ácidamente la vida regional, sus criaturas, asuntos, ambientes, como los únicos legítimos; son obras de un realismo raigal, mayoritariamente construidas en torno a sucesos reales en ambientes reales conocidos de los autores y manejando rezagadamente la escritura de la escuela realista-naturalista francesa, pero impregnadas de un ímpetu lírico poderoso capaz de arrastrar situaciones y personajes y confundirlos con las desencadenadas fuerzas naturales en un solo movimiento rapsódico, lo que quizás se pudiera traducir con la conocida frase de Alí Chumacero de 1955 sobre Rulfo, hablando del "adverso encuentro entre un estilo preponderantemente realista y una imaginación dada a lo irreal" son también obras en que cobra ciudadanía aceptada la lengua regional, en que incluso es enarbolada agresivamente contra las formas internacionalizadas, a modo de asunción de una vida adulta por la comunidad, tal como quedó ilustrado por la adopción del *nynorsk,* por los escritores noruegos del XIX.

Aún más importante que la filiación de la narrativa de Rulfo dentro del marco de estas grandes influencais (cosa que ni siquiera se ha intentado aún) es el reconocimiento de que ellas pertenecen a situaciones culturales emparentadas con las que vivió un escritor mexicano nacido en Jalisco en 1918 y sometido al proceso de adaptación urbana (primero Guadalajara, luego México) en los cuarenta y los cincuenta, mientras construía su personalidad literaria y su obra narrativa, una adaptación compartida con enormes poblaciones rurales. Como señala Hélène Rivière d'Arc, el crecimiento demográfico de Guadalajara superó al de otras muchas ciudades mexicanas: "De 229 335 habitantes en 1940, la capital de Jalisco pasó a 738 800 en 1960 y a 1 400 000 estimados para 1970. Mientras que en 1900 contaba con el 29% de la población considerada como urbana en Jalisco, según el censo de población, en 1960 absorbía ya el 51% de éstas." [55] Como complementa Meyer, esta emigración rural a las ciudades, que impone la pobreza y deja tras sí los pueblos abandonados que la literatura ha descrito, no implica

[55] "Guadalajara y su región: influencias y dificultades de una metrópoli mexicana", en *Regiones y ciudades en América Latina,* p. 171.

cambios culturales radicales, debido a las extremadas formas "de resistencia, de enraizamiento" que los religa nostálgicamente a sus orígenes: "Más que una simple nostalgia se trata de una adhesión entrañable a su tierra, que forma parte de la mentalidad colectiva."[56] No puede sorprender que el escritor también siga adherido al universo tenaz de que procede y procure diseñar sobre él un tejido literario.

Muchos de los temas, personajes y atmósferas que luego se encontrarán en la obra de Rulfo, ya estaban apuntados en la novela de Agustín Yáñez *Al filo del agua,* publicada en 1947, al filo también de la irrupción de la nueva literatura mexicana. Sin embargo no hay entre ellas ninguna común medida artística. Yáñez hace una descripción blanda y sentenciosa de una sociedad rural que observa con ojos lúcidos, para la que no puede encontrar equivalencia en las estructuras narrativas. Separa a ambos autores el período que para algunos mide la distancia entre dos generaciones (quince años) pero más aún la concepción de la literatura. Yáñez predica perspicazmente sobre un mundo; Rulfo construye literariamente un mundo. La misma resolución de Yáñez, de reconstruir la vida cerrada, oscurantista, constreñida y dura de un pueblo antes de 1910, le impide tomar cuenta del temporal revolucionario que arrasó los cimientos de esa sociedad y que en la región centro-oeste y particularmente en Jalisco, alcanzó una desmesurada prolongación a través de la guerra cristera, contemporánea de la infancia de Rulfo. Éste es hijo de otra sociedad, de otro tiempo histórico que repentinamente ha puesto en movimiento los tradicionales patrones culturales. Los ha convulsionado, poniéndolos en vilo; mejor aún, ha desgarrado su apariencia para evidenciar las potencias embridadas que custodiaba o reprimía. Es el previsible efecto de una modernización cuya previa acción transformadora gradual puede seguirse en los estudios de economía, sociología, política

[56] *Op. cit.,* p. 157.

o demografía. No son sino indicadores de una transformación que repercute en el campo cultural, donde adquiere máximo estruendo y genera máxima sorpresa. El parsimonioso recuento de *La Cristiada* hecho por Meyer es tan ilustrativo de esta conmoción cultural como lo habían sido los dos libros de Luis González y González.[57]

La operación renovadora que cumple Rulfo, apelando a lo que debe reconocerse como un giro reaccionario respecto a Arreola (el cual lo reconduce a sus propias fuentes culturales amarrándolo temática, literaria y espiritualmente a ellas), ha sido muchas veces definida por el propio autor y por sus críticos: se trata de una recuperación del habla popular, sustituyendo la escritura culta burguesa y de una reutilización de las estructuras narrativas del contar popular. La diferencia fundamental con Yáñez es, por lo tanto, la evicción del autor y de su background intelectual, para asumir en cambio la visión del universo perteneciente a las formas culturales que comparten los hombres de una determinada tradición en una determinada circunstancia histórica que la trastorna. Esto ha sido alcanzado con tal esmero que Juan Rulfo ha pasado a integrar una categoría a la que son afectas las jóvenes generaciones: el escritor a-intelectual, aquel ajeno al comercio crítico y analítico, aquel trasfundido en voz espontánea del pueblo primario. Este gran mito romántico es, obviamente, falso, y no hace sino detectar, en sentido exactamente contrario, el avezado artificio de la composición artística rulfiana, cosa que conviene recordar pues al escamotear aparentemente al autor ("no es la voz del autor la que habla, son las voces de los personajes" dice un crítico)[58] no se hace sino intensificar su pre-

[57] *La Cristiada,* México, Siglo XXI, 1974, 3 vols. Una síntesis en *Apocalypse et révolution au Mexique: la guerra des Cristeros* (1926-1929), París, Gallimard, 1974. De Luis González y González, aparte del libro citado, *Sahuayo,* Morelia, Gobernación del Estado de Michoacán, 1979.

[58] Luis Harss, *op. cit.,* p. 332.

sencia: dentro de la narrativa actual del continente hay pocas escrituras tan nítidamente perfiladas y diferenciadas como la de Rulfo tan individualizadas.

"Es un lenguaje hablado"; "Quería, no hablar como se escribe, sino escribir como se habla"; "Así oí hablar desde que nací en mi casa, y así hablan las gentes de esos lugares", declara repetidamente el autor. El tenaz esfuerzo estilístico que ello presupone lo corrobora un crítico que coteja las diferentes versiones de los cuentos: "Las versiones de sus cuentos en *El llano en llamas* disminuyen el texto siempre, eliminan palabras, popularizan el lenguaje, sin destruir la estructura ni realizar grandes cambios." [59] Hay unanimidad de la crítica reciente acerca de este aspecto, oponiéndose a la primera recepción de las obras de Rulfo, acusadas de escritura pobre. Los rasgos de esta habla popular serían aproximadamente: simplicidad del léxico que admite dialectalismos y regionalismos con prudencia; construcción sintáctica concisa con oportuno uso de frases hechas; tendencia lacónica y aun más, elíptica, en el mensaje lingüístico; tono menor y carencia de énfasis (salvo en los remedos caricaturescos de la oratoria) homologando valores dispares del discurso en una misma tesitura; apagamiento prosódico, tal como lo apuntan los contextos explicativos; tesonera prescindencia de cultismos y eliminación de la terminología intelectual.

Que esta lengua sea hoy percibida como la transcripción del habla popular, reafirma la fuerza impositiva que tiene la construcción lingüística de la literatura. No tardará mucho en reconocerse, simplemente, como la escritura de Rulfo. Entonces se percibirá que, no empece el abastecimiento en fuentes reales, estamos en presencia de la deliberada construcción de una lengua literaria. Para visualizarlo, puede apelarse a diversos testimonios que ha consignado Jean Meyer a lo largo

[59] Jorge Ruffinelli, *El lugar de Rulfo*, México, Universidad Veracruzana, 1980, p. 18.

de sus siete años registrando informes orales de campesinos jaliscienses o respuestas a sus cuestionarios sobre
la guerra cristera, los cuales ratifican lo que sabemos por
otras vías acerca del español americano, sobre todo el
perteneciente a las zonas de profunda sedimentación
autónoma en las regiones hispanizadas desde la Colonia. "Este individualismo feroz y belicoso, es el del ran-
chero que vive aislado, que conserva la herencia de la
lengua y la tradición españolas (si los lingüistas qui-
sieran poner manos a la obra, harían sabrosos descubrimientos...)", decía Jean Meyer en uno de sus primeros trabajos de campo,[60] y al finalizar *La Cristiada*,
anota: "Su lenguaje suele ser hermoso y la construcción
tan correcta como el empleo de los tiempos, con una
tendencia pronunciada al subjuntivo". "Todo pasa por
los ojos, los oídos y la boca y es prodigioso el vocabula-
rio de estos hombres de quienes se dice que son silen-
ciosos y que se divierten a fuerza de 'sentencias, agude-
zas, refranes, astucias, chistes y estratagemas sutiles e
ingeniosas, que causan asombro y admiración'." [61]
Después de repertoriar las grandes palabras de una
lengua capaz de las formas abstractas, las cuales surgen
espontáneamente dentro del discurso revelando, más
que una particular tendencia intelectualista, el uso colectivo de una lengua empedrada de términos abstrac-
tos, lo que no es otra cosa que la gran tradición barroca
que fue constitutiva del español americano y que las
regiones hispanizadas y aisladas han conservado tercamente hasta nuestros días del mismo modo que han
conservado formas artísticas estrictamente barrocas y
cultas (la espinela o décima), Jean Meyer habla de
"la vida fuertemente enraizada de una cultura popular asentada sobre la Biblia, la tradición oral cristiana,
los libros de caballería y la poesía cortesana".[62] Esta
descripción es bastante diferente de la que los críticos

[60] *Regiones y ciudades en América Latina*, p. 158.
[61] *La Cristiada*, vol. 3, p. 273.
[62] Ibidem.

ofrecen de la lengua popular de Rulfo, y es además
bastante persuasiva.

Pone en evidencia el tenaz esfuerzo de elaboración
de una lengua literaria a partir de un habla popular
dentro de la cual se selecciona, elige, rechaza, hasta
lograr una unificación expresiva (que el autor ha seguido persiguiendo en las diferentes ediciones) que no
responde, como el propio Rulfo dice, "a un lenguaje
captado con una grabadora", sino a un perspectivismo
interpretativo, a ese punto focal de la cosmovisión que
es de nítida cualidad ideológica, el cual impone, con
una concepción ya enteramente modernizada, la unificación de todos los elementos componentes de la obra:
lengua, asuntos, personajes, escenarios, estructuras narrativas, imágenes, ritmos, sistemas expositivos, etc.
Hay un tenaz esfuerzo de empobrecimiento lexical, de
preferencia por los particulares concretos, de acentuación del laconismo y la elipsis, en oposición a los cultismos e intelectualismos también propios de la lengua
popular o de los regímenes expositivos de tipo oratorio
según los modelos (frecuentemente religiosos) accesibles
a una cultura ágrafa. Selecciones y rechazos responden
a una precisa y nueva concepción de lo *verosímil* y a
una determinada e igualmente nueva concepción de la
mimesis, ambas marcadas por una modernización que
sólo cobra fundamento gracias a una perspectiva arcaizante, a un retorno a las fuentes, soñadas por una
concepción antropológica del primitivismo. Son los
tensores que rigen la elección de materiales buscando
su afinidad, su capacidad de empastar unitariamente.
Es bien evidente en la absorción de las historias por las
"voces" que las cuentan, trasmitiendo al conjunto su
tonalidad homogénea, pero lo es también en la búsqueda de un equilibrio poético (y *monstruoso* como decía
Arreola) que permite insertar en el mismo cuento
—"Nos han dado la tierra"—, la pregunta "Oye, Te-
ban, ¿de dónde pepenaste esa gallina?" y la imagen
surrealista "Alguien se asoma al cielo, estira los ojos
hacia donde está colgado el sol y dice."

Estas operaciones modernizadoras, en las cuales se percibe la función mediadora y transculturadora, pueden registrarse paralelamente en un campo más específico como es el de las formas narrativas. También aquí hay recuperación de sistemas peculiares del medio rural, como por ejemplo el contar dispersivo y derivativo que sirve de dramático marco de significación al cuento "Acuérdate" y cuya privativa manera de ramificarse horizontalmente, hasta perder a veces su hilo conductor, ya se encontraba en las formas narrativas ingenuas medievales. Es el mismo régimen que organiza la exposición de "Anacleto Morones" o diálogos de *Pedro Páramo*. En todos los casos, la normal trasparencia de un sistema de organizar (o desorganizar) el encadenamiento de la historia, ha sido sustituida por su activa presencia dentro del relato como modo de significar a quien lo emite, del mismo modo que se ha hecho con el léxico o la sintaxis, volviéndoselo visible y literario para que se transforme en un recurso de composición. Es una operación que se asemeja a la desconexión de elementos, propia de la escritura surrealista, que aunque extraída de la heteróclita yuxtaposición del mundo urbano, deviene trasmisión de significados y por lo tanto sirve para evidenciar una cosmovisión.

Con estas anotaciones sumarias sobre la asombrosa tarea artística de Juan Rulfo, buscamos ejemplificar dos cosas: la presencia activa en una literatura, no sólo de asuntos sino de formas culturales específicas de una determinada región cultural americana y al mismo tiempo la tarea descubridora, inventiva y original del escritor situado en el conflicto modernizador. Edifica una neoculturación que no es la mera adición de elementos contrapuestos, sino una construcción nueva que asume los desgarramientos y problemas de la colisión cultural. Quizás no deberíamos olvidar nunca que el escritor es, ante todo, un productor.

SEGUNDA PARTE

INTRODUCCIÓN

En la primera parte demarcamos el problema cultural y literario que vivió la narrativa latinoamericana bajo el nuevo impacto modernizador del siglo xx, con relación a la línea transformadora de los escritores regionalistas que, aunque cubiertos por la difusión esplendorosa que adquirieron los escritores de la línea cosmopolita, cumplieron una ingente modificación de los presupuestos de su arte y acometieron una reinvención de las formas narrativas cuya originalidad y cuya representatividad de los auténticos, generalizados problemas del continente, quizás no haya sido vista en toda su amplitud.

En el área brasileña, que es donde se discutió activamente el conflicto e incluso se ofreció de él una teorización documentada, se presenció una serie de soluciones artísticas originales, a las que contribuyeron narradores de muy distintas regiones enfrentados a problemas culturales específicos. Es evidente en la obra de José Lins do Rego, Graciliano Ramos y João Guimarães Rosa, entre los más robustos narradores brasileños del xx, aunque sería posible incorporar el nombre de Mario de Andrade por la impostación de su *Macunaima.* Junto a ellos hay una lista bastante extensa, en las diversas regiones que componen el mapa brasileño de culturas, de los narradores que han encarado similares problemas en otras instancias del proceso modernizador, hasta nuestros días. Por tratarse del país que constituyó primero su base nacional sin que eso afectara la viva presencia autónoma regional, es el Brasil el laboratorio más fecundo para el examen de estos conflictos y de sus originales soluciones.

No faltó sin embargo en Hispanoamérica la acción modernizadora externa, ejercida muchas veces a través de las versiones elaboradas en las capitales de los países. Hemos diseñado sumariamente el caso de una zona dinámica como la costeña y antillana de Colombia, en que surgió el grupo literario de Barranquilla y la obra de Gabriel García Márquez, y también la zona centro-oeste de México en torno a Jalisco donde también surgió una promoción literaria igualmente renovadora y cuyo exponente nítido es Juan Rulfo.

En la segunda y tercera parte de este libro queremos estudiar una región donde los conflictos alcanzaron extremada acidez, no sólo por el impacto renovador que acarreó la modernidad que desde 1930 se introduce en ella, sino por la situación congelada y rígida en que se encontraban las formas culturales tradicionales. Se trata de la serranía sur peruana que admite su centro en la vieja ciudad imperial inca, Cuzco, y que fue la bandera de combate de la generación indigenista de los años veinte y treinta, en la producción crítica de Víctor Raúl Haya de la Torre, José Carlos Mariátegui y Víctor Andrés Belaúnde, para citar tres de las reflexiones capitales, tanto intelectuales como políticas, en torno a un asunto que avivó el examen de la nacionalidad peruana con un sentido moderno. En el año 1932, la Comisión de Constitución del Congreso Constituyente peruano trazó una demarcación política regional que incendió la polémica, resucitando una discusión que ya había conocido el XIX entre conservadores centralistas y liberales federalistas. Estuvo teñida de los prejuicios políticos de los diversos bandos, por lo cual pareció sorda a las manifestaciones culturales particulares tan ricas del regionalismo peruano. Con todo Jorge Basadre, con su habitual equilibrio, ya observaba: "El regionalismo, entonces, resulta válido en cuanto significa comprensión, interés, ante los problemas del país; es decir, en cuanto se contribuye a contradecir la frase estulta 'Lima es el Perú y el girón de la Unión es Lima'. Otra importancia tiene entonces el regionalismo: combatir la influencia exclusivista del modelo europeo, la importación sin examen de recetas surgidas ante realidades extrañas a la nuestra".[1]

La percepción fue entonces, y siguió siendo por mucho tiempo,[2] meramente política. En los diversos bandos, a pesar de la cauta prevención de Basadre, se manejaron recetas europeas transplantadas con entusiasmo y también con candor, aun en intelectual tan partícipe de la realidad nacional como Mariátegui. Ese debate oscureció el aspecto que más nos interesa, el cultural, en el pleno sentido antropológico del término, y sólo parsimoniosamente la generación posterior fue recuperando esta percepción y haciéndola valer. Entre los intelectuales que contribuyeron a este nuevo rumbo, no hay duda de que ocupa un lugar protagónico José María Arguedas, como educador, como etnólogo, como escritor.

Enfrentó la situación más compleja y aparentemente menos viable entre los múltiples congelamientos culturales de las regiones internas de la América Latina y además recibió de sus mayores un simplismo doctrinal que no era apto para encontrar soluciones eficaces al conflicto cultural, sin contar que las ya propuestas resultaron subvertidas por las imprevistas modificaciones que se produjeron en la situación de la región Cuzco-Apurímac. De ahí la necesidad de revisar el problema del área cultural andina que, aunque extendiéndose a una vasta región y a diversos países sudamericanos asentados sobre la Cordillera, tiene su corazón en la serranía sur del Perú, y de registrar la evolución del pensamiento de Arguedas sobre un asunto al que consagró la vida entera, hasta llegar al reconocimiento de las mediaciones mestizas entre las dos esferas culturales tan drásticamente separadas del país. Tipificó en este per-

---

[1] Citado en Diógenes Vásquez, *Teoría regionalista y regionalismo peruano. (Estudio económico, jurídico, político, ético)*, Trujillo, Editorial Cordillera, 1932.

[2] Entre los libros que manifiestan una nueva óptica, *Indigenismo, clases sociales y problema nacional*, Lima, Centro Latinoamericano de Trabajo Social, 1979.

sonaje oscuro, el mestizo, y en su gesta, un papel transformador que pareció réplica del que él mismo acometió en la antropología y en la literatura.

La evolución del pensamiento de Arguedas, apoyado en un paciente examen de la vida indígena peruana, concurre a una de esas operaciones mayores de la vida intelectual. Que Arguedas nunca aspirara a darle especial brillo ni a plasmar sus aportaciones en severos estudios académicos, nada quita a la originalidad de una pesquisa en torno a uno de esos problemas que más han extraviado que iluminado la vida intelectual contemporánea: el funcionamiento del mito entre las sociedades latinoamericanas. Los intelectuales de gabinete ciudadano se han despachado abundantemente sobre el punto, mucho más de lo que lo hiciera un hombre como Arguedas que lo examinó, en etnólogo, y lo vivió, en hombre iluminado. Por eso el examen de la sutil indagación arguediana hacia la comprensión de la "inteligencia mítica" puede considerarse una manera adulta, responsable y profunda, de revisar este asunto capital.

Si la segunda parte de este libro examina esos pasos progresivos que llevan de los problemas de una región ríspida a las soluciones culturales a un conflicto sin aparente desenlace y a las formas superiores en que el espíritu puede integrar las fuerzas en acción y encontrarles una visión equilibradora, la tercera parte se consagra a examen de una novela de Arguedas, *Los ríos profundos,* que entiendo está entre las grandes invenciones artísticas del continente, a la par de las mucho más difundidas piezas de la llamada nueva novela. No se intenta en los dos capítulos de esa tercera parte un examen exhaustivo de la novela, que por otra parte ha sido hecho en una serie de libros que en los últimos años han dado prueba del crecimiento del interés crítico por *Los ríos profundos,* sino una indagación que responde a las tesis expuestas en la primera parte del libro: la construcción de formas artísticas desarrolladas a partir de la tradición cultural interior de América

Latina, esas forjadas por las comunidades enclaustradas de sus ricas regiones, al recibir el impacto de una modernización que tiende a cancelarlas y contra la cual se levanta el escritor, no para negarla vanamente, sino para utilizarla al servicio de un redescubrimiento y reanimación del legado cultural que recibió desde la infancia y cuya supervivencia quiere asegurar.

En una época de cosmopolitismo algo pueril, se trata de demostrar que es posible una alta invención artística a partir de los humildes materiales de la propia tradición y que ésta no provee solamente de asuntos más o menos pintorescos sino de elaboradas técnicas, sagaces estructuraciones artísticas que traducen cabalmente el imaginario de los pueblos latinoamericanos que a lo largo de los siglos han elaborado radiantes culturas. Sustituyendo las tesis románticas que reclamaban fidelidad a los asuntos, creyendo que con ellos solos se podía traducir la nacionalidad, lo que se indaga en las novelas de los transculturadores es una suerte de fidelidad al espíritu que se alcanza mediante la recuperación de las estructuras peculiares del imaginario latinoamericano, revitalizándolas en nuevas circunstancias históricas y no abandonándolas. Porque ellas son el más alto esfuerzo inventivo de los pueblos americanos, el sistema simbólico en el cual se expresa y se reconocen como miembros de una comunidad, de hecho la más alta construcción intelectual y artística de que son capaces los hombres.

III. EL ÁREA CULTURAL ANDINA

1. *El área cultural andina*

De los diversos conflictos culturales que en la América Latina posterior a la primera guerra mundial reavivó, agudizándolos, el impacto renovado de la modernidad que, procedente del exterior, resultaba traducido a las regiones internas por la mediación capitalina, ninguno se ofreció con perfiles más enconados y por lo tanto con menores asideros para intentar una transculturación que salvaguardara valores locales, modernizándolos, que el registrado en el área andina.

Entendemos por tal área andina, no sólo el actual Perú, que ha funcionado históricamente como su corazón, el punto neurálgico en que se manifiesta con mayor vigor su problemática, sino una vasta zona a la que sirven de asiento los Andes y las plurales culturas indígenas que en ellos residían y sobre la cual se desarrolló desde la Conquista una sociedad dual, particularmente refractaria a las transformaciones del mundo moderno. Se extiende desde las altiplanicies colombianas hasta el norte argentino incluyendo buena parte de Bolivia, Perú y Ecuador y la zona andina venezolana. Son tierras ecológicamente emparentables dentro de las cuales se produjo la mayor expansión del Inkario lo que ha permitido a algunos autores, como Haya de la Torre, reponer la idea del Tawantinsuyu con su capital natural en el Cuzco, debido a la unidad lingüística y a la generalizada homogeneidad cultural que logró imponer el Inkario en su proceso imperial sobre las diversas culturas de la región, antes de la llegada de los españoles.

A pesar de la tarea unificadora, la diversidad siguió persistiendo bajo el dominio férreo de los Incas, sobre todo en los lindes del imperio, en las zonas de tardía colonización, como se lo testimonia en la conservación de lenguas tribales o locales (Ecuador), algunas de la importancia y vigencia contemporánea del aymará (Bolivia), además de la invención de manifestaciones artísticas peculiares. Esa diversidad resulta todavía ampliada si agregamos aquellas sociedades indígenas que no llegaron a ser dominadas, aunque pudieran haber recibido algunas influencias de la cultura quechua cuzqueña, como es el caso de los chibchas o los taironas en Colombia, quienes desarrollaron culturas autónomas, adecuadas a su hábitat, a sus bases económicas y a sus formas de convivencia.

Esta pluralidad que la arqueología y la antropología recientes se encargaron de desentrañar [1] resultó trasmutada en una unificación aparencial por la acción del factor externo representado por la Conquista y la colonización españolas, tal como se manifestó, con diferentes inflexiones de matiz, en toda el área. Ella englobó la variedad en una unidad aparencial (los indígenas) e incluso la intensificó continuando la política del imperio en algunas zonas (la adopción del quechua como lengua misionera para la evangelización), pero fundamentalmente homologó a todas las culturas con relación a un punto de vista nuevo que era el aportado por la cultura española, respecto al cual se disolvían las ingentes diferencias perceptibles entre las plurales culturas andinas indígenas. La misma cultura española funcionó en la región como una unidad o, mejor dicho, extrajo de sus operaciones colonizadoras una unidad interna que tampoco era propia de las fuentes variadas de

---

[1] Julian Haynes Steward, *Handbook of South American Indians*, Washington, United States Government Printing Office, 1946-1959, 7 vols., tomo 2, *The Andean civilizations*. En especial los artículos: "The Quechua in colonial word" (George Kubler); "The contemporary Quechua" (Bernard Mishkin); "The historic tribes of Ecuador" (John Murra); "The Chibcha" (A. L. Kroeber) y "The highland tribes of southern Colombia" (Gregorio Hernández de Alba).

que procedían los españoles conquistadores, la que se fue
fraguando a lo largo de la tarea cumplida para establecerse, estructurar económicamente la región y componer el aparato administrativo pertinente. El testimonio de este proceso de unificación interna de la cultura a lo largo de los siglos de la Colonia, se recoge
hoy gracias a la similaridad de los comportamientos
lingüísticos de toda el área indicada, donde se habla
un español que manifiesta normas propias, sintácticas,
semánticas, lexicales, que le otorgan cierta unidad respecto al español de otras áreas del continente. Así lo
percibió Pedro Henríquez Ureña en su mapa lingüístico hispanoamericano [2] y aunque sus iniciales proposiciones han tenido correcciones y enmiedas, éstas no han
invalidado la existencia de un área lingüística andina,
claramente diferencial, que no es sino la expresión de
la unidad que autoconquistó la cultura hispánica desarrollada en la zona.

Durante siglos se consolidó allí un régimen de dominación donde una cultura extraña (de origen europeo)
se superpuso violentamente sobre las culturas autóctonas (indígenas) sin alcanzar no obstante a destruirlas
(al margen de las trasmutaciones raciales sufridas por
las poblaciones andinas originarias) y fracasando también en el intento de asimilarlas, si alguna vez se lo propuso seriamente. La debilidad en toda el área, de la
capa intermedia mestiza, sometida a los dictámenes culturales del sector dominante al que remedó con escasa
originalidad, e incapaz durante siglos de traducirse en
una cultura coherente y sistemática desarrollando una literatura propia, acentuó la división dicotómica entre las
dos culturas enfrentadas, relegando a las autóctonas
supervivientes a un conservatismo tradicional y folklórico que si por una parte permitió una cierta respira-

    [2] Los ensayos de Pedro Henríquez Ureña sobre el tema
en la *Revista de Filología Española*, tomo VIII, 1921, pp.
358-361 y en la *Biblioteca de Dialectología Hispanoamericana*, t. IV, pp. 334-335 y t. V, p. 29.

ción vital por otra no hizo sino contribuir a su fácil manipulación.[3]

La República heredó la situación establecida por la Colonia y la perfeccionó, situándola en un marco clasista. Fue una clase social, heredera de las aristocracias locales basadas en la propiedad de la tierra y en el trabajo servil, la que aseguró la continuidad de la cultura hispánica de dominación, imponiéndose sobre una clase de trabajadores rurales, en su mayoría indios (pero también mestizos, aunque éstos frecuentemente cumplieron las tareas de mayordomía y de encuadre de los indígenas, actuando al servicio de los señores y avanzando sólo tímidamente a los oficios) entre quienes pervivió de diversos modos la vieja tradición cultural autóctona. Como ya señalara la crítica histórica, la región andina no cumplió la revolución burguesa que se llevó a cabo en otras zonas del viejo imperio español (el Virreinato del Río de la Plata, la Capitanía General de Chile) dando justificación a la guerra de Independencia. El mantenimiento de la estructura económica generada bajo la Colonia (una de las razones por las cuales las clases superiores criollas se opusieron al reformismo borbón, por lo cual sólo fue temporaria su alianza con los intereses de la burguesía mercantil de los puertos), sirvió a la conservación de una estructura social afín y ambas concurrieron a dar asidero a la supervivencia de la cultura colonial bajo la República.[4]

Si esta norma tiene aplicación generalizada a toda

---

[3] Sobre los problemas de cultura y dependencia, el ensayo de Aníbal Quijano, "Cultura y dominación", en *Dos temas para el estudio de las teorías del subdesarrollo*, Caracas, La Enseñanza Viva, 1973. Véase también la interpretación del fenómeno cultural en los grupos sociales de los estratos bajos de la sociedad en Paul-Henry Chombart de Lauwe, *Images de la culture*, París, Payot, 1970.

[4] Sobre las actitudes de los diversos grupos dominantes en el período de la Independencia, véase Pierre Chaunu. *L'Amérique et les Amériques, de la préhistoire à nos jours*, París, 1964, y Tulio Halperin Donghi, *Historia contemporánea de América Latina*, Madrid, Alianza Editorial, 1969.

el área andina, presenta sin embargo matices diferenciales que tienen que ver con el grado de desarrollo de
las culturas autóctonas y con su índice de población y
concentración. Aun dentro de un comportamiento similar es diferente la solución que se alcanza en la Cun-
dinamarca establecida sobre la antigua Bacatá, donde
el sometimiento y la aculturación alcanzaron altos niveles,[5] que la del corazón del Inkario donde la resistencia indígena fue la mayor que se conoció en América y donde por lo mismo la instalación española se
hizo con dificultad y generó esa curiosa alternancia de
dos capitales paralelas: Lima y Cuzco. A lo cual ha
de agregarse que la división política que remplazó a
las demarcaciones administrativas españolas, de por sí
bastante arbitrarias y además acentuadas por la pugna
de los caudillos de la Independencia, redistribuyó la
unidad entre diversas Repúblicas, las cuales tuvieron
comportamientos culturales divergentes a lo largo de
los siglos xix y xx de acuerdo con las orientaciones
de sus respectivas capitales: así, la zona que quedó dentro de la República Argentina ha de ser ásperamente
integrada, gracias al avance liberal del siglo xix, a los
mandatos centralistas de Buenos Aires y sometida, siempre parcialmente, siempre a la rastra, a sus dictámenes
modernizadores; lo mismo ocurrió en Venezuela con
su región occidental andina, aunque ya muy entrado
el siglo xx. En cambio la mayoría del área, que queda
bajo los gobiernos conservadores asentados en La Paz,
Lima, Quito y Bogotá, se ordena según los principios
de una continuidad económico-social que la religa a la
antigua Colonia a la cual prolonga, en flagrante discordancia con el proceso universal de la hora. Tampoco
busca otra salida, como se pretende que hizo el Paraguay de Francia y de López, aspirando a un desarrollo

---

[5] Darcy Ribeiro (en su libro *Las Américas y la civilización*, Buenos Aires, Centro Editor, 1972, 2ª ed.) explica
como pueblo nuevo a los grancolombianos merced a la aculturación propiciada por las condiciones mismas de la cultura
chibcha, que habría funcionado como "litera para señores".

nacional autárquico bajo un régimen paternalista y por
lo tanto no dependiente de la expansión occidental
sobre América Latina. La región andina simplemente
se enriquece sobre el modelo ya estatuido.

El contragolpe de este comportamiento histórico fue
la congelación por igual de ambas culturas, enfrentadas dentro de esquemas clasistas —tanto la de impregnación indígena como la de impregnación hispano-
europea— las que resultaron parejamente condenadas
al estancamiento y a la repetición de modelos antiguos.
No fue sólo la cultura dominada la que se estancó, sino
también la cultura dominante. Al no haber sido propiciada positivamente una integración nacional que
implicaba un vasto esfuerzo de transculturación, la
cual fue recusada en cada uno de los tres grupos étnicos que conformaron el área (lo que testimonia el fracaso de los mestizos llamados a contribuir a esa tarea,
quienes tardarán siglos en acometerla) y al no operarse
la transformación de las bases del sistema económico
que siguió respondiendo a formas atrasadas de explotación agropecuaria y a la extracción de materias pri-
mas de acuerdo con las variables demandas de la economía europea, se inmovilizó la creatividad y el progreso
de la zona en torno a fórmulas preexistentes. Éstas
fatalmente, devinieron arcaicas.

Es un testimonio de la dialéctica del amo y el servidor, como no creo que pueda encontrarse otro igual
en el resto del continente. Si el amo no sustituye al
servidor pues necesita de él (y la sola existencia del
amo implica la del servidor) y propicia entonces su
mera sumisión, con lo cual comprime su capacidad
creativa transformándolo en el autómata que recibe
las órdenes, el amo se transforma a sí mismo en un elemento equivalente del sistema, simétrico de su siervo,
hace de sí mismo el esclavo de ese régimen de sumisión y por lo tanto se congela su propia capacidad
creativa, se acantona en la repetición de actitudes y
valores. Él también es un autómata, salvo que emite
las órdenes.

La prolongación de una economía semifeudal en Colombia, Ecuador, Perú, Bolivia, aprovechando los contingentes sometidos de indígenas o mestizos, repercutió en la organización social y en la política generando la parálisis. En ninguno de esos puntos se produjo la emergencia de una conciencia nacional sostenida por una voluntad de futuro, tal como provocó en el mundo europeo la aportación de la burguesía transformadora que fue capaz de elaborar los gérmenes de las nacionalidades movilizando los estratos inferiores. El tímido liberalismo de la zona fue una y otra vez vencido o diluido a través de pactos y concesiones, a lo largo del siglo XIX, no pudiendo ni siquiera extraer fuerzas de una revolución de Independencia que no había sido deseada ni necesitada por el estamento oligárquico y cuyas consecuencias fueron, además, el empobrecimiento generalizado. De ahí que la repetida frase de José Martí acerca de que Nuestra América "ha de salvarse con sus indios" no nos parezca un latiguillo retórico sino una intuición en que se apunta a esa oscura mancomunidad de destinos, a esa mutua dependencia que por no ser reconocida y trasmutada en una integración, cuando resultó requerida por la nueva estructuración económica del mundo, el área andina pagó duramente.

La insumisión contra este sistema rígido, no podía sino pasar a través de sus condiciones. Es una serie de incesantes rebeliones locales, desarticuladas, provincianas, anacrónicas, que sirviendo para evidenciar lo insatisfactorio de la situación, simultáneamente estaban teñidas de la rigidez acreativa del sistema. En el campo de la literatura la insumisión ha pasado, en forma equivalente, a través del régimen del panfleto, la diatriba, la requisitoria, la denuncia, con una ingenua confianza en los poderes de la palabra, subrepticiamente sacralizada. Es el "Mi pluma lo mató" de Montalvo.

Hay que destacar que en ninguna parte del área esa insumisión alcanzó la fuerza y la coherencia que tuvo en la sociedad peruana, por ser, como ya se apuntara, el punto donde todos los conflictos revelaban la mayor aspereza y donde las contradicciones del sistema resultaron más violentas. De ahí que haya sido en la ciudad de Lima donde se planteó la revisión crítica del sistema, a partir del momento en que éste demuestra fehacientemente (la guerra del Pacífico) su incapacidad para enfrentar las condiciones de un mundo moderno y a partir de una fragmentación que se produce en la cultura occidental con la emergencia de nuevos grupos sociales. Es en Lima donde se eleva la función crítica, que no es más que un medio de regulación de las deficiencias de cualquier sistema, a un valor autónomo, independiente y soberano, reproduciendo así las mismas características que dieron nacimiento a la función crítica en la Europa del siglo XVIII bajo el régimen constrictivo desarrollado por la aristocracia contra la insurgencia burguesa, haciendo de ella un arma de destrucción de una estructura incapaz de adaptarse a los nuevos requerimientos de la sociedad. Pesimismo del presente (pero pesimismo extremado y arrasador) y optimismo del ideal (pero, optimismo que se desbordaba en utopismo) fueron las operaciones básicas de la revisión crítica, como ya está reconocido en el pensamiento de Mariátegui quien quizás no percibía hasta qué grado, tanto en él como en quien él llamara "el precursor", Manuel González Prada, la función crítica se articulaba dentro de las condiciones culturales establecidas por la dialéctica del amo y el servidor y de ellas extraía su acento, su requisitoria, su formulación categórica, esa concesión de plena autonomía conferida al criticismo y que ha de ser asumida por las generaciones posteriores como un valor definitorio de la actividad intelectual. Se le ha visto reaparecer en el discurso intelectual de Mario Vargas Llosa.

Ninguno se equivocaba al señalar ese famoso "pus" que brotaba del cuerpo de la sociedad peruana (para apelar a la metáfora apocalíptica de González Prada), aunque sus proposiciones pudieran venir revestidas de esa deformación que aun en el funcionamiento crítico introducía el sistema, y que un espíritu atemperado, buen conocedor de la historia, Jorge Basadre, pudo llamar "el progresismo abstracto". Lo que desde Manuel González Prada comenzó a formularse a fines del siglo XIX y tiene desarrollo en sus discípulos Clorinda Matto de Turner o Federico More, lo que se impone en la década del veinte de este siglo con la obra de Haya de la Torre, José Carlos Mariátegui, César Vallejo, Luis E. Valcárcel, José Sabogal, Luis A. Sánchez y en el vasto movimiento indigenista de reivindicación social, es el proceso al estancamiento andino. Ya habían contribuido a él, desde posiciones casi opuestas, hombres como Baldomero Sanín Cano y Alcides Arguedas, en Colombia y Bolivia, respectivamente, y a él se plegaría la generación, nativista, criollista, indigenista, de la primera posguerra, según las demandas de los diversos puntos de la zona.

Ése es el punto de partida. Insatisfacción por el atraso, por el arcaísmo (en cuya determinación influye el subrepticio modelo europeo que se maneja), por la congelación de las culturas que fragmentaba la unidad posible del país, una de las cuales, la indígena, será idealizada sin medida, y la otra, que era la realmente conocida por esta pléyade intelectual, juzgada sin apelación. Este principio negador puede formularse de diversas maneras. Para Luis Alberto Sánchez, que habla desde el campo de la literatura: "En el Perú existió siempre una especie de rechazo, implícito o expreso a toda novedad por ser novedad, lo mismo en literatura que en política, en pintura que en sociología; y, a continuación, un retrasado frenesí." [6]

La misma idea puede expresarse, aplicada al campo histórico, con la discreción que caracteriza a Jorge Basadre, en estos términos: "La historia del Perú en el

6 Luis Alberto Sánchez, *La literatura peruana,* Asunción, Buenos Aires, Guarania, 1951, t. VI, p. 253.

siglo XIX es una historia de oportunidades perdidas y de posibilidades no aprovechadas." [7]

A cualquiera de esas negaciones, Haya de la Torre y Mariátegui las han de dotar de bases económicas y sociales nítidas, buscando la explicación de la parálisis en el sistema de explotación de la tierra y en la estructura social que sobre ella se aposenta. Ambos estuvieron dominados por una preocupación principalmente política, reivindicativa y práctica, a cuyo servicio pusieron los textos en que analizaron la cultura peruana.

Ese atraso de la cultura andina se traduce también en su aportación literaria durante el siglo XIX y aun antes, si revisamos lo endeble de las transformaciones del siglo XVIII que en otras zonas mostró una aceleración histórica precursora de la Independencia. La pobreza de la contribución literaria andina en el siglo de la República, responde, en toda el área, a la congelación sobre modelos pasados de una cultura de dominación que se negaba a forjar la unidad nacional modernizada, o sea a los provenientes de la herencia española que allí siguió viviendo más que en otras áreas latinoamericanas.

No se trata sólo de lo tardío de la incorporación romántica y su aire desvaído (puesto que es general la pobreza del romanticismo en América Latina) sino la adhesión nostálgica a una cultura en decadencia como la española de ese tiempo cuya línea literaria tradicionalista (Mesonero Romanos, Espronceda, el duque de Rivas, Castelar, Menéndez y Pelayo) siguió abasteciendo a los mejores talentos de la región andina, dando pie a la designación "literatura colonialista" que le habrán de aplicar sus enjuiciadores del siglo XX. Proyectos como el purismo idiomático bogotano, como la *María* del caleño Isaac, como la insólita aventura de escribir los *Capítulos que se le olvidaron a Cervantes* por un ecuatoriano del siglo XIX, Juan Montalvo, o

[7] Jorge Basadre, *Meditaciones sobre el destino histórico del Perú*, Lima, Ediciones Huascarán, 1947, p. 139.

como la tímida solución pactista de las *Tradiciones
peruanas* de Ricardo Palma o del costumbrismo de
Tomás Carrasquilla en la descendencia de José María
de Pereda, no tienen equivalente en otras áreas culturales donde la reelaboración de la modernidad (romanticismo, liberalismo político, individualismo, libre-
cambismo, economías de exportación y muy pronto
realismo, positivismo, orden burgués y tecnificación)
comenzó a cumplirse muy pronto. Así se lo registra en
el área brasileña o rioplatense, lo que facilitó la aparición de la obra de Sarmiento o de Machado de Assís,
con las cuales nos incorporamos a un lenguaje narrativo que ya pertenece a la civilización contemporánea.
No significa que ésos sean los únicos modelos posibles
de la creación artística ni tampoco que fatalmente de-
bieran corresponder a las normas culturales europeas
del momento, sino que en el área andina no surgieron
ni tampoco aparecieron otros, propios y originales, que
delataran un índice de invención que por lo regular se
equipara con el índice de movilidad de la sociedad.

Sea cual fuere la valoración que se asigne a la obra
de Ricardo Palma, cuya rehabilitación fue abierta por
el propio Mariátegui haciendo de él un intérprete del
demos limeño, no hay duda de que en 1872 la "tradición peruana" es una solución estética epigonal que
todavía se abastece de la literatura española romántica
cuando no de los maestros del Siglo de Oro. Para esa
fecha, el novelista chileno Blest Gana hacía diez años
que había publicado el *Martín Rivas* y, desde el campo específico de la literatura, eso puede explicar tanto
las transformaciones que se venían produciendo en
Chile como la obra de Palma las que no se efectuaban
en el Perú, preanunciando el desenlace que tendría la
infausta guerra del Pacífico (1879-1881). Si bien es
difícil compartir la idea de Mariátegui de que con
González Prada se funda la *peruanidad* en la literatura, en cambio es evidente que con él comienza la
"modernidad", que se ha de expresar bajo las especies
panfletarias que la misma rigidez cultural del medio

estatuye. Ese rasgo lo transformará en maestro de los escritores del siglo xx, religándolo a su misma ofensiva modernizadora. Por eso es correcto ver en su poesía los signos iniciales de un "modernismo", que obviamente no coinciden con los del rubendarismo con que se acostumbra a interpretar ese movimiento artístico (como tampoco coincidieron los rasgos notoriamente "modernistas" de la poesía de José Martí), permitiendo establecer la correcta orientación de la lírica posterior. Salvándose de la verbosidad imitativa del modernismo peruano, tipificada en Chocano, ésta habrá de expresarse tardíamente, ya en las inminencias de la incorporación futurista, en la depurada y rigurosa creación de José María Eguren (*Simbólicas*, 1911) que responde a la onda magisterial de González Prada.

En el área andina el modernismo poético fue tardío, débil y rigurosamente minoritario. La solución dada por Ricardo Jaimes Freyre fue la misma de Rubén Darío: incorporación a otra área cultural, a un centro dinámico como era Buenos Aires. Se corrobora inversamente con la solución dada por José Asunción Silva. El pistoletazo con que este esquivo modernista pone fin a su vida en 1895, sin haber llegado a ver ni siquiera organizada en libro su parva obra, pone fin también al intento de renovación del lenguaje poético colombiano abandonándoselo a las pompas de Guillermo Valencia por no menos de treinta años. Y el fracaso político de González Prada, la extremación individualista que se va acusando hasta el final de su vida, subraya tanto su terca fidelidad a las ideas como la indigencia intelectual del medio, la inexistencia, todavía, de algo más que fuertes individualidades rebeldes, o sea, un grupo social coherente.

La genialidad de González Prada consistió en percibir el vínculo que unía a dominadores y dominados tras la rígida compartimentación en que creían estar separados. Vio con claridad [8] que el desprecio al indio

---

[8] Manuel González Prada, "Nuestros indios", en *Horas de lucha* (1908), Buenos Aires, Americalee, 1946.

por parte de los blancos peruanos y el sojuzgamiento en que se lo mantenía, se hallaban repetidos, inversamente, por la misma valoración y el mismo sojuzgamiento en que los europeos tenían a los blancos peruanos, abriendo así la posibilidad de comprender a la cultura dominante como un callejón cerrado, vistos los dos factores que la regían: la dependencia del exterior y el aislamiento respecto al interior.

Al ser incapaz de integrar la nacionalidad, para lo cual hubiera debido acceder a una vasta transculturación, no tenía detrás de sí a una nación. Ni siquiera se planteaba la necesidad de forjarla como manera de asegurar su propia supervivencia en el mando. Obligada por el régimen de sumisión establecido, a no ser sino la réplica homóloga del servidor en el hemisferio de la dominación, carecía de elementos dinámicos con los cuales enfrentar el proceso de modernización (y también de sujeción, porque ambos venían conjugados) que procedía de Europa. Los blancos del área andina se transformaron en los indios de los europeos: rechazaron la transformación que implicaba el desarrollo capitalista, se comprimieron dentro de las fórmulas adquiridas por la Colonia, haciendo de la misma cultura española que les había dado vida, mera remanencia folklórica. Por lo tanto, resultaron explotados exactamente de la misma manera como ellos explotaban a sus indígenas, sin posibilidad de progresar y de ponerse al día, de adquirir fuerzas para alcanzar autonomía.

A pesar de las enmiendas y correcciones que Mariátegui, desde otra perspectiva y otro tiempo, introduce en la prédica de González Prada, hay que convenir en la pasmosa lucidez de éste para detectar los exactos vicios de la cultura de su época y recomendar las únicas soluciones que podían ser viables dentro de la sociedad en que vivía. Su ataque a Castelar y a las remanencias de una literatura pasatista, apegada al Virreinato, oponiéndole el examen del presente histórico como cometido central, fue incorporada a la cartilla de las nuevas generaciones. Su oposición frontal a la lengua arcaizante, gozosa de la ornamentación palabrera, oponiéndole una lengua precisa, destilada como un alcohol refinado, en la línea aristocrática del enciclopedismo (Voltaire) ha de determinar los comportamientos poéticos de Eguren, pero también el idioma riguroso y acerado de Mariátegui. Su animadversión contra Palma es capital en este contexto: mientras la literatura continuara en la infinita acumulación de cuentecillos, sea cual fuere su tema, su estilo y su lengua (aunque éstos debían forzosamente ser, como el sistema narrativo aplicado, pasatistas) no habría manera de acceder a las estructuras orgánicas de la novela que la burguesía europea, a la hora de su triunfo en el siglo XIX, había logrado imponer, estableciendo vastas maquinarias armónicas que delataban la capacidad racionalizadora de la empresa liberal acometida. En el paralelo terreno de las ciencias, sólo un cientificismo consagrado a la aplicación del sistema racionalista extremado, podía desarrollar formas mentales que se adecuaran y propiciaran la construcción de una sociedad moderna. Su afán rector es la modernización, su desesperación el atraso respecto a las regiones del sur (Chile, el Río de la Plata) donde ve fructificar el nuevo modelo.

Las acciones de la cultura de dominación, en el área rioplatense, eran exactamente las contrarias de las que caracterizaban a su homóloga andina. Mariátegui, que no se engañaba acerca de los cometidos modernizadores que recaerían en quienes participaban de su pensamiento revolucionario socialista, lo vio con toda claridad. La capital natural del área sur, Buenos Aires, se había asociado en estado de dependencia a las pulsiones externas, franco-británicas, asumiendo su proyecto universal de remodelación socioeconómica y parcialmente lo adaptó a sus requerimientos locales. Para cumplirlo trasladó coercitivamente sus imposiciones a las sociedades regionales, sometiéndolas a la fuerza. Pero al mismo tiempo las impregnó de un conjunto de valores renovados que eran indispensables para su nuevo funcionamiento, para el papel que se le había asignado y, asimismo, clave de su posibilidad de progresar y aun romper la sujeción.

2. Indigenismo del mesticismo

Si la rigidez de la dicotomía cultural andina habría de pretextar la requisitoria contra el "colonialismo" también habría de motivar, paralelamente, la idealización del indígena que instauró una escuela de larga y nutrida trayectoria, el indigenismo, con especial predicamento en Perú, Bolivia y Ecuador (y ecos en México) desde 1920 hasta 1950 aproximadamente. La rigidez de ambas culturas andinas, que incluso permitió una interpretación geocultural de Perú y Ecuador, dividiéndolos en las regiones costeña y serrana (amén de la selvática) si bien no consintió el progreso de cada una de ellas, proveyó de un sinnúmero de rasgos que, con las cautelas antropológicas del caso, deberíamos llamar arcaicos, lo que también puede traducirse como cercanos a las fuentes primigenias o también como adentrados en comportamientos profundos de América Latina.

A consecuencia de la rigidez, contra la cual insurgió la generación indigenista, se habían conservado numerosos rasgos de la cultura autóctona que revelaban ser todavía eficaces para su funcionalidad —pues de otro modo habrían ya desaparecido— sirviendo a la identificación y comportamiento de una sociedad sometida. Eran, en cierta forma testimonios del pasado que se guardaban en los estratos inferiores fijando la coherencia social y dibujando una cosmovisión indispensable para la existencia de un grupo humano. Pero eran también reservorios de imprevisible potencialidad si se los pudiera dinamizar con sentido creativo. A esa tarea se aplicó la generación indigenista, que tuvo numerosísimos portavoces periódicos, sobre todo en las provincias que asistieron a un renacer de la vida intelectual, inagotables y verbosas polémicas, generosos y líricos impulsos reivindicativos, ejercicios algo primarios de arte y literatura. Alcanzó su plena expresión teórica a través de la prédica de la revista *Amauta* bajo la dirección de José Carlos Mariátegui.

El indio aparecía por cuarta vez en la historia de la América conquistada como la pieza maestra de una reclamación: había sido primero la literatura misionera de la Conquista; luego la literatura crítica de la burguesía mercantil en el período precursor y revolucionario que manejó como instrumento el estilo neoclásico; por tercera vez en el período romántico como expresión de la larga lamentación con que se acompañaba su destrucción, retraduciendo para la sociedad blanca su autoctonismo; ahora, por cuarta vez, en pleno siglo xx, bajo la forma de una demanda que presentaba un nuevo sector social, procedente de los bajos estratos de la clase media, blanca o mestiza. Inútil subrayar que en ninguna de esas oportunidades habló el indio, sino que hablaron en su nombre, respectivamente, sectores de la sociedad hispánica o criolla o mestiza. Inútil también agregar que en todos los casos, fuera de la convicción puesta en el alegato en favor del indígena, lo que movía principalmente ese discurso eran las propias reivindicaciones de los distintos sectores sociales que las formulaban, sectores minoritarios dentro de cada sociedad, pero dueños de una intensa movilidad social y un bien determinado proyecto de progreso social, que engrosaban sus reclamaciones propias con las correspondientes a una multitud que carecía de voz y de capacidad para expresar las suyas propias. Con esta afirmación no se busca disminuir al movimiento indigenista, al cual se debe la formación de una conciencia nueva acerca del tratamiento más justo a los descendientes de las culturas autóctonas y la recuperación, arqueológica, de un pasado muy rico, sino situarlo sociológicamente y comprender por lo tanto la especificidad de sus rasgos en las artes y en la literatura, que fueron los campos donde dio sus mejores batallas.

Primero que nadie lo supo José Carlos Mariátegui.

En su febril recorrida de la literatura peruana, nos dice: "Y la mayor injusticia en que podría incurrir un crítico sería cualquier apresurada condena de la literatura indigenista por su falta de autoctonismo integral o la presencia más o menos acusada en sus obras, de elementos de artificio en la interpretación y en la expresión. La literatura indigenista no puede darnos una versión rigurosamente verista del indio. Tiene que idealizarlo y estilizarlo. Tampoco puede darnos su propia ánima. Es todavía una literatura de mestizos. Por eso se llama indigenista y no indígena. Una literatura indígena, si debe venir, vendrá a su tiempo. Cuando los propios indios estén en grado de producirla."[9]

El indigenismo, como todo movimiento animado por una pasión de justicia social que cuenta con bases legítimas, habría de abarcar a muy distintas personalidades, orientaciones artísticas, filosóficas o políticas, situaciones culturales o niveles educativos. Prácticamente en él cabría todo lo que no fuera estricto y envejecido conservadurismo, por lo cual el abanico inicial, que presenta va desde un lirismo pasatista dentro de la idealización posromántica, como se presenta en las obras de Luis E. Valcárcel,[10] hasta las posiciones que revelan la reciente incorporación a América Latina de los socialismos según las plurales versiones de Haya de la Torre, Mariátegui, Hildebrando Castro Pozo[11] quie-

[9] José Carlos Mariátegui, *Siete ensayos de interpretación de la realidad peruana* (1928), Santiago, Editorial Universitaria, 1955, prol. Guillermo Rouillon, p. 252.

[10] De la nutrida obra de Luis E. Valcárcel y de sus tesis hay un resumen en *Ruta cultural del Perú*, México, Fondo de Cultura Económica, 1945. Aparte de su proclama, *Tempestad en los Andes*, Lima, 1927, y de su *Mirador indio* (dos series), es importante su aportación de *Cuentos y leyendas inkas*, Lima, Imprenta del Museo Nacional, 1939.

[11] De Mariátegui los *Siete ensayos* citados; de Víctor Raúl Haya de la Torre, *¿A dónde va Indoamérica?*, Santiago, Ercilla, 1936 (3ª ed.), y *El antimperialismo y el Apra*, Santiago, Ercilla, 1936 (2ª ed.); de Hildebrando Castro Pozo, *Nuestra comunidad indígena*, Lima, *Del ayllu al cooperativismo socialista*, Lima, 1936, y "Social and economic-

nes fueron los que en realidad le otorgaron contextura ideológica.

Pero si sometemos a un análisis, que ni siquiera sea valorativo, sino meramente estimativo y definitorio según las técnicas de la sociología del arte, a los productos aportados por la primera generación indigenista, donde caben las obras de José Sabogal o Guayasamín en las artes plásticas, las de Enrique López Albújar, Jorge Icaza o Jesús Lara en la narrativa, reconoceremos rápidamente la presencia de la nota mestiza más que la india y esa misma nota será la que defina el triunfo más alto del movimiento, la novela de Ciro Alegría *El mundo es ancho y ajeno*. Encontraremos, animando estas obras y confiriéndoles significado, esa cosmovisión que generó una nueva capa social que se había desarrollado en los pueblos de las provincias y en las ciudades merced a los instrumentos educativos; permitieron ascender desde una inicial situación en la parte baja de las incipientes clases medias, respondiendo a la convocatoria forzosa que hacía el débil proceso de modernización instaurado tras la primera guerra mundial, ya necesitado de una implementación más amplia y más capacitada. Pero al mismo tiempo esa clase había visto contenido su avance por las remanencias de la estructura arcaica de la sociedad, que se oponía al proceso de modernización. Enfrentándose a ella, genera una reclamación social y política que utiliza como instrumento de divulgación y de acción crítica a la literatura y al arte (lo que ya define su nivel operativo) amparándose del indigenismo, pero expresando en realidad al *mesticismo*. Un mesticismo que sin embargo, no se atreve a revelar su nombre verdadero, lo que destaca la ambigüedad con que actuaba en su coyuntura emergente y los escasos recursos intelectuales que conformaban su equipaje al emprender su ascensión social.

political evolution of the communities of central Peru", en *Handbook of South American Indians*, vol. 2.

Reconoceremos por lo tanto en este indigenismo un ramal especializado de la literatura y el arte regionalistas de América Latina, que en otras áreas había comenzado desde antes su despliegue triunfal, hacia 1910, y que una década después ya había producido el arte de Manuel Rojas o González Vera, el de Baldomero Fernández Moreno o Alfonsina Storni, el de Ramón López Velarde, José Eustasio Rivera, Rómulo Gallegos o Juana de Ibarbourou, la cuentística de José Pedro Bellan o Monteiro Lobato, o sea la literatura de las emergentes clases medias que en el continente promoverán la democratización progresiva de sus países mediante un reformismo acelerado. Serán las que instauren los principios de la Reforma universitaria en Córdoba, pero también las capaces de desencadenar el movimiento maderista en la Revolución mexicana.

Lo que estamos presenciando es un grupo social nuevo, promovido por los imperativos del desarrollo económico modernizado, cuyo margen educativo oscila según las áreas y el grado de adelanto alcanzado por la evolución económica, el cual plantea nítidas reivindicaciones a la sociedad que integra.[12] Como todo grupo que ha adquirido movilidad —según lo apuntara Marx— extiende la reclamación que formula a todos los demás sectores sociales oprimidos y se hace intérprete de sus reclamaciones que entiende como propias, engrosando así el caudal de sus fuerzas con aportes multitudinarios. No hay duda de que se sentía solidario de los explotados, aunque también no caben dudas de que le servían de máscara porque en la situación de

[12] En su fermental ensayo, "Algunas características originales de la cultura mestiza en el Perú contemporáneo" (*Revista del Museo Nacional*, Lima, t. XXIII, 1954), François Bourricaud anota con agudeza: "El movimiento indigenista que exalta con más pasión que discernimiento el gran pasado precolombino del Perú es un producto de esta inteligencia mestiza que expresa la protesta de gentes instruidas, ambiciosas, descontentas, a quienes la clase afianzada de los propietarios niega toda oportunidad de promoción" (p. 169).

esas masas la injusticia era aún más flagrante que en
su caso propio y además contaban con el innegable
prestigio de haber forjado en el pasado una original
cultura, lo que en cambio no podía decirse de los grupos emergentes de la baja clase media. Esas multitudes,
por ser silenciosas, eran si cabe más elocuentes, y, en
todo caso, cómodamente interpretables por quienes disponían de los instrumentos adecuados: la palabra escrita, la expresión plástica.

Quizás haya sido ésa la trampa que esterilizó los
esfuerzos cumplidos en las disciplinas artísticas por el
movimiento indigenista, reflejando así otros equívocos
subterráneos en el campo de las ideas. Porque se trató
de una literatura escrita por y para las bajas clases medias o mestizas en situación de ascenso y por lo tanto
ansiosas de una culturización indispensable para el
cumplimiento de su proyecto. Ese circuito cerrado tran-
sitaba sin embargo a través del tema indígena, usado
como elemento referencial y nunca como elemento que
pudiera ser puesto a la prueba de la realidad dado que
en ningún momento el público al que se dirigió el indigenismo estuvo compuesto de indios. Tampoco había
pasado eso con el *Memorial* de Las Casas, tampoco con
el *Siripo* de Labardén, ni con el *Tabaré* de Zorrilla de
San Martín, pues todos ellos como el *Huasipungo* de
Jorge Icaza, fueron materiales para el consumo de los
integrantes de una misma cultura global, según los diversos estamentos en que fue situándose, hispánico, criollo o mestizo, en los períodos sucesivos, manejando un
tema en cierta manera exótico cuya finalidad hay que
buscar, más que en el discurso explícito reivindicativo
(haya sido moral, político, metafísico, social, en los
respectivos casos mencionados), en los recursos artísticos y literarios puestos en juego, en las estructuras estéticas, en la cosmovisión cultural que fue el dato implícito desde donde se procedía a la creación y que por
lo tanto estableció la pauta de los textos que a ella
respondían.

No tenemos ya por qué manejar las cautelas que re-

clamaba Mariátegui para tratar críticamente de un
movimiento incipiente, aún en ciernes, y del que podían esperarse frutos maduros en el futuro. Era incipiente en la fecha en que él escribía, a mediados de
los veinte, pero ahora que han pasado cuarenta años
y ha concluido su ciclo histórico ya no es una profecía
sino un balance lo que corresponde hacer. Ese balance
le es adverso. Y si lo es, justamente se debe al equívoco que puso en juego, al consagrarse a personajes y
asuntos que correspondían al funcionamiento de una
cultura dominada y reprimida para la cual sin embargo no tuvo percepción valorativa. Lo que ignoraron
mayoritariamente fue la cultura indígena del presente,
viva y auténtica bajo los harapos materiales o la injusticia opresora. Y por la más simple de las razones,
porque le parecía inexistente o inferior (y de ahí el
vertiginoso remontar del tiempo para mitificar el pasado, el Inkario, recuperándolo sólo a él, o sea las leyendas, en la cultura presente) en lo cual no hacían
sino probar en cuáles fuentes culturales se abastecían,
que no eran otras que las de la cultura de dominación,
cuyo signo habían invertido. El movimiento indigenista vio y explicó a los indios con los recursos propios
de la recién surgida cultura mestiza, que en puridad
no era sino la hija bastarda de su padre, el eterno con-
quistador blanco, que en esos momentos estaba consagrada a exigir reconocimiento y legitimación, que le
eran negados por su progenitor. De la cultura dominante extrajo todos los elementos que consideraba úti-
les, sometiéndolos a un proceso de simplificación, es-
clareciéndolos gracias a su contacto estrecho con el
funcionamiento real de la sociedad en que vivía, o sea
su áspero afán de supervivencia en un medio hostil.
Eso le permitió desinflar la retórica pomposa en que
podían continuar viviendo 'los Francisco García Calderón o los José de la Riva-Agüero y no se diga sus
antepasados y eso le permitió también ser más indul-
gente para Palma. En el camino hacia su legitimación, encontró una interpretación de la realidad que

hizo suya por su claridad y realismo, pero a la que también simplificó. Se trata del marxismo, que en la época se ofreció con rasgos mecánicos y simplistas. Un hombre tan dotado intelectualmente como Mariátegui, pudo homologar al comunismo con una religión, lo que parecería colocarlo en la descendencia del criticismo de Kautsky, pero no hacía sino asumir la concepción que podía formarse del socialismo científico un medio escasamente preparado, que comenzaba a desarrollarse y aún mantenía enormes reservas de la fe del carbonero para invertirlas en un nuevo santoral.

El equívoco de ese *mesticismo* disfrazado de *indigenismo* es el que nos permite comprender que, pasado ya el tiempo de su ebullicioso período polémico, una obra como *Los Sangurimas* de José de la Cuadra pueda resultarnos de más plena verdad y eficacia artística que las novelas indigenistas de Jorge Icaza que en su momento alcanzaron una difusión poco menos que incomprensible hoy día. Porque la pequeña novela del ecuatoriano logra ajustar la cosmovisión que rige los instrumentos literarios y que responde a esa aceptada y por lo mismo gozosa visión mestiza del mundo, a los asuntos, personajes, medio, puestos en funcionamiento en la obra, instaurando un orbe autónomo y armónico. Mientras que en las obras de Jorge Icaza la colisión de ambos universos, que habría de hacerse tan flagrante desde que José María Arguedas publica sus cuentos y novelas en que logra adentrarse en algunos valores de la cultura indígena, genera una contradicción interna que frustra estéticamente la creación.

Retrospectivamente es visible la indigencia que caracterizó a la cultura mestiza del área andina cuando apareció, como una equivalente de la cultura criollista o regionalista de otras zonas, aunque algo más tardía. Y asimismo es visible la rapidez con que se pertrechó y transformó hasta adquirir un nivel adulto en pocas décadas, tiempo que está exactamente medido por su abandono de la temática indigenista, ya que una vez llegada a un dominio evolucionado de sus recursos que apuntaría al desarrollo social alcanzado, se la ve desembarazarse de la exclusiva indigenista y comenzar a apropiarse de una realidad más variada donde ha de tener participación considerable la vida urbana. Muchas de sus soluciones artísticas iniciales pueden emparentarse con las de otras áreas, como la centroamericana y aun la mexicana que estaban cumpliendo, en otros grados y con otros conflictos, evoluciones parecidas. Pero en cambio se distingue de las áreas que hacia 1920 habían obtenido un avance importante en el desarrollo interno de las capas medias o habían contado con contribuciones por parte de miembros de otros niveles más altos de la sociedad que se habían integrado al movimiento: en éstas el vasto sector intermedio ascendía mediante sucesivas aportaciones intelectuales hasta probar su capacidad para manejar con soltura los instrumentos heredados de las clases superiores. En cambio, el largo estancamiento andino habría de pagarse con una falta de preparación del grupo emergente mestizo que había vivido en situación de dependencia servil y recién ahora iniciaba su propia recorrida histórica, o simplemente era forzado a ella por las circunstancias de la modernización.

Que no obstante esta pobreza inicial, respondía a una expectativa que se fue haciendo cada vez más notoria, o sea a una irrupción social que se produjo a borbotones a lo largo de los años veinte, treinta y cuarenta, con suficiente vigor como para absorber en su universo valorativo a otros sectores sociales intermedios, lo demuestra el éxito alcanzado por el material literario que aportaron los primeros indigenistas así como su estrecha vinculación con los productos de los regionalistas de otras zonas latinoamericanas. Perú vivirá en la década del cincuenta la serie de Festivales del Libro que anegarán de papel impreso al país. Uno de los creadores de este sistema de ediciones populares masivas, Manuel Scorza, será el que rematará epigonalmente la versión social del indigenismo con una serie de novelas iniciada con *Redoble por Rancas* (1970).

En el Festival del Libro que en noviembre de 1957 organizaron los editores limeños Mejía Baca y Villanueva, se editaron en tiradas de medio millón de ejemplares las obras de Jorge Icaza (*Huasipungo*), de López Albújar (*Matalaché*), de Ciro Alegría (*El mundo es ancho y ajeno*) más los clásicos del regionalismo: *Cuentos de amor de locura y de muerte* de Horacio Quiroga, *Doña Bárbara* de Rómulo Gallegos, *Los de abajo* de Mariano Azuela. Algún periódico, que reseña el acontecimiento, se lamenta de que no se haya incluido también *Yanacuna* de Jesús Lara. Efectivamente, sólo él faltaba.

El indigenismo, por su misma amplitud y ambigüedad, había conjugado muy plurales aportaciones. También Ventura García Calderón escribió por entonces cuentos indigenistas (folkloristas) y no faltaron los imprudentes idealizadores del pasado precolombino que, al entonar su himno exaltador, perdieron de vista la situación presente del indio y llegaron a creer en la posible restauración de un tiempo y una cultura abolidos. Tampoco estuvieron ausentes quienes procedieron a una reinterpretación de ese pasado a la luz de las ideas más recientes hasta imponer un nuevo mito que quedó definido en el título de un libro famoso, *El imperio socialista de los incas,* pero que fue un lugar común del pensamiento político socialista, que vio en la supervivencia del "ayllu" la llave para conectar las estructuras económicas arcaicas con las más modernas en un abrir y cerrar de ojos transitando milenios.

Estas discordancias son las que explican la polémica interna sostenida constantemente por los indigenistas y son sobre todo las que proporcionan las fuentes del recio pensamiento de Mariátegui, quien en oposición a muchos desvaríos idealizadores del pasado habrá de reivindicar el análisis económico y social del problema del indio, así como la función central de las vanguardias intelectuales capitalinas o costeñas. Ambos temas son de hecho el mismo tema.

Del mismo modo que no admite la rígida dicotomía

fijada a partir del pensamiento de González Prada y desarrollada por Federico More, en un Perú costeño íntegramente condenable y un Perú serrano que custodia todos los valores, porque en ese caso estaría desconociendo "las reivindicaciones de una vanguardia que en Lima como en el Cuzco, en Trujillo, en Jauja, representa un nuevo espíritu nacional",[13] del mismo modo no acepta ninguna solución del problema indígena que repose en consideraciones éticas o culturales y pretenda sustituir las explicaciones fundamentales que son de índole económica y social. Esto ha de constituirse en el rumbo de su pensamiento, que no es sino ampliación del deslinde que efectuara González Prada entre problema racial y problema social, respecto al indio.

Ya en 1927, en el prólogo a *Tempestad en los Andes* de Luis E. Valcárcel, afirmaba drásticamente: "La reivindicación del indígena carece de concreción histórica mientras se mantiene en un plano filosófico o cultural. Para adquirirla —esto es para adquirir realidad, corporeidad— necesita convertirse en reivindicación económica y política."[14]

Esa convicción la amplía en los *Siete ensayos* y le confiere perfiles aún más drásticos: "Todas las tesis sobre el problema indígena, que ignoran o eluden a éste como problema económico-social son otros tantos estériles ejercicios teoréticos —y a veces sólo verbales— condenados a un absoluto descrédito. No las salva a algunas su buena fe. Prácticamente todas no han servido sino para ocultar o desfigurar la realidad del problema. La crítica socialista lo descubre y esclarece, porque busca sus causas en la economía del país y no en su mecanismo administrativo, jurídico o eclesiástico, ni en su dualidad o pluralidad de razas, ni en sus condiciones culturales y morales."[15]

Como es sabido, Mariátegui alterna diversos sistemas

---

[13] *Siete ensayos...*, *op. cit*, p 188.
[14] *Idem*, p. 28.
[15] *Idem*, p. 27.

interpretativos según los casos. No admitía, en el caso del indio, una explicación racial aunque sin embargo manejaba esos argumentos para analizar el factor negro de la costa, descendiendo a consideraciones psicorraciales. Tales ambivalencias son consecuencia de un pensamiento polémico que funciona como respuesta a determinadas proposiciones, construyéndose sobre la marcha, de manera premiosa y urgida.

A esas mismas condiciones puede atribuirse que, en su afán de combatir las estériles —líricas o fraudulentas— explicaciones del problema indio que escamoteaban el hecho central de su base económica, haya realzado este elemento hasta perder de vista a los restantes que conforman a los grupos humanos. Se trata de otro ejercicio de esa simplificación operativa que apuntamos como peculiar de la cultura mestiza en su primer estadio, y que nace de las inmediatas necesidades de la educación y la acción del nuevo sector social. Era y es evidente que el problema indio transita obligadamente por su base económica (o sea la propiedad de la tierra, los sistemas de explotación agrícola) pero también era y es evidente que ella no agota las cuestiones que plantea la integración de una estructura cultural antigua a la sociedad presente, como quedará evidenciado cuando el sistema económico capitalista comience a descongelar los grupos indígenas estancados. Sin embargo Mariátegui habrá de insistir en su oposición a las interpretaciones "culturalistas": "Lo único casi que sobrevive del Tawantinsuyu es el indio. La civilización ha perecido: no ha perecido la raza. El material biológico del Tawantinsuyu se revela, después de cuatro siglos, indestructible, y, en parte, inmutable."[16]

Si evidentemente la cultura del Tawantinsuyu, en cuanto tal, había efectivamente desaparecido y era un desvarío pensar en su eventual resurrección, existía sin embargo, remplazándola y religando a una comunidad

[16] *Idem*, p. 253.

viva con esa misma fuente, una estructura cultural que
fue la que permitió la supervivencia de los indios en
ese carácter y no las aducidas razones biológicas que
incluso podrían jugar contra los razonamientos de Mariátegui, vista la distinta evolución que han tenido
históricamente las tasas demográficas de blancos, mestizos e indios. El lazo que permitía vivir a una sociedad oprimida y que le confería esa singularidad que
hizo de ella un legítimo motivo para la reivindicación
contra la entera estructura de dominación (social, económica, política, cultural en su justo significado) radi-
caba justamente en la conservación de pautas culturales que podrían filiarse en el antiguo Tawantinsuyu,
comenzando por la lengua, aunque habían tenido transformaciones notorias. Pero en todo caso esas comunidades disfrutaban de una cultura cuya funcionalidad
se presentaba como evidente e imprescindible.

Si bien en otros textos Mariátegui no deja de ser
sensible a esos valores y aun se presta, contra sus propios dictámenes, a idealizarlos fuera de una objetiva
y científica medición, en general fue fiel a una interpretación exclusivamente socioeconómica, que desdeñaba los restantes elementos componentes de la vida
social, que incluso perdía de vista la capital importancia de una cultura, logrando así claridad, simplicidad,
categoricidad, pero también mesticismo. Porque probablemente en ese modo de elegir unos elementos y
preferir otros lo que registramos es la óptica de una
cultura distinta, la mestiza, y sus rejillas ordenadoras
de la realidad. Sitial preferencial ocupaban en ella dos
factores conjugables: el realista y el economicista, que
no sólo vamos recogiendo a lo largo de los textos de
Mariátegui sino también en la narrativa del indigenismo y en las conformaciones plásticas racionalizadas del
arte indigenista. El realismo, en la descendencia de la
novela naturalista europea, es la petición de principios
del arte indigenista, y cuando aparentemente parece
abandonarlo en beneficio de la reconstrucción de una
leyenda popular impregnada de elementos del maravi-

lloso, los recursos estilísticos siguen siendo los mismos de la narrativa realista y descubrimos que el sustentáculo de la creación postula el manejo de las coordenadas racionalizadoras, como en las fábulas de los dieciochescos (Iriarte, Samaniego) fijando las conexiones, las articulaciones y el comportamiento lingüístico. Ese realismo, además, nunca deja de ver en la narración, como motor de la acción, los factores económicos a cuya servidumbre se ordena la peripecia en un modo inmediato y simplista, lo que nos depara el general empobrecimiento de la visión del hombre. El parcial progreso que implica la obra de Ciro Alegría no hace sino evidenciar, por contraposición, las limitaciones que en las obras anteriores (Icaza) testimonian una cosmovisión primaria y mecanicista de la realidad.

Incluso cuando Mariátegui se insurge contra el cientificismo del siglo xix y contra las insuficiencias del racionalismo, recogiendo visiblemente la polémica que agitaba en ese momento al pensamiento europeo y cuyo balance establecerá Georg Lukács,[17] incluso cuando le opone la funcionalidad del mito, repitiendo aquí también un lugar común de la rebeldía irracionalista de las vanguardias europeas, afirmando que es para el hombre el único elemento "que posee la preciosa virtud de llenar su yo profundo",[18] está elaborando una concepción del mito que se aproxima a la del "ideal" que utilizaron las filosofías racionales del siglo pasado. Tal concepción también puede rastrearse en las literaturas de vanguardia donde fungió como un sucedáneo culto, dentro de la estructura de la sociedad moderna, de un auténtico pensar mítico al que ya era completamente ajeno el funcionamiento psíquico del hombre modernizado. Por lo tanto era un intento de recupe-

[17] Georg Lukács, *El asalto a la razón: la trayectoria del irracionalismo desde Schelling hasta Hitler,* México, Fondo de Cultura Económica, 1959.

[18] "El hombre y el mito", Lima, *Mundial,* 16 de enero de 1925, recogido en *El alma matinal y otras estaciones del hombre de hoy,* Lima, Empresa Editora Amauta, 1950.

ración de valores que había perecido por el desarrollo
de la sociedad industrial y que ya no podía alcanzarse
sino a través de reorganizaciones insuficientes aunque
todavía capaces de suplirlos como fue visible en los
movimientos de masas de entre ambas guerras.

Es propio de las culturas de grupos sociales emergentes, sea cual fuere su amplitud, riqueza o pobreza, la
drástica imposición de sus peculiares rejillas interpreta-
doras de la realidad a los demás grupos sociales. Los
interpretan merced a ellas y luego tratan de imponér-
selas para que con ellas aprecien los valores, proponiendo por lo tanto una generalizada homogeneización
del cuerpo social sobre la tabla valorativa que aportan.
La cultura mestiza reclama de hecho la mestización
global de la sociedad andina, incluyendo a los remanentes indígenas a quienes exalta pero a quienes propone una aculturación profunda bajo su protectorado.
Ésa es la función educadora que cabe a las vanguardias.
A un hombre político como Mariátegui no podía es-
capársele el papel relevante de las vanguardias para
desencadenar y encuadrar un movimiento, capitalizando
los descontentos generales a los efectos de poner en marcha a una nación congelada. El lugar de la intelectua-
lidad mestiza en esas vanguardias se ofrecía como capital: disponían ya de una cierta educación, bastante
superior a la de millones de indígenas; tenían una visión coherente y simple de sus intereses de clase que
veían coincidir con los intereses de la nación; habían
logrado luego de muchos fracasos, estructurar una cosmovisión cultural propia que unificaba de modo coherente las diversas aportaciones recibidas. Por eso consti-
tía una palanca poderosa que podía conducir a los indios hacia el progreso económico, social y también a su
integración en la cultura mestiza.

Quienes en esa época piensan los problemas desde el
ángulo socialista, no dejan de especular sobre esta conducción y lo que ella implica de incorporación al proceso de modernización sobre bases no capitalistas. Con
claridad lo expresa Hildebrando Castro Pozo: "En la

actualidad, el indio por él mismo no sabría ni por varios decenios sabrá resolver el problema de sus tierras ni mucho menos el de su culturización. Hoy por hoy, necesita directores; y éstos no pueden ser otros que quienes más le amen y mejor le comprendan, aquellos que no tengan interés premioso de defender clases y prerrogativas y que en cierta circunstancia no sólo lleven aunado su porvenir al del indio sino además que no vivan de su explotación inmisericorde. Y este director racional e ideal, ya que de él ha partido la cruzada reinvindicativa del indio, no puede ni debe ser otro que el mestizo." [19]

El realismo y el economicismo, nacidos de la pugna ascensional del mestizo en dura batalla con los intereses oligárquicos, resultarán dos buenas explicaciones de la realidad social de su tiempo, pero sólo en la medida en que ésta se pliegue a los imperativos de la modernización, que son los que abren nuevas perspectivas a los sectores bajos de la pirámide social. Esta cultura mestiza comienza a existir dinámicamente desde que entra en colisión con los detentadores del poder, coyuntura que los mestizos descubren gracias a los efectos de la modernización que son factores de avance para disputar a las caducas clases dominantes su poder. Por ello la cultura mestiza, nacida a la sombra de las formas culturales de origen occidental propias de los conglomerados dominantes, es de hecho hija de la modernización, pues ella facilita su despegue y merced a ella puede oponerse a los poderes tradicionales. No se tratará únicamente de una modernización dependiente concentrada en las aportaciones tecnológicas que descongelan y subvierten la estructura económica preexistente, sino también un repertorio doctrinal que permita interpretarla y ajustarla a las demandas específicas del nuevo grupo social. De la misma fuente occidental de donde procedió el liberalismo viene ahora el socialismo que habrá de operar sobre un doble frente: por una parte convalida la

[19] Hildebrando Castro Pozo, *op. cit.*

modernización como recurso indispensable para asegurar el progreso de la nación y salvar el desequilibrio en que ésta se encuentra respecto a los centros universales del poder, lo que implica la aculturación de las poblaciones indígenas para incorporarlas rápidamente a la fuerza productiva amplia y eficaz que una operación de este tipo reclama con urgencia; por otra parte sirve para enfrentarse a la oligarquía a la que considera incapacitada para semejante tarea histórica, buscando situar la empresa renovadora sobre otras bases sociales que el mesticismo se considera ya en posibilidad de dirigir. Se comprende entonces que la cultura mestiza incipiente descubriera en la modernización y en el socialismo los otros dos factores que, legitimando los básicos ya indicados, o sea el realismo y el economicismo, completaran un panorama interpretativo de su situación y del papel que le cabía en el inmediato futuro. Los cuatro factores no son sino la expresión, sobre diversos planos de la realidad, de un mismo principio, lo que subraya la simplificación operativa que mueve su pensamiento.

Lo que en ese marco no está presupuesto es la valoración positiva de la cultura indígena. Está sí valorizado el hombre, en cuanto entidad equiparable u homologable con el mestizo, asociable aunque paternalmente a la empresa transformadora, pero no es igualmente dignificada una cultura que se presenta fatalmente como arcaica para un pensamiento modernizador, como una verdadera rémora en el proceso de avance. Desde el momento que no se produce tal legitimación intelectual, tampoco se enfrenta como problema la salvaguardia de sus rasgos intrínsecos para un proceso de transculturación como el que se avecina y pregona.

Conviene destacar que fueron sobre todo los líricos, los ilusos, los soñadores, los poetas, los idealizadores impenitentes del pasado, quienes procedieron a esa valoración. No tenían bases reales para fundarla y eso autorizó las severas reprimendas de los socialistas modernizadores, pero como ellos valoraban la "otredad" cultural que también representaba el indigenismo y sus proposiciones no reposaban sobre el realismo ni el economicismo, pudieron cumplir su función idealizadora con libertad y aun desaprensión. Incluso dentro de sus filas podían encontrarse espíritus pasatistas y retrógrados, movilizados por idearios inadecuados a las circunstancias del presente, pero el "corpus" de sus escritos propagandísticos cumplió una función nada desdeñable. Contribuyó a que una generación posterior, mejor pertrechada intelectualmente, mejor informada de la realidad porque ya comenzaba a tener que efectuar su transformación, tomara en cuenta este elemento que los modernizadores despreciaban, la "cultura indígena", se aplicara a comprenderla y conocerla de veras (y por ende a respetarla), buscando entonces las maneras de preservar sus rasgos al tiempo de proceder a la transculturación. Esta generación ya no ignora que el destino del área está en manos de los mestizos, ni que la modernización es una condición ineludible cuyos efectos pueden ser catastróficos visto el atraso y la compartimentación de los países andinos, ni que ella transita por cambios radicales en la propiedad de la tierra y en su explotación racional. Pero a la vez esta generación sigue creyendo que las naciones tienen —usemos sin temor la palabra— un alma, un centro que establece la identificación y el destino de una comunidad, la cual alma se trasunta en la construcción de una cultura. Si la variación de las condiciones económicas y sociales debe acarrear, obligadamente, cambios fundamentales en esa cultura, que ellos no destruyan el centro de identidad ni los valores capitales que la basamentan.

Esa modificación puede ser apreciada cotejando dos lecturas de un mismo texto literario, por parte de dos representantes principales de la primera y segunda generación de este período.

Leyendo los *Cuentos andinos* (1920) de Enrique López Albújar, Mariátegui descubre en un costeño la capacidad rara para captar "el alma del quechua" y nos dice de esos cuentos que aprehenden "en sus secos y du-

ros caminos, emociones sustantivas de la vida en la sierra y nos presentan algunos escorzos del alma del indio".
Muy pocos años después de esa lectura se sitúa la que
efectúa el joven José María Arguedas, quien tenía dieciocho años menos que el maestro: "Entonces cuando
llegué a la Universidad, leí los libros en los cuales se
intentaba describir a la población indígena: los libros
de López Albújar y de Ventura García Calderón. Me
sentí tan indignado, tan extrañado, tan defraudado,
que consideré que era indispensable hacer un esfuerzo
por describir al hombre andino tal como era y tal
como yo lo había conocido a través de una convivencia muy directa [. . .] Los dos describen al indio como
un ser de expresión pétrea, misteriosa, inescrutable, feroz, comedor de piojos." [20]

López Albújar, que naciera en 1872, fue un típico
escritor regionalista todavía muy dominado por los procedimientos del naturalismo del siglo XIX (un Mariano
Azuela, 1873, que no pasó por una revolución agraria
o un Quiroga, 1878, que no hubiera llegado a conocer
la selva) capaz de estructurar con destreza un cuento
de horror como el "Ushanam Jampi" o contar pobre-
mente una leyenda como "Las tres Jircas", aplicando
en un ejemplo y otro una visión mecanicista de la realidad tal como correspondía a su método narrativo.
Nada hay en estos textos que devele "el alma del indio" aunque sí comportamientos que caen en la órbita
del Código penal que López Albújar tenía motivos
para conocer bien, lo que implica literariamente un
recorte dentro de lo real para circunscribir los hechos
haciéndolos nítidos y a la vez una poda de significados
al trasladarlos del plano cultural en que se producen y
legitiman a otro donde pierden sus sobreentendidos.
Esta operación literaria, que puede reencontrarse en
múltiples textos indigenistas, repite la que observamos
en las descripciones de la vida india que nos trasmi-

[20] Alejandro Romualdo y José María Arguedas: "Poesía
y prosa en el Perú contemporáneo", en *Panorama actual de
la literatura latinoamericana*, Madrid, Fundamentos, 1971

tió mucha literatura eclesiástica o administrativa de la Colonia: los hechos culturalmente aceptables para la sociedad del Inkario se trasmutan en monstruosos salvajismos al ser trasladados a otros parámetros culturales. Presenciamos entonces el funcionamiento de una cultura aplicada a interpretar los productos externos y objetivados de otra. De ahí que el indigenismo de López Albújar, como el de su ocasional apologista, José Carlos Mariátegui, se nos devele como un *mesticismo* con límites muy precisos.

No quiere decir esto que en cambio no sea mestiza la cultura que maneja José María Arguedas. No podía ser de otra naturaleza aunque en él es perceptible cierto desvío hacia ese sector social al cual sin embargo no ha dejado de considerar el destinatario del futuro. Sólo que al pasar de una generación a otra se produce un ahondamiento de la visión. Ésta ha resultado impregnada por valores que implícitamente desdeñaban los conductores ideológicos del movimiento mestizo, apuntando así también a una inicial división dentro de él que podríamos recorrer en otros aspectos de la vida nacional.

En el trasiego generacional se ha producido esta revisión que conduce al descubrimiento de zonas de la sensibilidad, del pensamiento, de la imaginación del indio, que eran ignoradas. Con tal hallazgo se pone fin al primer indigenismo y se promueve una literatura y un arte que no pueden significarse por esa palabra en la medida en que ella quedó significada por su planteo inicial, ni tampoco se podrá llamar indígena a secas, como dubitativamente especulaba Mariátegui, porque tampoco es una creación directa de los indios. Quienes participarán de la empresa serán mestizos o blancos, indistintamente, el nivel de la tarea intelectual se jerarquizará y se especializará, surgirán sociólogos, antropólogos, folkloristas que concurren a una sustentación adulta de los conocimientos y en particular la creación artística recobrará su autonomía y no servirá exclusivamente a los propósitos de una demanda social.

La década del cincuenta marca el triunfo del movimiento indigenista, lo que quiere decir que ha logrado su propósito primordial: corroer los valores de la cultura dominante, precipitarlos en una crisis de descrédito, obligar a la nacionalidad a aceptar nuevas proposiciones. Pero en el mismo momento en que conquista un radio social mayor que el diseñado por las vanguardias y cenáculos intelectuales en que se había desarrollado, sus proposiciones resultan envejecidas por los aportes de una nueva generación. Éste es el momento en que surge la narrativa de José María Arguedas, la poesía de Sologuren y Westphalen, la pintura de Fernando de Szyslo, la crítica de Sebastián Salazar Bondy y Alberto Escobar, la sociología de José Matos Mar o Carlos Delgado, y la obra de tantos más. En el campo específico de las letras puede servir de indicador la antología *La narración en el Perú*, que prepara Alberto Escobar [21] porque se apoya en una nueva concepción de la literatura que permite ingresar las narraciones tradicionalmente estimadas como literarias pero también el cuento folklórico, el fragmento documental e histórico, el material de procedencia indígena o el que desciende de manifiestas fuentes externas, buscando integrar todos los textos en una sola literatura. Es la misma proposición que tratará de integrar "todas las sangres" de la nación. Que no es lo mismo que suplantar a unas por otras.

3. *Regionalismo y cultura*

Como Arguedas perteneció (al igual de Guimarães Rosa, en el Brasil) a la primera generación que surge con posterioridad al planteo inicial del dilema vanguardismo-regionalismo (del mismo modo que Juan Rulfo y Gabriel García Márquez pertenecerán a una segunda generación de esa misma línea problemática, puesto

---

[21] Alberto Escobar, *La narración en el Perú*, Lima, Editorial Letras, 1955.

que sus libros aparecerán mediados los años cincuenta, o sea veinte años después de los de sus antecesores) resulta un directo heredero de sus concepciones, a la vez que le cabrá comprobar las modificaciones que el tiempo (la modernización) irá introduciendo, con efectos quizás previstos pero en todo caso no vistos por los teorizadores de la primera hora.

La base regionalista sobre la que asienta vida, experiencia y arte, Arguedas deriva en línea recta de la redefinición del concepto efectuada por Mariátegui y en particular del modelo que le sirviera a éste para introducir sus modificaciones. Porque tanto la ya clásica tripartición de la geografía y la cultura andinas en costa, sierra y selva, así como la revaloración de la cultura serrana en oposición a la costeña tipificada en la ciudad de Lima, respondió a una generalización teórica que se apoyaba en un determinado modelo regional: el representado por la zona sur de los Andes peruanos, cuando ellos se aproximan a la costa y parecen ahogarla con sus montañas.

Mariátegui decía que el regionalismo no es "en ninguna parte tan sincero y profundamente sentido como en el sur y, más precisamente, en los departamentos de Cuzco, Arequipa, Puno y Apurímac. Estos departamentos constituyen la más definida y orgánica de nuestras regiones. Entre estos departamentos el intercambio y la vinculación mantienen viva una vieja unidad: la heredada de los tiempos de la civilización incaica. En el sur, la "región" reposa sólidamente en la piedra histórica. Los Andes son sus bastiones." [22]

En esa zona transcurre la niñez y adolescencia de Arguedas y constituye el escenario de sus obras. De ahí extrajo sus personajes y los conflictos de sus narraciones. En la fecha en que Mariátegui hacía esta descripción (1928) y tenía entonces 33 años, José María Arguedas era un adolescente de 17 años que vivía en esos

[22] *Siete ensayos..., op, cit.*

lugares, donde había pasado buena parte de su existencia, aprestándose para trasladarse a Lima.

Tres rasgos definen este complejo regional, aunque sólo dos fueron los que se manejaron frecuentemente, para transformarlo en un prototipo, en el pensamiento de los indigenistas de los años veinte. Esos rasgos permitieron construir un diseño claro y homogéneo que funcionará como patrón dentro de la vida intelectual peruana por un largo período. Será una suerte de modelo, con respecto al cual serán medidos los escritores y filiadas sus obras. El propio Arguedas, cuando trata de explicar las diferencias que existen entre su arte y el de Ciro Alegría, las atribuye a que este último había nacido en la sierra norte y describía a los personajes de esa región, mientras él pertenecía a la sierra sur.[23]

El primer rasgo es histórico-cultural. Se trata de la zona en que se constituyeron los fundamentos de la civilización quechua y donde estuvo asentado el que para Wissler habría sido un típico "centro cultural" lo que explica el mayor grado de impregnación de determinados valores, según el punto más elevado a que pudo llevarlos una comunidad. Refiriéndose a los departamentos de Cuzco, Apurímac y Ayacucho, decía en 1949 Arguedas que "constituyeron en la antigüedad el centro de difusión de la cultura quechua; actualmente todos sus habitantes son de habla quechua y en ninguna otra región es más densa y profunda la supervivencia de la antigua cultura peruana".[24]

El segundo rasgo, que se combina estrechamente con el anterior, es el correspondiente al hábitat, en lo que tiene que ver con las condiciones de aislamiento que durante siglos vinieron a funcionar como fortificaciones naturales. Mariátegui habla de "bastiones", lo que semánticamente traduce bien su pensamiento. Argüe-

[23] En "Poesía y prosa en el Perú contemporáneo", *op. cit.*, p. 199.

[24] José María Arguedas, *Canciones y cuentos del pueblo quechua*, Lima, Editorial Huascarán, 1949, p. 9.

das, con objetividad científica, explica esta situación: "Nunca cruzó una diligencia de Lima al Cuzco, ni de Lima a Trujillo o Arequipa. La locomoción con tiros animales no era practicable ni en la costa ni en la sierra del Perú: el arenal suelto del desierto y los abismos de las cordilleras lo impedían. Los pueblos peruanos estuvieron siempre aislados por la topografía invencible [. . .] El aislamiento geográfico de los pueblos es la causa determinante del mayor poder e influencia que en el Perú tuvo y tiene la cultura nativa."[25]

El aislamiento geográfico es visto desde el ángulo de su positividad y menos desde el que registra sus notorios perjuicios. A él también se debe, obviamente, la remanencia de regímenes socioeconómicos arcaicos y expoliadores que, nacidos en la época del coloniaje cuando en cambio sí funcionó un mínimo sistema de comunicaciones para las necesidades del Imperio, entró en crisis al producirse la Independencia y acrecentó el aislamiento y por ende una suerte de refeudalización regional. La tendencia a la interpretación positiva responde a esa investigación intelectual acerca de lo auténtico americano que recorrió el continente a partir de la tercera década del siglo, a la cual debemos una explosión de ensayos (desde Samuel Ramos hasta Ezequiel Martínez Estrada) y las teorizaciones de movimientos como el nativismo, el indigenismo, el negrismo que hicieron los equipos de las clases medias emergentes, investigación que puede unificarse por la búsqueda de una intrahistoria latinoamericana conservada viva en los estratos inferiores de la sociedad.

También en este capítulo Arguedas tiene una visión de tipo culturalista aunque no conservadora ni pasatista sino atenta a las tendencias históricas que prefiguran el futuro. Consciente de que ha de producirse

[25] José María Arguedas, "El complejo cultural en el Perú y el primer congreso de peruanistas. (Lo indio, lo occidental y lo mestizo. Los prejuicios culturales, la segregación social y la creación artística)", en *América Indígena*, XII, México, 2 de abril de 1952, pp. 131-139.

un proceso de transculturación (no hay ningún otro
camino, como no sea la dehesa y las reservaciones para
transformar las antiguas culturas en guetos) que es
fatal a los efectos de alcanzar la unidad nacional, registra ese aislamiento como una inesperada colaboración
que redujo las distancias entre las dos culturas, atem-
peró la violencia de los previsibles choques, introdujo
una regulación intermediadora que facilitó un cierto
ajuste entre los tiempos históricos de cada una de ellas.

Ya lo había observado en 1947: "El poder aislador
de las montañas fue un aliado de la cultura nativa,
pues retardaba el ritmo de penetración occidental, auxi-
liando a la retraducción de los caracteres culturales
impuestos con mayor violencia por la invasión: tal, por
ejemplo, el caso de la religión y la infinita serie de
complejos culturales que tienen su fundamento y eje
en la religión y sus prácticas externas."[26] El hábitat,
sin embargo, no sólo funcionó como muralla protec-
tora. Tuvo una influencia manifiesta en la edificación
de la cultura regional, en la medida en que ésta se presentó como una respuesta humana a las condiciones
geográficas, climáticas, etc., introduciéndoles modificaciones o aprovechando sagazmente sus posibilidades. En
la región, este modelaje de la naturaleza se cumplió
desde la época del Inkario, con los cultivos en terraza
los sistemas de regadío, el desarrolllo de determinadas
siembras, la lucha constante para la mejor utilización
del agua.

Se trata de una región que a lo largo de un período
varias veces secular generó una estrecha asociación de
la sociedad y su hábitat: la primera procedió a una profunda impregnación humana de la segunda, instaurando lo que los antropólogos llaman un ambiente, donde
se equilibraron y conjugaron sus diversas aportaciones.[27]

[26] José María Arguedas y Francisco Izquierdo Ríos, *Mitos, leyendas y cuentos peruanos*, Lima, 1947 (2ª ed. Casa
de la Cultura del Perú, 1970, pp. 14-15).

[27] Una discusión sobre las diversas tesis acerca de las relaciones del hábitat y la cultura en el libro de Melville

No puede ser insólito, que los productos literarios de la cultura indígena (canciones, cuentos, leyendas, consejas) así como su religión y sus creencias morales, hayan integrado a la naturaleza dentro de su cosmovisión, con suficiente coherencia y sistematización para resistir el desgaste derivado de la penetración, aunque dificultada, de la cultura occidental. A imagen de lo que observamos en otras sociedades de asentamiento rural, en esta región se levantó una estructura cultural que absorbió íntimamente los rasgos del hábitat, adecuando el hombre a su medio. En ningún material es posible percibir mejor estas operaciones que en el acervo folklórico. Comentando algunos cuentos recogidos de la tradición oral, Arguedas observa que "describen las actitudes de los seres, el paisaje, las mínimas circunstancias terrenas en que se mueven los personajes, de tal modo, con tan asombrosa exactitud y profundidad, que la naturaleza física y el mundo vivo, animales, hombres y plantas, aparecen con una ligadura tan íntima y vital, que en el mundo de estos cuentos, todo se mueve en una comunidad que podríamos llamar musical".[28]

Es una ajustada definición del problema. Se trata de la instauración de una "comunidad musical" y no puede menos de evocarse la asociación que años después establecerá Lévi-Strauss entre los relatos de la mitología y las estructuras musicales. La realidad física y las invenciones culturales juegan, entrelazándose, según pautas armónicas que son también formas del pensamiento, y construyen un universo armónico: la operación cultural básica es la de "concertar" la multiplicidad de elementos apelando a las más variadas estructuras formales, sobre todo cuando debe recoger dentro de ellas los datos provenientes del hábitat secular.

Herskovits, *Man and his works,* Nueva York, A. Knopf, 1948 (trad. española, *El hombre y sus obras,* México, Fondo de Cultura Económica, 1952).
[28] *Canciones y cuentos del pueblo quechua, op. cit.,* pp. 67-68.

Más que una suerte de animismo, que incluso en las creencias indígenas alterna con otras visiones (como se ve en las metamorfosis de los "huascas" y en las jerarquías fijadas entre dioses creadores y "wamanis") hay aquí una valoración precisa del papel que juegan en la vida de las comunidades los elementos físicos: es apreciación de la potencialidad del río o de la montaña, de su función en un orden natural bien conocido, del lugar que les cabe a las plantas y a los animales como partícipes de una tarea que cumplen conjuntamente con los hombres. Todos estos elementos no se presentan escindidos de la especie humana, sino relacionados con ella, acompañándolo de alguna manera en la edificación de la cultura. Por lo cual, si no hay animismo en Arguedas, tampoco podrá encontrarse ajenidad.

Uno de los rasgos de la cultura india que notoriamente persiste en él, inserto en la cosmovisión infantil que a veces utiliza, es el sentido integrador de vida humana y hábitat, de cultura y naturaleza, o sea la captación íntegra y armónica —musical— de un ambiente. Lo confiesa el niño de *Los ríos profundos:* "¡Yo que sentía tan mío aun lo ajeno! ¡Yo que no podía pensar, cuando veía por primera vez una hilera de sauces hermosos, vibrando a la orilla de una acequia, que esos árboles eran ajenos! Los ríos fueron siempre míos; los arbustos que crecen en las faldas de las montañas, aun las casas de los pequeños pueblos, con su tejado rojo cruzado de rayas de cal; los campos azules de alfalfa, las doradas pampas de maíz." [29]

Remanencia de una cosmovisión cuyos orígenes indios pueden reconocerse pero que podemos encontrar, hoy día, en numerosas sociedades rurales de América Latina, en sus usos y costumbres así como en sus espontáneas producciones literarias. Son rasgos propios de ras culturas regionales de la ruralía más que una de las culturas específicamente indias. Pero éstas los colorean

---

[29] *Los ríos profundos,* cap. v, "Puente sobre el mundo".

con sus peculiares vislumbres y traducen en ellos sus formas de pensamiento.

El tercer rasgo del complejo regional es el más paradójico. Éste no sólo responde a una cultura tradicional autóctona resguardada, no sólo se adecua a un determinado hábitat entretejiendo con él su cosmovisión, sino que responde a una determinada situación social. El modelo regionalista de los departamentos del sur peruano no habría logrado su peculiar expresión si no fuera también consecuencia de un régimen de despotismo y servidumbre, con una intensidad que es difícil reencontrar en otras regiones andinas. Arguedas pudo, gracias a su investigación etnológica, precisar el funcionamiento de este rasgo y su papel constitutivo en la composición de una cultura. Su trabajo científico se sitúa treinta años después de los manifiestos de Haya y Mariátegui, se enriquece con su experiencia adolescente en el seno de las comunidades indígenas y se expresa en dos largos estudios que consagró al valle del Mantaro y la ciudad de Huancayo, pertenecientes a la sierra central [30] y en un curioso "Puquio revisited" donde procedió a examinar las transformaciones sobrevenidas en la región donde había pasado sus años de infancia.[31]

En el primer ejemplo de análisis de una sociedad regional indiomestiza (Huancayo) descubre que se había

[30] José María Arguedas, "Evolución de las comunidades indígenas. El valle del Mantaro y la ciudad de Huancayo: un caso de fusión de culturas no comprometida por la acción de las instituciones de origen colonial", en *Revista del Museo Nacional*, Lima, t. xxvi, año 1957, pp. 78-151; "Folklore del Valle del Mantaro (provincias de Jauja y Concepción) Cuentos mágico-realistas y canciones de fiestas tradicionales", en *Folklore Americano*, Lima, i, 1, pp. 101-298.

[31] José María Arguedas, "Puquio, una cultura en proceso de cambio", en *Revista del Museo Nacional*, Lima, t. xxv, año 1955, pp. 184-323. Recogido posteriormente en el volumen colectivo *Estudios sobre la cultura actual del Perú*, Lima, Universidad Nacional Mayor de San Marcos, 1964, prol. de José M. Arguedas.

efectuado un proceso de incorporación de rasgos de la cultura occidental que no fue en desmedro de la conservación y aun el desarrollo de los valores tradicionales, de tal modo que un sensible mejoramiento económico, una utilización de la tecnología moderna, una libertad social considerable, no desfibraron la contextura original de una sociedad indígena ni sus pautas culturales básicas. Esto es lo que le permite afirmar que tal sociedad se ha convertido en "un foco de difusión cultural compensador de la influencia modernizante cosmopolita ejercida por Lima" lo que por lo tanto la convierte en un modelo regional cuya eficacia habrá de reconocerse mayor que el establecido por sociedades a la defensiva, acantonadas, tras los baluartes geográficos, en la conservación de su pasado. Buscando las causas de esta excepcional situación, las rastrea en el comportamiento a que se vieron forzados los conquistadores de la zona así como en los motivos que durante la Colonia llevaron a una asociación equilibrada de culturas donde la india no pasó por el sistema de sometimiento que es, en cambio, el que permite explicar lo ocurrido en los departamentos de la sierra sur peruana.

De su análisis se desprende que es el sistema social imperante el tercer rasgo que concurre a definir las culturas regionales y que en el caso del modelo presentado por los indigenistas de los años veinte, se trataba de una sociedad sometida, golpeada, que se había aferrado a su cultura tradicional para sobrevivir dentro del estrecho margen que se le toleraba. Arguedas, que vivió dentro de ese modelo y en él se nutrió de los elementos que atesoraba, provenientes de un pasado remoto y reelaborados a la luz de las circunstancias contemporáneas, describe con nitidez la acción de este factor social: "El cuadro de las comunidades del sur es muy diferente. La lucha de éstas contra la voracidad de los terratenientes vecinos y colindantes ha sido y es cotidiana y desigual. Y no existían en esas regiones sino dos fuerzas casi nítidamente enfrentadas: la comunidad indígena, integrada por analfabetos tenazmente mantenedores de sus antiguas costumbres y el hacendado, dueño de indios colonos que trabajaban en forma prácticamente gratuita para el terrateniente, que no tiene ambición mayor que la de reducir a la condición de colonos a todos los indios de las comunidades, colindantes o no colindantes suyas. El mestizo y el pequeño propietario son mínimas fuerzas, necesariamente aliadas o al servicio de los hacendados, pues no tienen otra forma de continuar subsistiendo." [32]

La positividad cultural que el indigenismo vio en estas comunidades, puesto que ellas sí habían resguardado la originalidad de una cultura autóctona, mostraba su trágico reverso: esa conservación era hija de una expoliación secular contra la cual combatía por otro lado el indigenismo, sin plantearse las consecuencias del proceso de cambio. El indigenismo reclamó equiparación de derechos económicos, políticos y sociales, integración en el desarrollo del país, aceptación de las normas modernizadoras y, para el sector socializante, utilización de fórmulas cooperativistas o socialistas de la producción. Es probable que la aplicación de éstas tuviera efectos menos disolventes sobre las culturas indígenas que las de los sistemas capitalistas de desarrollo que fueron los que se pusieron en funcionamiento y cuyos efectos pudo examinar Arguedas en los años cincuenta. Ése fue el problema al que tuvo que hacer frente y que no habían previsto los indigenistas de la generación anterior: los efectos que una descongelación socioeconómica brusca habría de tener sobre las culturas tradicionales.

Este asunto vuelve una y otra vez en los escritos teóricos de Arguedas y dado que son poco conocidos, pues el autor nunca los reunió en libro, conviene transcribir sus conclusiones. Éstas contribuyen a quebrar el estereotipo que fue creado en torno a la figura de José María Arguedas (intuitivo, primitivo y genial, posesio-

[32] "Evolución de las comunidades...", *art. cit.*, p. 91.

nado de la pasión de lo indígena, algo así como un indio que hablaba correctamente el español) y dan prueba de la lucidez y cabal conocimiento de los problemas de su tiempo que lo caracterizaron y, por ende, de la voluntariedad y coherencia de su proyecto transculturador. No respondió a la mera nostalgia del pasado, ni al oscuro pago de una deuda de gratitud, sino a una fundada proposición intelectual acerca de cuál debía ser la misión de un escritor peruano de su época y qué era lo que debía hacer para contribuir a solucionar los problemas centrales de su país. Una obra como *Todas las sangres* es tanto una novela como un programa de gobierno y su restante obra cumple con los requerimientos de un servicio social en aquella zona que pertenecía a sus conocimientos y capacidad.

Mariátegui no pudo ver lo que vio Arguedas, o sea los efectos que promovió la modernización de la época. Del mismo modo que ocurrió con Claude Lévi-Strauss, quien fue uno de los últimos antropólogos en percibir, a la altura de 1935, el aislamiento en que estaban las regiones internas del Brasil [33] antes de que fueran subvertidas por los planes carreteros, Arguedas conoció la época de encierro defensivo y su trasmutación.

"Hace apenas unos veinte años que las antiguas áreas culturales que fueron respetadas durante la administración colonial, están siendo destrozadas y reordenadas por las carreteras [...] Finalmente en estos años se observa un nuevo acontecimiento demográfico que ha de influir de modo decisivo en la futura configuración cultural del Perú: el traslado constante y creciente de la población serrana hacia la costa, especialmente a Lima y a las otras ciudades [...] En la gran Capital, que ha triplicado su población en 20 años, se han convertido en células irradiantes de la cultura andina." [34]

El citado es un texto del año 1952. En otro del año

---

[33] Claude Lévi-Strauss, *Tristes tropiques*, París, Plon, 1955, p. 109.

[34] "El complejo cultural en el Perú...", *art. cit.*, pp. 136 y 137.

1956, con motivo de la muerte de José Sabogal, vuelve sobre el punto: "Durante las últimas décadas de este siglo, la influencia de la cultura moderna en las regiones andinas del Perú se hizo mucho más penetrante, como consecuencia de la apertura de las vías de comunicación mecánica. Estas vías redujeron el tiempo que duraban los viajes de la Capital a las provincias y de la costa hacia la sierra y la selva, en proporciones revolucionarias. En treinta años el Perú saltó del sistema de comunicación feudal al de las carreteras y aviones." [35]

La modernización se había instalado, por asalto, dentro de los antiguos bastiones de los Andes. Ya las montañas no preservaban la llegada de las avanzadas de la cultura occidental ni servían para reducir el tiempo que la separaba de la indígena, a los efectos de una progresiva apropiación de elementos nuevos. En esas condiciones, las culturas más tradicionales, más puras, eran las que se revelaban más inermes para defenderse, las que se entregaban al proceso de aculturación que las despojaba de su identidad, celosamente custodiada por siglos. No serán sólo los millares de serranos que se apelmazarán en las barriadas limeñas y a los cuales pretendió consagrar su último libro Arguedas (*El zorro de arriba y el zorro de abajo*) sino las comunidades originarias donde mezcladamente se registran influencias positivas y negativas: mejoras materiales junto a desequilibrios abismales, pero sobre todo la pérdida de sus raíces, la destrucción de un equilibrio cultural que no es remplazado por ningún otro equivalente, el arrasamiento de una cosmovisión comunitaria remplazada por el "individualismo escéptico" de la sociedad burguesa contemporánea.

Cuando veinte años después de abandonarlo, Arguedas vuelve a Puquio, escenario de su infancia, ahora en calidad de investigador antropológico, descubre que ya no es la "capital de una zona agropecuaria anticuada, de tipo predominantemente colonial" sino que "se ha

[35] "José Sabogal y las artes populares", *art. cit.*, p. 241.

convertido en un centro comercial de economía activa"
y analiza esas modificaciones. Registra elevación de
niveles económicos, desarrollo del sector mestizo, disminución de la autoridad despótica de los terratenientes,
adaptación a técnicas modernas de producción, etc.
También registra el desfibramiento de los valores raigales
y por lo tanto la desculturación, sin más, el vacío, donde
no cabe ni siquiera la posibilidad de una rearticulación
dentro de la cultura moderna de dominación: "En lo
que se refiere a los naturales, observamos que este proceso va encaminado a la independencia respecto del
despotismo tradicional que sobre ellos ejercían y aun
ejercen las clases señorial y mestiza; pero, al mismo
tiempo, el proceso está descarnando a los naturales de
las bases en que se sustenta su cultura tradicional, sin
que los elementos que han de sustituirlos aparezcan con
nitidez. Siguen ahora, aparentemente, un camino abier-
to hacia el individualismo escéptico, debilitados sus
vínculos con los dioses que regularon su conducta social
e inspiraron, armoniosamente, sus artes, en las que con-
templamos y sentimos una belleza tan perfecta como
vigorosa." [36]

Este proceso puede seguirse, utilizando como guía a
las cosmovisiones culturales, merced a un mito generado
por diversas comunidades indígenas del Perú, recogido
por varios investigadores, entre ellos el propio Arguedas
en la región de Puquio, habiendo llamado poderosamente la atención de sociólogos y antropólogos.

Se trata del mito de Inkarrí (Inka rey) que por sus
características ha nacido dentro de la Colonia, anudan-
do elementos de la mitología prehispánica, algunos de
los cuales se encuentran consignados en los textos del
Inca Garcilaso de la Vega, con otros que son de fecha
posterior y que sirven para manifestarnos la persistencia
de la autoafirmación de la cultura indígena y de la esperanza que puso en su reinstauración sobre la antigua
tierra del Inkario. El componente original del mito es

[36] "Puquio, una comunidad...", art. cit., p. 232.

el que refiere que la cabeza del héroe cultural, una vez muerto, ha sido enterrada, ya bajo la ciudad de Lima ya bajo la de Cuzco, pero que esa cabeza inmortal está operando la germinación de su propio cuerpo para que una vez que lo haya completado vuelva a reinar sobre los hombres y vuelva a ejercer su poder civilizador.[37] Es evidente, como lo ha hecho notar Bourricaud, que estamos en presencia de una reivindicación cultural por parte de un pueblo sometido pero no vencido, puesto que en él sigue alentando la esperanza de su reinstalación en el poder. La cual se hará sobre la misma tierra y no ya en el cielo que nos tienen prometido, restaurando su cultura tradicional.

Tal como hace notar Arguedas en sus anotaciones, ese mito tan significativo sólo es conocido en esa ciudad de Puquio, que en sólo veinte años se ha trasmutado, por la generación de los abuelos, los viejos o mayores de la sociedad. La generación intermedia, de los hombres entre 30 y 40 años, tiene algunas vagas y confusas noticias acerca del mito, pero no es capaz de desarrollarlo orgánicamente ni percibir, como hacen sus mayores, su alcance rebelde, mezclándolo frecuentemente con historias religiosas católicas.

La generación de los jóvenes lo ignora por completo. En el proceso de aculturación registrado a lo largo de las últimas décadas, la pérdida de los valores culturales propios lleva también a la pérdida de las reivindi-

[37] En el citado ensayo ("Puquio, una comunidad...") Arguedas da cuenta de las tres versiones que él y Josafat Roel Pineda recogieron. Esos textos volvieron a ser publicados como introducción a un artículo de François Bourricaud donde los somete a un análisis desde el punto de vista sociológico ("El mito de Inkarrí", en *Folklore Americano,* Lima, IV, 4 de diciembre de 1956, pp. 178-187). Con el agregado de nuevos textos descubiertos por otros investigadores, incluso estudiantes universitarios, Arguedas procedió a un examen general del mito y sus variantes, conectándolas con los diversos tipos de poblaciones indígenas en que se los había descubierto, en su artículo "Mitos quechuas pos-hispánicos", en *Amaru,* Lima, núm. 3, julio-septiembre de 1967, pp. 14-18.

caciones comunitarias, que se sumen dentro de otras
que pertenecen a las estructuras de clase de la sociedad
modernizada.

Es en este punto que se puede medir la importancia
de una transculturación y se puede comprender la insurgencia abrupta de Arguedas contra lo que él entendía
como una "aculturación". El progreso de una sociedad,
la elevación de sus "standards" de vida, la adecuación a
las exigencias de una civilización tecnológica (conquistas positivas para los más), no debería acarrear la pérdida de la identidad, el arrasamiento de las bases culturales sobre las cuales se edificó una sociedad durante
siglos, su nota distinta, su aporte a la sociedad global
humana.

Es aquí donde se comprende cabalmente qué pretendió hacer Arguedas con su obra. Él, como las montañas
andinas, buscó resguardar una tradición, aquella que
conformó para él su universo infantil más pleno, y rein-
sertarla dentro de las culturas modernas de la dominación. Una tarea ciclópea a la que debemos una obra
excepcional.

IV. LA GESTA DEL MESTIZO

El novelista peruano José María Arguedas ha opacado, hasta casi hacerlo desaparecer, al etnólogo peruano José María Arguedas, de tal modo que su nombre, encabezando un conjunto de ensayos de antropología cultural que rotan obsesivamente sobre la formación de una cultura propia, mestiza y original, en que se revele la identidad profunda de sus pueblos, puede comportar sorpresa para muchos lectores de sus narraciones.

No se trata, en este caso, de actividades escindidas, como es habitual en la vida intelectual del continente: de un lado la vocación literaria, libre, no retribuida, sólo esporádica; del otro la tarea profesional persistente y continua, destinada a cumplir la demanda social retribuida (lo que Mallarmé llamaba "les métiers qu'impose la sociètè à nos poètes") sino que una y otra se despliegan como sendas paralelas, mutuamente complementarias e intercomunicadas, nacidas de un mismo impulso creador que va adecuándose a las dispares formas expresivas sin perder su unitaria fuente. No hay en este caso compartimentación de las áreas del conocimiento, ni puede aludirse al consabido "violín" del artista, sino que presenciamos la construcción de una tarea intelectual como una totalidad de sentido. Éste se vierte a través de una pluralidad de canales, entre los que podemos reconocer al menos tres, para hablar así de José María Arguedas escritor, folklorista, etnólogo; cualquiera de ellos, incluido el narrativo, resultará insuficiente si con sólo sus datos pretendemos entender la aventura intelectual del autor.

Su entera existencia adulta, desde los juveniles veinte años cuando era estudiante de la Universidad de San Marcos, en la década de los treinta, hasta su muerte en 1969 cuando ya había sido profesor de esa misma Universidad, jefe de su Departamento de Etnología e integraba el plantel de la Universidad Agraria "La Molina" dirigiendo su Departamento de Sociología, está referida simultáneamente a la literatura, al folklore y a los estudios antropológicos, disciplinas para él interconectadas, en las cuales expresaba una misma voluntad y un mismo proyecto intelectual, cuyas raíces no podían ser sino políticas y sociales.

La precisa unidad de la vida de José María Arguedas deriva de su temprana elección de un área de la realidad y de una filosofía que la interpreta. La primera puede limitarse en estos términos: situación de la cultura indígena, heredera de la cultura del Incanato, en el seno de la sociedad peruana contemporánea y las vías indispensables para que contribuya a la formación de una cultura nacional pujante, libre y moderna, junto con las demás fuentes culturales del país. Tal opción implicaría la obligada inserción del joven intelectual dentro de la corriente *indigenista* que había sido ya establecida por los mayores, la cual se vería llamado a reelaborar de conformidad con las modificaciones que irían operando en la estructura social y cultural del país. En cuanto a su filosofía, será heredera del pensamiento de Mariátegui. Arguedas asumirá un espíritu rebelde, reivindicativo, de nítida militancia social, que si bien no puede confundirse con la filosofía marxista del maestro, tomará confiadamente de él muchos análisis socioeconómicos de la realidad peruana y aceptará sus presupuestos ideológicos. Sobre todo hará suyos: el erizado espíritu nacionalista y el sentimiento de la urgencia transformadora que exigía el momento histórico.

En el discurso que pronunció en octubre de 1968 al recibir el premio "Inca Garcilaso de la Vega", Arguedas sintetizó, desde la perspectiva de una obra culminada y coronada y cuando ya estaba resuelto a darse muerte, aquellos impulsos iniciales de su adolescencia que dieron significado a su vida: "No tuvo más ambición que la de volcar en la corriente de la sabiduría y el arte del Perú criollo el caudal del arte y la sabiduría de un pueblo al que se consideraba degenerado, debilitado o 'extraño' e 'impenetrable' pero que, en realidad, no era sino lo que llega a ser un gran pueblo, oprimido por el desprecio social, la dominación política y la explotación económica en el propio suelo donde realizó hazañas por las que la historia lo consideró un gran pueblo." [1]

Desde esta inicial perspectiva reivindicadora en que tan vivamente se respira el clima intelectual de la década antifascista, contando con la "gran rebeldía" y la "gran impaciencia por luchar, por hacer algo" propias de sus años juveniles, así como con la "teoría socialista" que "no sólo dio un cauce a todo el porvenir sino a lo que había en mí de energía", se traza el proyecto intelectual de José María Arguedas. Hoy podríamos definirlo, retrospectivamente, como un "servicio cultural" contribuyente a la formación de la nacionalidad peruana.

Desde el año 1935, fecha de sus primeros escritos importantes (la publicación del libro de cuentos *Agua*, pero también de sus artículos sobre la situación indígena) hasta 1969, fecha de su muerte, se extienden más de tres décadas donde la escritura literaria, la investigación de campo, el estudio antropológico, las descripciones folklóricas, así como las diversas tareas educativas y la administración de instituciones culturales, concurren todos por igual a los mismos fines. El viejo principio romántico del "poeta civil" parece encarnar en él, incluso sin necesidad de apelar a las más recientes y divulgadas consignas sobre el "poeta comprometido". Pero a diferencia de otros ejemplos contemporáneos, más estruendosos aunque quizás también menos permanentes, tal principio resultó acrisolado por una inmersión en lo real y en lo concreto, en la experiencia viva implicada por la convivencia dentro de una comunidad: si ella confirmó, por un lado, los propósi-

---

[1] "No soy un aculturado", Epílogo, en *El zorro de arriba y el zorro de abajo*, Buenos Aires, Losada, 1971.

tos reivindicadores, también, por otro, los corrigió, enmendó y reorientó realísticamente. Tal autenticidad lo salvó de la retórica que en América Latina acecha a muchas expresiones reivindicativas. No sólo la dialéctica de lo concreto funcionó aquí gracias al respeto que el intelectual tuvo por la lección de la realidad y a la humildad con que acogió sus proposiciones, sino también a la probidad del investigador que lo llevó a compulsar sus primeras valoraciones —algo esquemáticas y algo románticas— procediendo a ajustarlas progresivamente de conformidad con el conocimiento más amplio, mejor fundado y más reflexivo de la realidad peruana, que iba logrando a lo largo de sus estudios y experiencias concretas.

Su visión inicial fue dominada por la militancia y por la urgencia con que entonces se la planteaba: la inminencia del advenimiento del socialismo fue artículo de fe de los años treinta. Si esa pasión combatiente pudo encender el ascua de una escritura ardorosa y rauda, tal como se encuentra en sus primeros cuentos,[2] no habría permitido en cambio un progreso del conocimiento de la realidad peruana ni le habría conferido ese lugar privilegiado que distingue a su obra adulta, a saber, la amplitud generosa y lúcida de la visión, el esfuerzo artístico e intelectual para abarcar la totalidad social del país y asumir su problemática más alta y compleja sin simplificaciones ni concesiones.

Veinte años después de su iniciación cultural en los años treinta bajo la sombra de la generación de *Amauta,* examinó críticamente sus dos primeras obras narrativas, *Agua* y *Yawar fiesta* (1941), atribuyendo la distinta contextura de las dos, más que a su propia evolución intelectual, a su fidelidad a la realidad que habría sido distinta en las fuentes de cada una de ellas, o sea al principio de obediencia a la verdad histórica por parte del escritor. Así, su primer obra, *Agua,* ha-

[2] Los de *Agua,* y también los *Cuentos olvidados,* Lima, Ediciones Imágenes y Letras, 1973, recogidos por José Luis Rouillon.

bría nacido de ese *odio puro* "que brota de los amores universales, allí, en las regiones del mundo donde existen dos bandos enfrentados con implacable crueldad, uno que esquilma y otro que sangra".[3] Con lo cual la simplificación del enfrentamiento que en esos cuentos se muestra, oponiendo la brutalidad de los patrones feudales a la justicia del reclamo de los indígenas, sería la consecuencia de una realidad igualmente simple y dicotómica, la que regiría en las "aldeas" de la sierra. En el mismo texto Arguedas se apresura a mostrar que su segunda obra, la novela *Yawar fiesta,* abandona la concepción esquemática y elemental de la sociedad peruana que había manejado, pues en ella debe reflejar la vida de los "pueblos grandes" y por lo tanto se ve en la obligación de presentar no menos de cinco tipos de personajes, los cuales estima representativos de los cinco estratos o clases sociales que le es dable distinguir en las capitales de provincia: indios, terratenientes tradicionales, terratenientes nuevos ligados a los políticos, mestizos bivalentes y por último los estudiantes, igualmente oscilantes entre "su pueblo" y el orden social limeño que ha de engullirlos. (Es éste el esquema social que manejará en sus posteriores novelas pero que sobre todo se evidenciará en *Todas las sangres,* desde la inicial distribución de papeles entre los terratenientes don Bruno y don Fermín hasta la culminante asignación al indio mestizado Demetrio Rendón Willka.)

En este análisis de su novela, que no es muy diferente del que también de *Yawar fiesta* iniciara y luego abandonara el sociólogo francés François Bourricaud,[4] se transparenta la concepción sociológica del arte que animó subterráneamente siempre al escritor, la cual se puede filiar en la poderosa influencia que ejerció sobre

[3] "La novela y el problema de la expresión literaria en el Perú", en *Mar del Sur,* Lima, año II, vol. III, núm. 9, enero-febrero de 1950. Ahora, como apéndice de *Yawar fiesta,* Buenos Aires, Losada, 1974.

[4] "Sociología de una novela peruana", en *El Comercio,* Lima, 1 de enero de 1958.

él la generación de *Amauta* con sus pautas interpretativas de literatura y arte. Efectivamente, es esa generación y en especial Mariátegui, quienes fijaron los criterios de "realismo", "tipicidad", "reflejo de la estructura social" y "tendenciosidad ideológica" que corresponden a una aplicación bastante rígida de la preceptiva de Engels. Esta mecanicidad, que sirvió de base de sustentación al arte social de la década progresista que en el área andina inaugura César Vallejo con su novela *El Tungsteno* (1931), apunta a la estrechez de la concepción *indigenista* que manejó la generación de *Amauta* y contra la cual debió manifestarse Arguedas, no a través de un enfrentamiento crítico sino mediante sucesivas correcciones y, sobre todo, progresivas ampliaciones. En el cambio que él observa, retrospectivamente, entre sus dos obras primeras (escribiendo desde la perspectiva del año 1950), ya está claramente apuntada la evolución de su pensamiento que, aunque referida sobre todo al campo de las artes, deriva en verdad de su análisis sociológico del Perú que nunca dejará de ser rector de su pensamiento.

El modo con que se definirá respecto al *indigenismo,* del que estará dentro y fuera, tiene sus raíces en las ingentes alteraciones que se producen en las comunidades indígenas peruanas al provocar un capitalismo modernizado su violenta descongelación, y eso explica los acercamientos y los distanciamientos del movimiento que lo caracterizan.[5] Si por una parte mantendrá

[5] Sobre el problema del "indigenismo" con relación a Arguedas, véase Tomás G. Escajadillo, "Meditación preliminar acerca de José María Arguedas y el indigenismo", en *Revista Peruana de Cultura,* Lima, núm. 13-14, diciembre de 1970; Sebastián Salazar Bondy, "La evolución del llamado indigenismo", en *Sur,* marzo-abril de 1965; Antonio Urcello, *José María Arguedas: el nuevo rostro del indio,* Lima, Librería editorial Juan Mejía Baca, 1974 (cap. "Indianismo" e "Indigenismo"); la excelente revisión de la tesis dualista en Antonio Cornejo Polar, *Los universos narrativos* de *José María Arguedas,* Buenos Aires, Losada, 1974.

siempre un enlace firme con las proposiciones de *Amauta,* pudiendo rendir homenaje de gratitud a Mariátegui aun en sus últimas páginas y si bien no dejará de construir novelas que siempre permiten, al margen de otras lecturas, una, nítida, de tipo social, mostrando a través de las criaturas particulares el comportamiento de amplias capas de la sociedad peruana,[6] por otra parte no hará sino modificar, enmendar o perfeccionar el vasto conjunto de principios del *indigenismo.*

Este término, *indigenismo,* quedó acuñado por la generación posmodernista latinoamericana, siendo ella la que le confirió el significado con el cual fue aceptado en todo el continente. Como en los ejemplos paralelos y contemporáneos del "negrismo" antillano y del "revolucionarismo" mexicano, se trató de una formulación local, peculiar, referida a la problemática cultural de la región, de esa tendencia generalizada, regionalista, criollista, nativista, que se posesionó de América Latina con posterioridad al novecentismo modernista, desarrollándose en la década de los diez y los veinte: propuso una nueva apreciación de la realidad y del funcionamiento de las sociedades del continente que estaba modernizándose, a través de la óptica de los sectores de la baja clase media en ascenso, quienes entablaban su lucha contra las consolidadas estructuras del poder. Su franco y rudo realismo; su aspiración a un reconocimiento sedicentemente objetivo y aun documental del entorno; su poderoso racionalismo clarificador; sus esquemas mentales simples, contrastados, rotundos, que proponían interpretaciones simples pero

---

[6] Entre los primeros planteos que subrayan este aspecto de *Todas las sangres,* los artículos de Alberto Escobar, "La guerra silenciosa en 'Todas las sangres'", *Revista Peruana de Cultura,* 5 de abril de 1965, y de José Miguel Oviedo, "Vasto cuadro del Perú feudal", en *Marcha,* Montevideo, 8 y 16 de octubre de 1965. La bibliografía crítica posterior ha desarrollado este planteo. Véase Gladys C. Marín, *La experiencia americana de José María Arguedas,* Buenos Aires, Fernando García Cambeiro, 1973, y el citado libro de Antonio Cornejo Polar.

eficaces del mundo; su fuerza, que le otorgó una nota
recia y áspera; su espontáneo emocionalismo elevado
a la categoría de valor artístico y moral; su combati-
vidad, que forzó la nota denotativa de cualquier texto
refiriéndolo al discurso global de la sociedad; su confianza en las ideologías que, abundantemente produci-
das, enmascararon las operaciones concretas de esta
clase en avance dentro de la sociedad; su eticidad que
se tradujo en una permanente militancia, todos esos
rasgos pueden encontrarse en las novelas, las obras de
arte, los estudios sociales o económicos, las consignas
políticas de la época y unitariamente en el lenguaje que
utilizaron todos esos textos: tanto los *Siete ensayos,* de
Mariátegui, como *Matalaché* de López Albújar o la
pintura de José Sabogal.

Este *indigenismo* es el que Arguedas debe revisar sin
por eso apartarse del movimiento. En "Razón de ser
del indigenismo en el Perú", que es un escrito póstu-
mo del cual ignoramos la fecha de composición, se explica. Comienza por prescindir de la aportación que en
el siglo XIX hizo Manuel González Prada (con quien
mantuvo siempre distancias) para referirse específicamente al siglo XX, dentro del cual establece tres períodos indigenistas: el correspondiente al novecentismo
donde tímidamente se afirma la corriente en la obra
que va construyendo Julio C. Tello en oposición al
pensamiento "hispanista" de José de la Riva Agüero y
Víctor A. Belaúnde, encontrándose sin embargo en todos el encomiástico reconocimiento de la antigua cultura inca que en ese tiempo estaba siendo revelada por
los hallazgos arqueológicos y bibliográficos (Paracas,
Macchu Picchu, Guaman Poma de Ayala, etc.) el cual
no va acompañado por una paralela revaloración de la
cultura india poshispánica; un segundo período, que es
el central, acaudillado por José Carlos Mariátegui,
donde se impone de manera beligerante la reivindicación social y económica del indio, se insta a los escritores y artistas a tomar como tema el Perú contemporáneo y se genera una nutrida producción sobre el

indio miserable, maltratado y expoliado; "pasado el tiempo, esta obra aparece como superficial, de escaso valor artístico y casi nada sobrevive de ella, pero cumplió una función social importante", agrega Arguedas. Sin embargo, las mayores objeciones no se refieren a la pobreza artística de este *indigenismo,* que incluso podría haberse puesto a la cuenta de un período de aprendizaje tal como adujera Mariátegui, sino a otros dos aspectos: la atención exclusiva y excluyente sobre el indio y su dominador, que se superpone a la dicotomía costa-sierra, generando la difundida tesis dualista del pensamiento crítico peruano,[7] no rinde justicia a la mayor complejidad de la estructura social del Perú, ni reconoce la importante contribución de nuevos sectores (mestizos) ni admite importantes matices diferenciales dentro de las clases enfrentadas (muy distintos tipos de comunidades indígenas, muy distintos tipos de terratenientes, etc.); los *indigenistas,* en segundo lugar, carecieron de un conocimiento serio acerca de la cultura india ("Mariátegui no disponía de información sobre la cultura indígena o india") por lo cual no fueron capaces de valorarla ni tampoco de reconocer humildemente los múltiples productos que ella generó (vestidos, instrumentos, danzas, objetos de culto, utensilios, comidas, etc.) así como la originalidad de sus creencias, costumbres, artes.

El tercer período del *indigenismo,* el que es posterior a Mariátegui y a Valcárcel y tendría como principales narradores a Ciro Alegría y José María Arguedas, se distinguiría por su esfuerzo para subsanar las carencias anotadas. Al tiempo de conservar las demandas sociales, económicas y políticas del *indigenismo* de los *Siete ensayos,* procurará perfeccionarlo con un mejor conocimiento de la realidad y una ampliación del enfoque sobre la sociedad peruana, nacido de una documentación más firme. Este tercer *indigenismo* ten-

---

[7] Véase el ensayo de Aníbal Quijano, "Naturaleza, situación y tendencia de la sociedad peruana contemporánea", en *Pensamiento crítico,* La Habana, mayo de 1968, núm. 16.

drá, por lo tanto, una dominante nota "culturalista"
y ya no rotará exclusivamente sobre el indio, con lo
cual su misma denominación empezará a ser cuestio-
nable,[8] al punto que esta apertura hubiera podido pre-
sentarse como la verdadera fundación del período nacional, peruano, de la cultura del país, el antecedente
de las profundas modificaciones políticas y sociales que
pronto habrían de introducirse.

Referido al tema restricto de la literatura, este *indigenismo* se define con los siguientes términos: "La narrativa peruana intenta, sobre las experiencias anteriores, abarcar todo el mundo humano del país, en sus
conflictos y tensiones interiores, tan complejos como su
estructura social y el de sus vinculaciones determi-
nantes, en gran medida, de tales conflictos, con las
implacables y poderosas fuerzas externas de los impe-
rialismos que tratan de moldear la conducta de sus habitantes a través del control de su economía y de todas
las agencias de difusión cultural y de dominio político."[9]

El concepto *indigenismo* visiblemente busca aquí alcanzar una coincidencia con el concepto de *peruanidad*. Esta modificación, que distingue no sólo la narrativa de Arguedas respecto a la de López Albújar, sino
también sus ensayos etnológicos respecto a los políticos
de su maestro Mariátegui, es hija de un lento aden-
tramiento en las modificaciones sustanciales que venían
avizorándose en la sociedad peruana de la sierra y cuya
eclosión se sitúa en las décadas posteriores a 1930.

De ahí nace la curiosa paradoja. El *indigenismo* ar-
quetípico, el de *Amauta*, fue, como vimos, la forma
ideologizante que asumió la conciencia mestiza que

[8] En el citado ensayo "La novela y el problema...", Arguedas concluye preguntando: "¿Y por qué llamar indigenista a la literatura que nos muestra el alterado y brumoso
rostro de nuestro pueblo y nuestro propio rostro, así ator-
mentado?"

[9] "Razón de ser del indigenismo en el Perú", en *Visión
del Perú*, Lima, junio de 1970, núm. 5.

alimentó ese movimiento, para procurarse un instrumento de lucha en su ascenso social, presentándose como intérprete de la mayoría nacional, aunque la excesiva acentuación de los valores ideológicos indios no hizo sino traducir la interna debilidad intelectual del sector social que los generaba, su poca audacia para afirmar los valores propios. La tercera generación "indigenista" invertirá los términos de la paradoja de sus mayores: disponiendo de un conocimiento mucho más amplio de la cultura indígena y apreciándola con fuerte positividad, aportará sin embargo, el descubrimiento del "mestizo" y la descripción de su cultura propia, distinta ya de la "india" de que provenía. Este último *indigenismo*, el que hasta la fecha puede estimarse como el más cabal y mejor documentado, ha sabido realzar el papel central que cabe al "mestizo" en la formación de la tantas veces ambicionada "nacionalidad integrada" peruana, siendo sus miembros los que por primera vez han estudiado con atención esa curiosa figura que motivara más rechazos que alabanza, en especial de los apasionados propagandistas del indio de los años veinte.

José María Arguedas se encontraba todavía muy cerca de ellos cuando inició su obra intelectual. Así lo prueba su manejo de la tesis dualista, su cerrada reivindicación del indio, su visión dicotómica de la sociedad (indios y "mistis"), su desvío hacia los mestizos. Éstos aparecen en sus cuentos siempre al servicio de los señores y son figuras esquemáticas, meramente ancilares del poder. No obstante, corresponderá a Arguedas descubrir la positividad del estrato social mestizo, será quien cuente con delicadeza su oscura y zigzagueante gesta histórica y mostrará cómo reelabora las tradiciones artísticas que en un nivel de fijeza folklórica custodiaban los indios, introduciéndolas ahora en la demanda nacional.

El asunto fundamental de los ensayos etnológicos de Arguedas será este personaje y esta clase intersticial: los examinó literaria y sociológicamente, después de

haberlos descubierto con esfuerzo. Los atendió más en
el ensayo que en la novela (aunque en ésta fue capaz
de conferir rasgos mestizos al idealizado Demetrio Rendón Willka de *Todas las sangres*) transformándose en
su lúcido y comprensivo analista. Cuando aludíamos
antes a la dialéctica de lo concreto en la experiencia
intelectual de Arguedas, pensábamos en esta inversión
de los términos del conflicto, que le permitió superar
las limitaciones del *indigenismo* de sus mayores, ade-
cuándolo al proceso transformador de la sociedad.

No fue tarea fácil. El acercamiento de Arguedas al
mestizo no se hizo sin inquietudes y suspicacias. Se
sintió rechazado por su desconcertante ambigüedad y
su aparente antiheroicidad. Lo vio en dependencia estrecha de los señores, cumpliendo las faenas más indig-
nas; vio también la velocidad con que podía trasladarse de uno a otro bando sin comprometerse claramente
con ninguno, pero sobre todo resintió en él su falta de
moral. Se necesitaba mucha comprensión para medir
realísticamente la situación social del mestizo, su vivir
en una tierra de todos los demás pero no suya, lo que
le obligaba a desarrollar condiciones adaptables a ambientes hostiles. Pero esos mismos rasgos explican la
atención que concedió al personaje, que en 1950 ya
percibía en estos lúcidos términos: "¿Y cuál es el destino de los mestizos en esas aldeas? En estos tiempos
prefieren irse; llegar a Lima, mantenerse en la capital
a costa de los más duros sacrificios; siempre será mejor que convertirse en capataz del terrateniente y, bajo
el silencio de los cielos altísimos, sufrir el odio extenso
de los indios y el desprecio igualmente mancillante del
dueño. Existe otra alternativa que sólo uno de mil la
escoge. La lucha es feroz en esos mundos, más que en
otros donde también es feroz. Erguirse entonces contra
indios y terratenientes; meterse como una cuña entre
ellos; engañar al terrateniente afilando el ingenio hasta
lo inverosímil y sangrar a los indios, con el mismo ingenio, succionarlos más, y a instantes confabularse con
ellos, en el secreto más profundo o mostrando tan sólo

una punta de las orejas para que el dueño acierte y se incline a ceder, cuando sea menester."[10]

En 1952, en el informe que rinde sobre el *Primer Congreso Internacional de Peruanistas,* ya está articulada la línea interpretativa: contrariamente a la opinión negativa de Luis Valcárcel, que hiciera escuela, afirmará que el mestizo representa una clase social real, existente y numerosa, que ya puede caracterizarse con bastante precisión, salvo que no ha sido suficientemente estudiada a pesar de ser elemento clave de "las posibilidades y el destino del país".

En el pensamiento crítico de la época, ese papel de redentor que el marxismo atribuyó al proletario, fue trasladado al indio puro, al integrante de los *ayllus* de la serranía del sur y en el mismo sentido, idealizándolo más si cabe y dotándolo de la función de "cordero pascual", lo describió Arguedas. Poco a poco ese mismo papel se lo confirió al mestizo, personaje sin cuarteles de nobleza como el indio, de escaso prestigio intelectual o ético, pero que vista su destreza, energía y capacidad de adaptación, se presentó como el más viable, el único capaz de salvar algo de la herencia india en los difíciles trances de la aculturación.

Para llegar al reconocimiento de la validez y de las virtudes de la cultura mestiza que para la mayoría de los testimonios o era inexistente o era muy vulgar y torpe, hubo que dar un paso que era resistido: desprenderse de la evocación nostálgica del Incanato que arrastraba hacia la desatinada esperanza de una restauración purista y en cambio reconocer la cultura india mestizada poshispánica, lo que implicaba certificar una extraordinaria capacidad de adaptación por parte del pueblo quechua, demostrada a lo largo de la Colonia. Esa plasticidad e inteligencia para preservar los valores claves a los que respondía su existencia e identidad era la que también le había permitido absorber

[10] "La novela y el problema de la expresión literaria en el Perú", *art. cit.*

ingentes contribuciones españolas (religión, trajes, instrumentos, cultivos, fiestas) reelaborándolas en el cauce propio tradicional.

Con el reconocimiento de la cultura indígena bajo la Colonia y aun bajo la República que no hizo sino continuarla, Arguedas se distancia de aquellos *indigenistas* que sólo podían valorar al indio contemporáneo en razón de los elementos originarios que le vieran conservar, así la lengua o algunas formas artísticas, considerando perniciosas e impuras todas las incorporaciones procedentes de la cultura española. Tal distanciamiento quedó certificado en repetidos episodios: Arguedas utilizó y defendió el idioma quechua tal como lo manejaba espontáneamente la población, o sea empedrado de hispanismos, oponiéndose de este modo al purismo lingüístico de los académicos cuzqueños; Arguedas condenó insistentemente las evocaciones y "estilizaciones" de la época incaica, remedo de lo que él llamó el "monstruoso contrasentido",[11] prefiriendo siempre el empleo de instrumentos, trajes, músicas, etc., contemporáneos, aunque en ellos fuera perceptible la

[11] En un artículo publicado en *El Comercio* (suplemento dominical), Lima, 24 de junio de 1962, bajo el título "El monstruoso contrasentido" dice Arguedas: "Se admiraba el arte antiguo de los indígenas y dominaba a los criollos y a los señores la convicción total de que entre los creadores de tal arte, consagrado universalmente por sabios y críticos extranjeros, y el indio y mestizo actuales, había una ruptura absoluta de continuidad. La transformación impuesta por la servidumbre, desde la conquista, en el estilo y en algunas técnicas del arte indígena, era tenida como una ruptura esencial en el espíritu, en la virtualidad del hombre antiguo y del indio actual "degenerado". Esta convicción que aún rige la mentalidad de una buena parte del pueblo criollo y de los señores, constituye el monstruoso contrasentido. Ya intentaremos probar cómo en ciertas artes, tales como la música y la danza, el post-hispánico es más rico y vasto que el antiguo, porque asimiló y transformó excelentes instrumentos de expresión europeos, más perfectos que los antiguos."

influencia española. Tales elementos componían una cultura viviente y actual y nada justificaba cancelarla en beneficio de la idealización de un pasado desaparecido.

De este ajuste sobre la cultura indígena surgió la posibilidad de pasar al reconocimiento de otra cultura que se derivaba de ella pero que implicaba un mayor grado de incorporación de elementos extraños, propios de la civilización occidental: la mestiza. No fue un comportamiento intelectual excepcional sino que representó lo que múltiples profesionales procuraron: sociólogos, antropólogos, folkloristas, lingüistas, varios de los cuales contaban con una preparación académica más esmerada que la de Arguedas. En este tercer período indigenista, las ciencias humanas se consagraron a un estudio metódico, con mejor utilaje, de la totalidad social del país, lo cual implicó una mayor atención por el mestizaje. Si a partir de 1950 se acrecientan los estudios sobre este sector, recuperándose al mismo tiempo períodos del pasado en que ya había comenzado disimuladamente su gesta, se debió a los intensos movimientos migratorios que acarrearon la incorporación masiva a la capital y a las ciudades industrializadas de la costa, de una importante cantidad de serranos. Paul Rivet llegó a ver, y según el testimonio de Arguedas "con especial regocijo", la invasión de la ciudad de Lima por los indios, quienes aportaban su original formación cultural y quienes ingresaban, no bien instalados en las miserables barriadas, a un proceso vertiginoso de transculturación. En los análisis del Instituto de Estudios Peruanos, bajo la dirección de José Matos Mar, es posible seguir este sismo social que alteró notoriamente la composición demográfica de la que fuera capital de la cultura costeña y punta de lanza de la dominación occidental sobre el resto del territorio, la cual en sólo veinte años triplicó su población. La misma historia contó Arguedas en algunos de sus artículos sobre los "clubes" de serranos, sobre sus fiestas en los coliseos [12] y en su última novela *El zorro de arriba y el zorro de abajo*.

"El movimiento *Amauta* coincide con la apertura de las primeras carreteras"[13] había consignado Arguedas, con lo cual databa claramente las modificaciones que, habiéndose operado en el país, constituyeron el "background" sobre el cual inscribió su tarea la generación del tercer período indigenista. Más que desde un ángulo sociológico, Arguedas ve el problema desde la perspectiva de una antropología cultural: su preocupación es el resguardo de la identidad nacional, de los valores éticos y filosóficos de la tradición indígena que entiende superiores (concepto de la propiedad, del trabajo, de la solidaridad del grupo, de la naturaleza, del humanismo). No es que para él la cultura mestiza sea superior a la abroquelada cultura de las poblaciones indias del departamento de Puno, sino que ella es una coyuntura eficaz de preservación parcial de aquellos valores, en tanto que los agrupamientos indígenas conservadores se encuentran en situación más desamparada: incapaces de resistir el asalto que promueve la cultura occidental burguesa y capitalista que viene de Lima, dentro de los bastiones serranos, son condenados a la desintegración social y espiritual.

En la obra de Arguedas abundan los testimonios sobre la desintegración de las agrupaciones indias conservadoras que han vivido a la defensiva durante siglos, por lo cual no pudieron desarrollar anticuerpos para

[12] Pueden consultarse diversos artículos pertenecientes a una campaña que entabla en el año 1962, entre ellos, "Notas sobre el folklore peruano" (3 de junio), "Apuntes sobre folklore peruano" (8 de julio), ambos de *El Comercio,* suplemento dominical, pero también, "En defensa del folklore musical andino" (*La Prensa,* Lima, 19 de noviembre de 1944), "De lo mágico a lo popular, del vínculo local al nacional" (*El Comercio,* suplemento dominical, 30 de junio de 1968), "Salvación del arte popular" (*El Comercio,* suplemento dominical, 7 de diciembre de 1969).

[13] En "José Sabogal y las artes populares en el Perú", en *Folklore Americano,* IV, 4, Lima, 1956.

enfrentar la aculturación que, en pleno siglo xx y con los instrumentos técnicos propios de tal siglo, se desencadenan sobre ellos. Vio claramente que las comunidades económicamente fuertes (que es lo mismo que decir: aquellas que ya tenían cumplido un proceso de mestización, incorporando elementos de la estructura económica occidental) eran capaces de defenderse con posibilidades de éxito, remplazando sus viejas instituciones indias por otras más modernas sin que eso acarreara pérdida de identidad, y aun permitiendo que forjaran soluciones originales. En cambio las comunidades pobres, o sea las que no habían accedido a ningún grado de mestización se desintegraban velozmente: "Todo empieza a cambiar en las ciudades y aldeas próximas y ellos no pueden sostener ya siquiera su organización antigua. A cada heredero le corresponde, frecuentemente, no más de un surco de tierra. Nadie quiere ya, ni puede, desempeñar en esas comunidades un cargo político y religioso. Las formas cooperativas del trabajo, la organización de la familia, toda la estructura colonial desaparece, pero convirtiendo al grupo humano en un caos: sin autoridad, sin fiestas, sin tierras. No tienen ante sí otro camino que el de emigrar."[14]

A partir de esta comprobación amarga se construye el interés de Arguedas por el mestizo y se suceden sus estudios acerca de la zona del país en que había pasado su infancia y adolescencia y donde registra una temprana mestización que había deparado la armoniosa evolución de la cultura india por absorción del mensaje europeo en un plano de libertad. Son esos estudios: "Puquio, una cultura en proceso de cambio" donde se recoge una investigación cumplida en 1952 y 1956 y sobre todo su "Evolución de las comunidades indígenas" que publicó en 1957 y que descriptivamente subtituló: "El Valle del Mantaro y la ciudad de

[14] En "La soledad cósmica en la poesía quechua", en *Idea,* núm. 48-49, Lima, julio-diciembre de 1961.

Huancayo: un caso de fusión de culturas no comprometida por la acción de las instituciones de origen colonial." Por último un perspicaz examen del "arte popular religioso y la cultura mestiza de Huamanga". Son sus más serias investigaciones sobre el tema: un resumen de sus conclusiones se puede encontrar en su ponencia "Cambio de cultura en las comunidades indígenas económicamente fuertes".

Sobre estas comprobaciones fundó su optimismo. Como en el conocido texto de San Pablo, fue una resurrección comprobada la que dio sustento a su fe: "Debemos apuntar, sin embargo, que el caso de Mantaro es todavía una excepción en el Perú. Pero este acontecimiento feliz nos puede servir ahora de ejemplo vivo para el difícil estudio de la diferenciación cultural que existió siempre entre la sierra y la costa, hecho que se acentuó cada vez más en la época moderna. Nos servirá también para el estudio del posible proceso de fusión armoniosa de las culturas que ambas regiones representan, fusión posible, puesto que en esta región se ha realizado. Sin la aparición del caso del Alto Mantaro nuestra visión del Perú andino sería aún amarga y pesimista."[15]

Si en algún lugar se produjo la fusión, ella es posible en todas partes, podría haber dicho remedando la insignia de Tylor adoptada por Lévi-Strauss con lo cual la tarea de investigación académica pierde su aparente gratuidad para constituirse en parte de esa "antropología de urgencia" que motivó la polémica de Arguedas en el XXXVII Congreso de Americanistas: estos conocimientos son las bases para el establecimiento de una política de la cultura latinoamericana y sobre ellos se asienta la construcción futura de esa cultura integrada, necesaria, gozosamente mestiza. Muchas veces se ha hecho referencia a la nota mestiza que signaría a la cultura del continente, en particular por aquellos

---

[15] "La sierra en el proceso de la cultura peruana", en *La Prensa*, Lima, 23 de septiembre de 1953.

autores que pertenecen a zonas de formación de pueblos nuevos (según la denominación de Darcy Ribeiro)
como es el caso, para los estudios literarios, de Arturo
Uslar Pietri. Sin embargo, esta etiqueta no ha venido
acompañada de un estudio concreto que explique en
qué consiste esa mestización en nuestra América, cómo
han operado las diversas influencias culturales, qué ha
sido recogido de las diversas tradiciones confluyentes
y qué ha sido desechado, cuáles son los principios de
estas operaciones y cuál su dinámica. La historia de la
mestización y el estudio de sus operaciones, está por
hacerse.

A ella se han anticipado los ensayos de José María
Arguedas que habrán de constituirse en perspicaces y
utilísimos estudios de sociología del arte latinoamericano. Tal condición no deriva de la dimensión teórica, aunque Arguedas no dejó de utilizar con eficacia
y prudencia las enseñanzas de los maestros de la antropología anglosajona (Herskovits, Linton, Grinberg,
Beals, etc.), sino de una muy empírica capacidad para
relacionar las obras de arte con sus reales productores
y sus reales consumidores, examinando la situación de
éstos dentro de la estructura social, y fijando por último una asociación entre los temas, las formas y los sistemas de fabricación del arte, para confrontarla con
sus productores y sus receptores sociales. La fineza de
observación de Arguedas es asombrosa y a ella puede
atribuirse la felicidad de sus muchas comprobaciones
sobre el funcionamiento de la sociedad, los diversos estratos, sus intereses y sus conflictos. Arguedas desarrolló
una habilidad consumada para leer a la sociedad en
las obras de arte, de tal modo que sus estudios de
campo consagran más espacio a este aspecto que a
los restantes de tipo sociológico, pudiendo, mediante los datos de naturaleza artística, interpretar al conjunto social. Su conocimiento del folklore y su personal trato con las formas artísticas, le permitió ver que
existía una similitud entre determinadas conformacio

nes estéticas y muy precisas cosmovisiones de los grupos sociales.

En sus diversos estudios se irá especializando en detectar los rasgos mestizos del arte, a los que rendirá su mejor análisis en las "Notas elementales sobre el arte popular religioso y la cultura mestiza de Huamanga" (1951) con su estudio del arte del "escultor" Joaquín López y de las transformaciones que se van introduciendo en los "retablos" o "San Marcos". El análisis de la evolución de este objeto de culto y este producto de artesanía, a lo largo de la transformación que sufre la sociedad rural peruana, y la participación que en esa evolución le cupo al mestizo, único apto para "realizar esta sincrética y armoniosa representación de símbolos de religiones tan diferentes y antagónicas pues oficialmente una perseguía a la otra para destruirla" es un modelo del análisis sociológico que hubiera aprobado Arnold Hauser.[16]

Al mismo tipo de pesquisa corresponden sus estudios sobre los mitos, un campo que no pudo ser desarrollado por Arguedas lamentablemente, vista la excelencia de su estudio del mito de Inkarrí al que consagró diversos artículos. La importancia de este ensayo no radica sólo en la curiosidad y riqueza significante del mito de Inkarrí, sino en la sagaz vinculación de las diversas formulaciones del mito con la estructura social de quienes lo han generado, estableciendo sistemas asociativos entre los mitos y las comunidades que los crean, los cuales sirven para comprender las más secretas esperanzas de éstas, pero también para desmontar los ocultos significados que esos mitos transportan. El fin de esta investigación sobre el tema de Inkarrí, que puede leerse en los "Mitos quechuas poshispánicos", ilustra este ejercicio libre, empírico y sutil, de los métodos de la sociología del arte. En Arguedas, su espontáneo manejo, que nos revela su enlace con el

---

[16] El mismo tema lo desarrolló en su artículo "Del retablo mágico al retablo mercantil", en *El Comercio*, suplemento dominical, 30 de diciembre de 1962

pensamiento de *Amauta,* en nada disminuyó su percepción y su degustación del arte. De este tema podría decirse lo mismo que él dice de su trato con las ideas socialistas: "¿Hasta dónde entendí el socialismo? No lo sé bien. Pero no mató en mí lo mágico."[17] El conocimiento de las raíces sociales del arte, la carga ideológica que transporta y dentro de la cual se forma, no empañó en él la emoción estética. Conocimiento social y arte marcharon juntos, sin dañarse, complementándose y enriqueciéndose, de tal modo que sus ensayos sobre etnología o sobre folklore se pueden, se deben, leer desde esa perspectiva integradora en que todo se funde armoniosamente.

[17] "No soy un aculturado...", en *El zorro de arriba y el zorro de abajo, op. cit.*

V. LA INTELIGENCIA MÍTICA

1. *Concentración y reiteración*

Una rara unidad distingue a la obra intelectual de José María Arguedas respecto a la producción de su tiempo. Salvo la novela testimonial *El sexto* (1961) en la cual contó su experiencia carcelaria de 1937-1938 y salvo una escasa serie de páginas sobre asuntos accidentales, su producción resulta unificada por el manejo de una temática exclusiva. Ella rota en torno al indio peruano y aspira poco a poco a reflejar, con un criterio francamente nacionalista, a la totalidad sociocultural de su país cuyo estructurante, para Arguedas, no puede ser otro que la cultura indígena. Pero además (porque de otro modo podría confundírsele con escritores del indigenismo social de la época del tipo del ecuatoriano Jorge Icaza) la unidad se acentúa porque dicha temática es interpretada —voluntaria, tercamente— a través de la cosmovisión de las comunidades indias, enfoque que Arguedas hizo suyo inicialmente y luego amplió, trasladándolo a otros estratos sociales de índole mestiza, donde estimó que aquella cosmovisión se prolongaba y aun revivificaba.

En un período histórico en que la variedad temática y estilística comenzó a ser la norma de la producción artística latinoamericana, Arguedas mostró, en cambio, una concentración absorbente, fijación poderosa y exclusiva sobre un territorio único de lo real, junto a una visión igualmente unitaria y persistente de ese complejo temático. Si en su primer libro de cuentos *(Agua,* 1935) y en su primera novela *(Yawar fiesta,* 1941) ya es visible este comportamiento literario, elusivo de las normas de la modernidad, la serie de relatos posteriores *(Diamantes y pedernales,* 1954,

La agonía de Rasu Ñiti, 1962 y *Amor mundo*, 1967)
y de sus novelas (*Los ríos profundos*, 1958, *Todas las
sangres*, 1964 y *El zorro de arriba y el zorro de abajo*,
1971) no hizo sino corroborar, con muy pequeñas variaciones (que lo fueron en el sentido de procurar un registro más cercano a la totalidad social de la nación) tal
concentración obsesiva. Su coherencia, su significado,
se vuelven más claros si se reintegra el sector literario
de su producción intelectual en el seno de los restantes sectores que practicara, sobre todo los ensayísticos
sobre asuntos de antropología y folklore que le son estrechamente afines. En éstos no sólo se reiteran los mismos temas y los mismos enfoques, sino que las condiciones peculiares del género le imponen racionalizarlos, en
el nivel de su más empinado esfuerzo intelectual, con
una constante búsqueda de fundamentaciones y explicaciones para las posiciones asumidas.

Contra el criterio de movilidad y variación por incorporación de datos siempre nuevos, siempre cambian-
tes, esta obra testimonia la fijeza y la concentración
sobre un universo que es acometido una y otra vez,
como en sucesivas olas, parcialmente repetitivas pero
también parcialmente diferenciales, en un esfuerzo cuyas
características revelan tanto lo insondable del conocimiento que ha sido propuesto como el fracaso de las
sucesivas acometidas para recorrerlo íntegramente y ago-
tarlo. Si el primer criterio tiene su asentamiento en el
campo de la sensación, con su vivacidad espontánea,
su intenso y relampagueante brillo pero también con
su velocidad para agotarse y necesitar de ser sustituida
(sensación cuya positividad impuso la sociedad industrial burguesa al construir la modernidad), el segundo
criterio se instala en el campo del conocimiento, del
cual extrae su persistencia para insistir y vencer las
diversas alturas en que progresivamente se va colocan-
do, en una tarea que implica un avance literalmente
inagotable, características estas que son diametralmente opuestas a las que singularizan la civilización euro-

pea (o atlántica) que se expandió victoriosamente sobre América Latina en el siglo xx.

Si clasificáramos a los escritores latinoamericanos de acuerdo con estos opuestos criterios, podríamos establecer un cuadro que debería registrar los diversos matices, grados de influencia, mayores trasmutaciones o compromisos que se produjeran entre los dos polos de fuerza propuestos: el que corresponde a la influencia permanente que procede de los centros culturales externos, la cual aplica una preceptiva cultural moderna y dispone para transmitirla de los eficaces instrumentos de una tecnología afín, y el que corresponde al repliegue sobre las tradiciones locales en aquellas sociedades a las que el avance de los centros externos ha remitido al rango de conservadoras, las que procuran preservar la continuidad e identidad de un grupo social apelando a medios de comunicación pobres y tradicionales. Si Jorge Luis Borges puede ser situado en las vecindades del primero de estos polos, es muy cerca del segundo que debe verse a José María Arguedas.

Tales rasgos de una producción intelectual pueden conectarse con una problemática más amplia y compleja, de la cual no serían sino las manifestaciones superficiales, traducciones epidérmicas de un funcionamiento mental profundo donde puede detectarse el componente original de la cosmovisión del escritor. Aunque la entidad de este aspecto motivará un examen más detenido, ya se puede adelantar su presencia en esta manifestación superficial. Pues no se trata solamente de una concentración sobre un reducido grupo de asuntos, sino el sistema reiterativo que se les aplica, el cual los toma y retoma sin cesar, les introduce leves modificaciones, los vuelve a relacionar con otros elementos que le introducen modificaciones, los rearticula en estructuras que resultan perecederas y deben ser sustituidas por nuevas estructuras parcialmente similares aunque también compuestas de elementos distintos.

Estas operaciones pueden emparentarse con el funcionamiento de una mentalidad irrigada por un pensamiento mítico, pareciéndonos, si no operaciones prototípicas, al menos comportamientos familiares del pensar mítico. En el caso de Arguedas reencontramos algunas notas distintivas de este pensar, que es propio de las sociedades primitivas y también de las tradicionales, pero integrado a órdenes distintos y en visible pugna con otras formas del pensamiento. Esta mezcla y dosificación podría explicar las variedades que se perciben en su inserción y lo cambiante de los productos que genera, pareciendo por eso remanencias más que articulaciones constitutivas del funcionamiento intelectual.

En todo caso es posible aproximar tales manifestaciones de la definición que hiciera Lévi-Strauss en *Lo crudo y lo cocido* del pensar mítico: "doble carácter del pensamiento mítico, de coincidir con su objeto —del que forma una imagen homóloga— pero sin nunca conseguir fundirse con él, por evolucionar en otro plano. La recurrencia de los temas traduce esta mezcla de impotencia y tenacidad. Indiferente a la partida o a la llegada francas, el pensamiento mítico no recorre trayectorias enteras: siempre le queda algo por realizar. Lo mismo que los ritos, los mitos son *interminables.*" [1]

Visto que una descripción de esta naturaleza corre el riesgo de aplicarse no sólo a las comunidades tribales sino a muchos hombres integrados en las más desarrolladas sociedades y también a sectores enteros de éstas (lo que nos permitiría avizorar que el pensamiento mítico es una condición superviviente en cualquiera de las actuales sociedades, preferentemente dentro de aquellos estratos sumergidos o apenas emergentes) resulta necesario señalar que las vías de un pensamiento mítico no son necesariamente contrarias al funcionamiento de otros pensamientos, no son necesariamente mágicas e irracionales y, como lo ha razonado Lévi-

---

[1] Claude Lévi-Strauss, *Mitológicas I: Lo crudo y lo cocido*, México, Fondo de Cultura Económica, 1968, p. 15.

Strauss en *La pensé sauvage,* pueden diferenciarse de las vías de otro pensar, más por el campo a que se aplican o por la manera de ordenar los datos reales, que por su especificidad mental.

2. *El camino de la transculturación*

Arguedas parte de una vocación reivindicadora. muy nítida, prácticamente de una militancia al servicio de los pueblos indígenas secularmente expoliados, primero por los españoles de la Colonia y luego por los peruanos de la República, pero al mismo tiempo tiene conciencia lúcida de la problemática andina a la que procura examinar con criterio realista, evitando las simplificaciones o las parcializaciones. La problemática andina rota para él en torno de un centro, la cultura indígena estancada, lo que confiere su importancia capital a la situación (social, económica y política) del indio, pero, debido a eso, también a los restantes sectores que con el indígena se encuentran estrechamente imbricados.

Desde sus primeros escritos percibe con claridad la rigidez de la estratificación social, aunque el esquema dicotómico primerizo de indios y "mistis" enfrentados pronto dejará lugar a una visión más compleja de la estructura social, como del régimen de dominación en que se fragua, distinguiendo las diversas castas y clases del país. Los efectos de tal injusticia los percibe sobre los siervos pero también sobre los señores en quienes detecta, por obra del ejercicio de la dominación, una disgregación espiritual. Por último va avizorando la contribución de los sectores intermedios formados por mestizos. La estructura tripartita de indios, cholos y blancos, que para un antropólogo actual "opera más como tres estamentos simbióticamente organizados que como una sociedad integrada"[2] Arguedas habrá de en-

---

[2] Darcy Ribeiro, *Las Américas y la civilización,* Buenos Aires, Centro Editor de América Latina, 1972 (2ª edición).

focarla no sólo en un plano socioeconómico, con aportaciones críticas que diversifican este esquema demasiado estrecho, sino sobre todo en el más arduo de las singularidades culturales de cada sector, precisando sus funciones y los efectos que promueve.

No pierde de vista que es una estructura, cuyos diversos elementos están por lo tanto en mutua dependencia y que el punto clave lo representa la situación oprimida de la cultura indígena, una ausencia que manifiesta tal fuerza que es comprensible que Arguedas, aun reconociendo la complejidad social, vuelve muchas veces a la concepción dicotómica: "¿Hasta cuándo durará la dualidad trágica de lo indio y lo occidental en estos países descendientes del Tahuantinsuyo y de España?"[3] No obstante ello, no obstante que a veces coloca en el mismo bando a estudiantes, "mistis" y mestizos, su narrativa, así como su ensayística, desbrozarán la complejidad social. Parte de la concepción del hombre, y por analogía, del personaje narrativo, que fue generado por el pensamiento de la generación indigenista de *Amauta*, pues ésta incorporó a América Latina la visión de la clase social como una entidad todopoderosa que sumergía y volatilizaba al individuo, poniendo así fin a la concepción liberal que perfeccionó el modernismo.

Tanto en la teoría antropológica como en la praxis narrativa, fueron tres los niveles en que podía situarse al hombre (o al personaje): encarado como un individuo, dueño de una subjetividad más o menos cerrada pero en la que se producía el conocimiento (apropiación y reelaboración de la realidad objetiva) y de donde surgía una voluntad de actuar que se confundía con el yo; encarado como el miembro de una clase social, remplazando los rasgos privativos por los genéricos del grupo o de la situación que éste ocupaba dentro de la sociedad, en especial aquellos fijados por los imperativos

[3] "La novela y el problema de la expresión literaria en el Perú", en *Mar del Sur*, Lima, año II, vol. III, núm. 9, enero-febrero de 1950.

económicos; por último encarado como integrante de una cultura que mantenía fluctuantes relaciones con el concepto de clase social, tendiendo a englobarlo gracias a la intensidad de las tradiciones y costumbres que ella transportaba desde el pasado.

De las tres concepciones, la segunda signa al pensamiento renovador del indigenismo de los años veinte (Mariátegui) y en literatura genera las normas de la novela social-indigenista de la época. Ésta, cuyo modelo de más éxito lo representa Jorge Icaza, manejará con preferencia grandes frisos colectivos representados por "los indios" o, cuando se detenga en los individuos, procurará sintetizar en ellos los rasgos generalizantes de la clase social a que pertenecen, en su particular situación. Aunque Arguedas, en un texto crítico [4] dirá haberse afiliado a esta visión clasista, sobre todo para su novela *Yawar fiesta,* lo propio de su creación, su aporte original respecto al segundo momento indigenista fue el descubrimiento, tras el concepto colectivo de la clase que él no ignoró, del ser humano concreto: al Felipe Maywa que había conocido en su infancia, al mak'tillo Pantaleoncha, a don Mariano, construyendo una galería de personajes vivientes prójimos del lector. La misma posición la asumió un contemporáneo Ciro Alegría, quien teorizó el punto aduciendo que, hasta la generación regionalista, América Latina había desconocido al personaje individual, carencia que fue compensada por su generación retornando subrepticiamente a los modelos de la narrativa europea decimonónica.[5]

La visión de Arguedas será más compleja que la de

[4] *Ídem.*

[5] Ciro Alegría, "Notas sobre el personaje en la novela hispanoamericana", en *La novela iberoamericana,* Memoria del Quinto Congreso del Instituto Internacional de Literatura Iberoamericana, Albuquerque, Nuevo México, 1952. Dice: "La novela hispanoamericana es un inmenso despliegue de historias desarrolladas en panoramas y situaciones mil, que tendría un extraordinario relieve si no careciera de lo que es elemento esencial del género y su prueba de fuego: el personaje."

su compatriota: no se retrotrae al personaje-individuo establecido en el siglo XIX, aunque también en su caso fue el que mejor conociera por sus lecturas, sino que recoge de él algunos rasgos, eficaces para el diseño realista verosímil, los que reintegra dentro de dos conjuntos: el que responde, sociológicamente, a los datos genéricos de la clase social y el que se abastece, con mayor amplitud antropológica, de los componentes culturales, recubriendo tanto al personaje como a la clase que integra. De este modo el personaje narrativo se desplaza dentro de dos esferas, la clasista y la cultural, que no son enteramente coincidentes, las cuales lo dotan de un "ambiente" en que se disuelve todo trazado excesivamente individualista. Funcionan como cajas de resonancia de tipo colectivo donde las acciones se justifican o corroboran. A partir de estas aproximaciones, podría interpretarse su confesión, hecha en 1950: "En los pueblos serranos, el romance, la novela de los individuos, queda borrada, enterrada, por el drama de las clases sociales. Las clases sociales tienen también un fundamento cultural especialmente grave en el Perú andino: cuando ellas luchan, y lo hacen bárbaramente, la lucha no es sólo impulsada por el interés económico; otras fuerzas espirituales profundas y violentas enardecen a los bandos; los agitan con implacable fuerza, con incesante e ineludible exigencia." [6]

Si el punto de partida de Arguedas fue reivindicativo, o sea reclamar para los sectores indios oprimidos sus legítimos derechos, y si esto transita por un enfoque cultural, no puede menos que instalarse en la problemática de la transculturación desde el momento que opera a partir de dos culturas, una dominante y otra dominada, y a que ambas corresponden a muy distintas especificidades y situaciones. De ahí el papel protagónico que en su literatura fue conquistando, progresivamente, un determinado tipo de mestizo: aquel que podríamos llamar el heredero piadoso (en oposición al renegado), el que

[6] "La novela y el problema. . .", *art. cit.*

transporta a sus padres desde un universo a otro cumpliendo dentro de sí las trasmutaciones necesarias para permitirles la supervivencia.

Ése fue el papel que desempeñó el personaje de Virgilio, Eneas, en la primera civilización filial de la historia, la primera que recogió la herencia y la transmitió respetuosamente; es el mismo papel que Arguedas atribuye a Demetrio Rendón Willka, en el Perú transculturante del siglo xx, haciendo de él un magnificente Eneas americano a quien compete trasladar sobre sus hombros a su padre (la tradición cultural indígena) para que arraigue en un nuevo suelo (en una nueva estructura cultural, moderna y eficiente).

El escritor como bien decía Chéjov, no está obligado a resolver, en la literatura, los problemas que son privativos de la sociedad. Es suficiente con que sepa plantearlos bien, cosa que ya antes que Chéjov había sospechado Engels. Obviamente no es Arguedas quien puede poner en práctica la transculturación peruana; sólo le cabe exponerla lúcidamente mostrando ese privilegiado momento en que su muy antiguo y lento desarrollo sufrió de una aceleración manifiesta. Pero para él este cometido no era suficiente. Entendió que la literatura podía funcionar como esas zonas privilegiadas de la realidad que él estudió (el Valle del Mantaro) donde se había alcanzado una mestización feliz, o sea la que no implicaba la negación de los ancestros indígenas para poder progresar, actitud que daba nacimiento a ese demonio feliz que hablaba en quechua y en español, al cual se refirió en su discurso "No soy un aculturado".[7] Vista esa actitud, la literatura operó para él como *el modelo reducido de la transculturación*, donde se podía mostrar y probar la eventualidad de su realización de tal modo que si era posible en la literatura también podía ser posible en el resto de la cultura. Arguedas, por no ser gobierno, ni poder político, ni revolución, no

[7] Discurso de recepción del Premio Inca Garcilaso de la Vega, octubre de 1968, Apéndice de *El zorro de arriba y el zorro de abajo*, Buenos Aires, Losada, 1971.

puede ubicar en su mejor vía al proceso de la transculturación; en cambio hace lo que sí puede o cree poder hacer, apelando a todas sus energías: mostrar la transculturación en la literatura narrativa, realizar en él la escritura artística.

Su literatura es toda mostración y comprobación de que es posible la fusión de las culturas, pero esas operaciones no sólo se sitúan al nivel de los asuntos (con lo cual no hubiera superado el estadio alcanzado por la mejor narrativa indigenista, la de Ciro Alegría) ni sólo al nivel de los programas explicativos (con lo cual sus mejores diseños, como *Todas las sangres,* nunca superarían lo que explícitamente dice en sus ensayos antropológicos) sino que funcionan en la literatura misma, en el arte literario, en la escritura, en el texto. Sólo alcanzándosela allí, en el cuerpo mismo de la creación, se podría dar prueba fehaciente de la transculturación.

Si era acometer una ardua empresa, por la amplitud y exigencia del proyecto, también parecía excesivo desafío habida cuenta del pertrechamiento intelectual del autor. Su educación había sido desordenada, sus años universitarios dificultosos e interrumpidos (debió trabajar, fue encarcelado) y sólo tardíamente encaró una formación sistemática. En su vida adulta cumplió estudios de su especialidad en folklore y etnología y aunque él por humildad desmereció su capacitación, demostró en su tarea entera solvencia intelectual y eficaces conocimientos, más sobre el funcionamiento cultural concreto que sobre las teorías. Instalado en el período de apogeo del funcionalismo, sorteó sus insuficiencias porque no dejó de desarrollar una visión global, nacional y política, y porque además tuvo trato, mediante libros o mediante la enseñaza de los discípulos, con las figuras mayores de la antropología anglosajona (Herskovits, Boas, Linton).

Puede aceptarse que su información literaria fue escasa o poco sistemática, con las previsibles lagunas: no hay indicio de que hubiera frecuentado los surrealistas o de que se hubiera sumergido en la narrativa vanguar-

dista. Pero dado que la creación no depende del grado
de información del autor, es posible ponderar de otra
manera estos niveles de conocimiento. Así, puédese destacar la escasa presión que sobre él ejercieron los patrones artísticos externos a diferencia de lo ocurrido con
otros latinoamericanos, los que llegaron a impedir ver
y gozar de su propia realidad. Eso favoreció su inclinación hacia un universo interno, humilde y concreto, que
existía dentro de fronteras y que hasta era poco valioso
para intelectuales de sus mismas ideas político-sociales.
Supo dignificarlo artísticamente y jerarquizarlo intelectualmente. Tal instalación nacional —y hasta provinciana como él subrayó— [8] le llevó a colmar su panorama
con los materiales próximos y a establecer con solo ellos,
sin otras coordenadas axiológicas, un sistema de valores
artísticos. Esta coyuntura es riesgosa porque por lo
común arrastra a un necio provincianismo donde se
subvierten las jerarquías estéticas. Él dispuso, para evi-
tarlo, del apoyo que le prestó la gran herencia cultural
indígena, su pasado glorioso, su presente todo de harapos
reales. Contó además con su natural fineza y cautela
para apreciar el arte.

A estas dificultades individuales se agregó que el medio peruano no disponía de un sector cultivado, suficientemente nutrido como para establecer una comunicación aceptable entre las élites de evidente calidad que
ya se habían fraguado y que se habían tonificado con la
generación indigenista, y la mayoría de una población
relegada a niveles educativos bajos y además poco dis-
puesta a participar de un esfuerzo integrador. Ese sector
masivo que ha logrado cierta educación (y que es mera
consecuencia de cualquier proyecto de desarrollo, burgués o proletario) apenas comenzaba a aparecer cuando
Arguedas inició su obra literaria: eso explica lo tardío
del reconocimiento nacional (*Los ríos profundos* tardó
casi veinte años en reeditarse) y la ausencia de un público que acompañara al escritor a lo largo de su obra.

[8] Primer Diario de *El zorro de arriba...*, *op. cit.*

Por eso la operación transculturadora que intentará Arguedas sólo podía asentarse en los círculos rebeldes (intelectuales, estudiantes) del hemisferio de la cultura dominante, sin encontrar la contrapartida en el hemisferio cultural dominado que se encontraba marginado de los bienes espirituales y donde los sectores mestizos, que habrían de ser los legítimos destinatarios del mensaje, todavía no habían accedido masivamente a un horizonte artístico estimable.

Hablando de sus orígenes literarios, dijo: "¡Describir la vida de aquella aldea, describirla de tal modo que su palpitación no fuera olvidada jamás, que golpeara como un río en la conciencia del lector! Ése fue el ideal que guió todos mis trabajos, desde la adolescencia." [9]

Como se ve, lo rige un enfoque transculturante: no construyó su obra para los indígenas, sino para los lectores que pertenecían al "otro bando" y entre los cuales buscó reinsertar, persuasivamente, un conjunto de valores tenidos por inferiores o espurios. En vez de compadecer al indio, o en vez de pretender como los "cholos" limeños de *Yawar fiesta* que se integrara a los valores de la cultura dominante, busca hacer de él, a través de la literatura, un modelo que conquiste admiración. Para eso reinterpreta cada uno de sus actos dentro de la estructura cultural propia, porque sólo en ella pueden ser convalidados, relegando los defectos a la acción pervertidora de los dominadores (terratenientes, gamonales, sacerdotes, autoridades) de modo que asistimos al doble movimiento de justificación y exculpación mediante la restauración de la inocencia dentro de la peculiar estructura cultural, cuyos mandatos —como es sabido— no tienen por qué coincidir con los de otras estructuras.

La singularidad del proceso transculturante radica en su excepcionalidad. Un blanco se asume como indio, con el fin de socavar desde dentro la cultura de dominación para que en ella pueda incorporarse la cultura indíge-

[9] "Algunos datos acerca de estas novelas", en *Diamantes y pedernales*, Lima, Juan Mejía Baca y P. L. Villanueva, 1954.

na. Por lejana que pueda parecer, se trata de una operación similar a la que Karl Marx cumplió en favor del proletariado europeo del siglo XIX distinguiéndose de la burguesía en que había surgido y que, como ha visto Karl Mannheim tiene esos rasgos drásticos de las conversiones del intelectual cuando ingresa a los grupos sociales emergentes. Pero, dado que Arguedas contará con menos apoyos dentro de esos grupos de los que conquistó Marx entre los cuadros proletarios incipientes, habrá de cumplir su cometido en el seno de la cultura de dominación exclusivamente, sin otros respaldos que los que pudiera prestarle el grupo intelectual afín, o sea la vanguardia renovadora.

Su obra se impregna así de un rasgo definitorio de todo espíritu vanguardista: la futuridad. Se constituye íntegramente en una apuesta a largo plazo y remite su cumplimiento absoluto, su pensamiento y su arte, a las generaciones que vendrán, ya signadas por ese cambio sustancial que se está anunciando.

3. La forma: el género novela y el lenguaje

Si bien Arguedas apeló a los recursos regionalistas en boga, les introdujo sustanciales modificaciones manejando los resabios de una lírica posmodernista pero sobre todo, y fue ésa su fuente propia, las tradiciones artísticas de la cultura indígena. A lo largo de esta empresa hizo una contribución, que creo de magnitud, a algo no percibido en su entera latitud: la renovación, que es como decir el fortalecimiento, del sistema literario regional, gracias a la recuperación de una parte de los valores sumergidos que habrían de conferirle inesperada potencialidad. En ese sentido su obra refrenda la operación vallejiana, porque manteniéndose apegada al sistema regional, lo dota de otras posibilidades descubiertas dentro de su seno.

La dicotomía universalismo-provincianismo, que durante décadas atormentó a los escritores latinoamericanos e hizo que muchos se extraviaran, que se le planteó a Mariátegui y a Vallejo con tanto desgarramiento como para llevarlos a abrazar ambos términos por igual, también rige el período de casi cuarenta años en que nace y se despliega la estética de Arguedas. Éste vive dentro de un juego de espejos que lo remiten de un hemisferio al otro: pretende, en calidad de indígena, insertarse en la cultura dominante, apropiarse de una lengua extraña (el español) forzándola a expresar otra sintaxis (quechua), encontrar los "sutiles desordenamientos que harían del castellano el molde justo, el instrumento adecuado", en fin, imponer en tierra enemiga su cosmovisión y su protesta; simultáneamente está transculturando la tradición literaria de la lengua española llevándola a apropiarse de un mensaje cultural indígena en el cual deberá caber tanto una temática específica como un sistema expresivo. Como si fuera poco, tiene a sus espaldas la demanda universalista que el incipiente vanguardismo ha planteado a la generación regionalista, a la que debe dar respuesta. Es curioso comprobar que encontró la solución en el "gestalismo" que en varios conceptos prefigura nuestro estructuralismo.

"¿Fue y es ésta una búsqueda de la universalidad a través de la lucha por la forma, sólo por la forma? Por la forma en cuanto ella significa conclusión, equilibrio alcanzado por la necesaria mezcla de elementos que tratan de constituirse en una nueva estructura [. . .] La universalidad pretendida y buscada sin la desfiguración, sin mengua de la naturaleza humana y terrena que se pretendía mostrar; sin ceder un ápice a la externa y aparente belleza de las palabras." [10]

La forma, tal como la percibe Arguedas, funciona como el equilibrio de los contrarios. Resuelve sobre el plano simbólico de la creación artística las tensiones que han sido engendradas por contradicciones que, si están instaladas en la conciencia es porque son manifestacio-

[10] "La novela y el problema. . .", art. cit.

nes expresas de una conflictualidad cultural real y objetiva. En esta línea, la forma aparece como una respuesta dialéctica a un conflicto y es evidente que la denominación "forma" es insuficiente para abarcar la significación del proceso. Como dice acertadamente, la forma es una "nueva estructura" que resuelve las oposiciones resultantes de una "mezcla de elementos", con lo cual la estructura peculiar de la obra de arte (de la novela o el cuento en este caso) aparece como un homólogo, en la escala reducida que corresponde al artefacto construido por el hombre, de la macroestructura que debía generarse en la operación transculturante para que nos proveyera de algo más que una adición frustrante de elementos disímiles o la destrucción de unos remplazados por los otros. En la macroestructura, a la que había de llegarse por la neoculturación, deberían poder integrarse elementos disímiles (que proceden de muy diversas y alejadas fuentes) con un margen apreciable de funcionalidad armónica: de tal manera que lo concreto y particular de la cultura de un pueblo pudiera articularse con los conceptos de una cultura que se arroga, por obra de los principios que le depararon su triunfo histórico, la representación de la universalidad. Pero también, a la inversa, que permitiera la inserción de los productos de esta última cultura en las estructuras de significación de la sociedad indígena.

En este nivel la forma debe entenderse como un sistema literario autónomo donde se dan cita elementos de distintas culturas para convivir armónicamente e integrarse a una estructura autorregulada. Así la creación artística se sitúa en el centro de la transculturación, decretándose a sí misma como un sitio privilegiado en que se prueban sus posibilidades. Dado que Arguedas cumple con su literatura una experiencia estrictamente individual, que no está respaldada ni traduce una experiencia de toda una colectividad en trance de integrarse, él invierte los términos del proceso: como ya apuntamos intenta edificar la transculturación mediante la obra de arte, ofreciéndola como su modelo simbólico, el cual ha logrado convalidarse por ser la traducción de un elemento intermedio de esta sucesión que es su propia conciencia. En el citado discurso de recepción del Premio Garcilaso de la Vega, lo dijo explícitamente: "intenté convertir en lenguaje escrito lo que era como individuo: un vínculo vivo, fuerte, capaz de universalizarse, de la gran nación cercada y la parte generosa, humana de los opresores".[11]

Esto permite medir la audacia y al tiempo la soledad en que se formula su proposición: por más animada de espíritu proselitista que se nos aparezca, no deja de estar dirigida a uno solo de los hemisferios en pugna, el de la dominación. El autor queda definido como un "agente de contacto" de un tipo muy *sui generis,* que estimo poco usual en estas aproximaciones de culturas: procede de la cultura hispánica peruana que, por ser la dominante, es la que introduce sus valores dentro de las culturas indígenas sometidas, obligándolas a aceptarlos con pérdida de los valores propios, y simultáneamente recoge de ellas algunas migajas. Esta comunicación unilateral invierte su signo en Arguedas: resulta absorbido por las culturas indígenas, hace suyas sus componentes intrínsecos y se transforma por lo tanto en un blanco aculturado por los indios.

Todo resultaría claro y simple si aquí concluyera el proceso: un agente de contacto que es devorado por una cultura inferior, reinsertándose en ella. Ha habido numerosos casos en la historia. Pero el proceso continúa: Arguedas vuelve a la cultura de dominación y es dentro de ella que cumple su tarea intelectual, manejando sus recursos específicos y los instrumentos de dominación de que dispone.

Por lo que sabemos de su vida limeña en el primer quinquenio de los treinta, su vocación de escritor, a pesar de lo oscuro de esa opción en un hombre, tiene que ver o ha sido condicionada por sus propósitos transculturadores. La literatura se le aparece como el punto

[11] "No soy un aculturado", en *El zorro de arriba...,* *op. cit.*

donde se conjugan diversas líneas de fuerza: su capacidad personal o su vocación, su voluntad de proyectar la
cultura indígena en el seno de una sociedad que la rechaza, los campos que le consiente la estructura social
dominante a un hombre de su procedencia y educación,
el público afín sobre el cual es posible incidir y que ha
venido siendo desarrollado por la prédica del indigenismo.

Dentro de este esquema de fuerzas podría incluirse el
género literario al que apelará, la novela, por cuanto en
un período histórico signado por la publicación de
Tugsteno de César Vallejo, ese género se presenta como
el vehículo apropiado de una burguesía urbana en proceso de modernización al que por lo tanto puede echár-
sele mano con posibilidades de que rinda una eficaz
actividad educadora. Efectivamente, pudo haber recu-
rrido a la poesía, género que él cultivó esporádicamente
y que constituía la forma preferida de la cultura indígena, pero como no es para ella que emite su mensaje,
sino para la cultura de dominación, como está impulsado por un típico afán misionero que no puede
restringirse al campo de los estudios folklóricos y etnológicos, como tiene frente a sí a un grupo social nuevo,
surgido intersticialmente dentro de la pequeña burguesía
y que efectúa su ascenso social a través de las articulaciones intelectuales (son universtarios, funcionarios
del terciario, etc.), la novela se le ofrece como una
ancha salida expresiva. Al margen de lo que ella repre-
sente como vocación (y es evidente que dado el acento
lírico que distingue sus narraciones, esa vocación no
resulta suficientemente explícita) hay en esta opción
un ingrediente social, una estimación de las posibilidades de mayor repercusión e incidencia sobre un determinado público lector.

Pero la asunción de la novela implica una básica operación transculturadora. El género, que en América
Latina ha acompañado el desarrollo de los sectores medios en su frustrada ascensión al poder, revela condiciones peculiares que son difícilmente asimilables a los

sistemas de pensamiento y a las formulaciones artísticas de la cultura indígena peruana y en general a todo tipo de sociedad rural como el que ella tipifica. Por más que Arguedas llegue a organizar una novela apoyándola en los textos de los "huaynos" populares, por más que adecue la lengua para dar las equivalencias del quechua, sin cesar tropieza con una conformación literaria que es radicalmente hostil a su proyecto. De tal modo que la batalla primera (y la fundamental) se sitúa, como él reconociera, frente a la forma. Ésta era la novela misma. De hecho acometerá la conquista de una de las ciudadelas mejor defendidas de la cultura de dominación, a tal punto que toda la narrativa social reivindicativa del indio no vaciló en utilizarla, manejando el modelo que había sido ya estatuido por la novela regional y limitándose a dotarlo de una inclinación social que simplificó sus rasgos al extremo para que pudiera transportar significados distintos a sus proposiciones ideológicas, aunque sin alterar sus bases. Es éste un problema que escasamente fue percibido por la crítica marxista (es probatoria tal falta de percepción en Lukács) y que tampoco puede ser reducido al ámbito literario latinoamericano, puesto que ha regido la problemática de la supervivencia del género novelesco en todo el mundo, en especial en los países socialistas.

La novela social latinoamericana de los treinta ni siquiera se planteó este asunto como un problema, no discutió si estaba operando con una de las formas predilectas de la cultura occidental burguesa, limitándose a violentarla para que aceptara una ideología que respondía a las orientaciones de un pensamiento de izquierda (en el cual se mezclaba liberalismo, progresismo, tímidos escarceos marxistas) sin modificar demasiado notoriamente sus formas, apenas si simplificándolas en un régimen más marcadamente denotativo y lógico-racional. La beligerancia que ese pensamiento demostró en cambio respecto a las formas posteriores de la novela vanguardista, a las que interpretó como manifestaciones de la desintegración burguesa en el período imperialista, no la ejerció respecto a las formas anteriores de la novela correspondientes a la etapa de triunfo y expansión de la burguesía europea. Las aceptó pasivamente y ni siquiera las utilizó irónicamente como lo hiciera uno de los grandes epígonos del siglo XIX, Thomas Mann. En tal comportamiento es posible discernir una secreta conexión cultural, la continuidad de una determinada concepción de lo real y de las formas literarias apropiadas para traducirla, que sólo acepta variaciones de grado y no de sustancia, apuntando así a las contradicciones que presentan los nuevos grupos sociales que, sin embargo, pertenecen a la misma pauta cultural.

Las observaciones de Roland Barthes respecto al modelo de escritura del realismo socialista, pueden ser traídas a colación, ya que la novela social latinoamericana trató de conformarse a esas pautas en la década del treinta, a partir de las proposiciones de la novela regionalista latinoamericana que era la manifestación de la pequeña burguesía en ascenso que amanece con fuerzas hacia 1910. "Esta escritura pequeño-burguesa —dice Barthes— fue retomada por los escritores comunistas, porque, momentáneamente, las normas artísticas del proletariado no pueden ser distintas de las de la pequeña-burguesía (hecho por lo demás conforme con la doctrina), y porque el dogma del realismo socialista obliga fatalmente a una escritura convencional, encargada de señalar bien visiblemente un contenido incapaz de imponerse sin una forma que lo identifique." [12] Tampoco en el Perú de la época se había desarrollado una específica cultura proletaria y ella estaba siendo representada por los sectores radicalizados de la pequeña burguesía que surgían dentro de la cultura de dominación aunque cuestionándola y apoyándose para esa negativa en los supuestos valores indígenas. Eso parecería comprobar la observación de Bourricaud acerca de los ligámenes entre el movimiento indigenista en su formulación inicial y

[12] Roland Barthes, "Escritura y revolución", en *El grado cero de la escritura*, México, Siglo XXI, 1981 (5ª ed.), p. 72.

un sector mestizo emergente que enfrenta los intereses de otro sector mestizo, éste dominante, manejando el tema del indio como arma de la pugna del poder. Con lo cual no resulta rozado realmente el tema del indio en las artes sino que es un argumento para una disputa que se cumple internamente, dentro de la misma cultura, cuando un grupo social se ve detenido y paralizado por las estructuras económicas y sociales vigentes.[13]

La prueba de que el indigenismo de Arguedas es distinto del utilizado por los narradores sociales de su tiempo, de que en su caso asistimos a un esfuerzo auténtico de afirmación de los valores culturales indios, se encuentra en los conflictos formales que se le presentan cuando acomete el traspaso de esos valores a los de la cultura peruana oficial. Dentro de ésta encuentra formas literarias como la novela regional y social que no puede manejar sin someterlas a previa modificación, comprobando que le ofrecen una terca resistencia que indica a las claras la distancia que hay entre ambas cosmovisiones culturales. A lo largo de su convivencia con las comunidades indígenas y en sus posteriores investigaciones etnológicas, Arguedas observó la vastedad de los préstamos de la cultura occidental a la indígena, atestiguando que ellos no implicaban una modificación sustancial de la última: así, la adopción de nuevos instrumentos musicales no acarreó obligatoriamente la sustitución del repertorio tradicional de cantos, bailes y melodías, así la incorporación de palabras "castellanas" no modificó la estructura sintáctica de la lengua quechua, etc. En estos casos la cultura india demostraba su fortaleza y coherencia al mantener su línea tendencial básica, manejando dentro de ella, al servicio de las condiciones propias del sistema cultural, los préstamos de otras zonas. Para el caso de las palabras, dijo certeramente, en una de las tantas ocasiones en que se negó a aceptar las tesis puristas indígenas: "pues están allí, en

[13] François Bourricaud, "Algunas características originales de la cultura mestiza en el Perú", en *Revista del Museo Nacional*, Lima, t. XXIII 1954.

el fondo del contexto quechua, morfológicamente into-
cadas, pero transformadas a la semántica quechua con
el rigor absoluto de las conversiones químicas; conser-
vando sus elementos y virtudes, pero formando parte de
otra función, de otro universo".[14]

La situación inversa, de préstamos del estrato inferior al superior, es más compleja, sobre todo respecto a
las invenciones artísticas. La cultura oficial puede aceptar y aun fomentar (de hecho lo hace constantemente)
la incorporación de rasgos folklóricos (cerámicas, tejidos, danzas, canciones) que tienen su equivalencia
dentro de la literatura en las leyendas, cuentos populares, poemas, himnos religiosos, etc. Ellos no se integran
realmente a una cultura dominante como partes dinámicas, componentes que se trasfunden a una semántica
nueva, sino que quedan relegados a un estrato inferior
y congelado de ella. Sobre todo, porque como sospechó
el propio Arguedas en sus exámenes de literaturas folklóricas [15] en ese material se combina de variadas maneras la capacidad inventiva popular con imposiciones
de la interesada educación que despliega la cultura dominante para cumplir su proyecto de imposición; así
distorsiona en su beneficio el imaginario popular, aunque ello deba hacerlo a través de una muy confusa
pugna de tendencias en que tal imaginario también procura expresarse soberanamente y otras se pliegan a las
cosmovisiones que se le imponen para volverlo a relegar
al folklorismo.

Las formas originarias que la cultura indígena ponía
a disposición del escritor eran la canción y el cuento
folklórico. Las que proponía la cultura dominante eran
la novela y el cuento dentro de los modelos establecidos
bajo la doble advocación regionalista y social que a su

[14] José María Arguedas, *Canciones y cuentos del pueblo
quechua*, Lima, Huescarán, 1949, p. 11.
[15] José María Arguedas, "Cuentos mágico-realistas y canciones de fiestas tradicionales", folklore del Valle del Mantaro, provincias de Jauja y Concepción, en *Folklore Americano*, Lima, año I, núm. 1, noviembre de 1953.

vez se filiaba en el relato realista de la segunda mitad
del siglo XIX europeo. Dado que es a esta línea que se
pliega la obra narrativa de Arguedas, debemos inferir
que la batalla de la forma, en su primer embate, o sea
en la opción genérica, se decide en favor de aquellas
formas que rigen la cultura occidental. Pero a partir de
tal elección, observaremos que promueve un tratamiento
interno de esas formas que le introducen notorias modificaciones y que al mismo tiempo fortifica esa operación
con ayuda de elementos procedentes de la cultura autóctona.

La canción popular se incorpora de lleno a su narrativa, invadiendo cuentos y novelas, hasta el punto de
que algunos parezcan ilustraciones de un determinado
poema popular. Cumple una doble función: la tradicional de la novela regionalista, que utiliza la canción
o el dicho popular como elemento de tipificación y de
ambientación realista; además, a la manera de Brecht,
como articulación del mismo relato al que provee de
una síntesis explicativa en el campo de sus significados
superiores, que opera para las diversas secuencias o
para la obra entera, desde otro plano que no es el del
discurso narrativo específico. Esto permite que el tema
profundo de un cuento o una novela pueda transitar,
paralelamente al desarrollo de la narración, por la serie
de "huaynos" que se intercalan, los cuales lo reinterpre-
tan líricamente al tiempo que lo trasladan a otro plano,
de naturaleza simbólica, que es el que autoriza la comunicación con un universo de diferentes valores. Apelando
al "demonio de la analogía" que recorre tan gozosamente la obra de Arguedas, las canciones sirven como
"ejes de traslación" para facilitar el pasaje de un campo
cultural con sus formas artísticas establecidas a otro,
más sugerido que presentizado, en que ellas carecen de
virtualidad.

Por último, las canciones contribuyen a potenciar la
tendencia lírica que invade el relato presuntivamente
realista, dando la nota más alta de una graduación de
tonalidades en que se sitúa la composición. A ejemplo

de ciertos géneros (la tragedia griega, la versión operática que ofreció el Renacimiento) en la narrativa de
Arguedas también se encuentran tres dicciones diferentes del discurso que se equilibran dentro de una graduación armónica: una es la narración realista, otra es el
peculiar recitativo que representa el diálogo de los
indios o el manejo de esa lengua artificial construida
sobre el español y que sirve a traducir el pensamiento
indio, ya en los diálogos, ya dentro de la propia narración, y por último la canción que está en el punto más
alto de esta línea ascendente de tonalidades y que remata el conjunto proporcionándole el aspecto de "ópera
fabulosa" que lo distingue.

Esta organización de los materiales tiene una obvia
equivalencia musical, que es la que permite rastrear en
la forma novela de Arguedas una sobrepticia estructura musical que sin duda hubiera complacido al Lévi-
Strauss de *Lo crudo y lo cocido.* En el capítulo IX ("Cal
y canto") de *Los ríos profundos,* las violentas acciones
van pautadas dentro de un ordenamiento que más que
regirse por la mera hilación lógico-racional de la escritura realista, atiende a sistemas repetitivos y evocadores
que transporta la música, maneja la canción o el canto
de las calandrias como partes centrales de la sintaxis
narrativa, y concluye en esta confesión tan franca y
comprobable: "Mientras oía su canto, que es, seguramente, la materia de que estoy hecho, la difusa región
de donde me arrancaron para lanzarme entre los hombres, vimos aparecer en la alameda a las dos niñas." [16]

Es posible otra lectura de sus novelas que no sea la
que se rige por las andaduras actanciales, sino por este
manejo combinado de melodías y ritmos, donde los temas se repiten, se contrastan, se alternan, dialogan o se
suman en un coro. Es posible reconocer que su combinación de episodios narrativos, que pudiera parecer a
una mirada ya regida por las normas del realismo, como

[16] *Los ríos profundos,* Buenos Aires, Losada, 1958, pp.
159-160.

torpe o deshilvanada, la adecuación a un soterrado criterio musical que no mide situaciones, personajes, conflictos, en términos de su directo significado lógico-racional, sino en términos de su aporte melódico o rítmico, de su exigencia armónica de tipo musical.

La rica irrigación de la poesía cantada popular en la obra de Arguedas, no tuvo equivalente en un similar aprovechamiento del cuento folklórico: ni sus temas, ni sus recursos estilísticos, ni sus estructuras, pudieron ser utilizadas por el escritor. Hay una distancia abismal entre las recopilaciones folklóricas que hizo y su propia obra creativa, y aun dentro de ella ocupa un puesto marginal un texto como *El sueño del Pongo*. Es cierto que en sus últimos y dificultosos intentos narrativos, puede entreverse su intención de encontrar un camino para que entrara a la narrativa el material de cuentos y mitos: es el caso del tema de los zorros concupiscentes que salen de *Dioses y hombres de Huarochirí* para insertarse en su novela póstuma. Pero la misma composición de ésta, el ensamblaje de elementos tan disímiles como en ella se produce, no hace sino testimoniar la invencible dificultad que registraba para ese cambio, la resistencia que el género narrativo elaborado por él oponía a tales incorporaciones. No se trata, claro está, de una incompatibilidad esencial entre la cuentística folklórica y la narrativa occidental burguesa, pues del mismo modo que ésta se impuso sobre aquélla, también es pasible de volver a ser devorada por sus estructuras originales: en el citado "Primer diario" de *El zorro de arriba y el zorro de abajo,* Arguedas percibe lúcidamente la vinculación existente entre los episodios narrativos de *Cien años de soledad* y el material folklórico recogido por el padre Jorge A. Lira de labios de su criada Carmen Taripha y no sólo por semejantes motivos novelescos, sino también por las maneras de la hilación narrativa y por la admirable capacidad para enhebrar lo fantástico y lo real dentro del mismo plano narrativo de apariencia verosímil.

Creo que la explicación de esta preterición del cuento

popular en la narrativa de Arguedas es simplemente
hijo de las normas artísticas de su tiempo de formación
intelectual. Los modelos narrativos que encontró cuando ingresó a la literatura le impidieron obviar el realismo y el psicologismo imperantes, como en cambio le
fue más posible a García Márquez veinte y a Rulfo
treinta años después cuando ya eran modelos menos
coercitivos y en América habían ingresado las formas de
la vanguardia europea. Arguedas se sintió obligado,
por la subyacente reclamación sociocultural de su momento y su eventual público, para manejar un concepto
del verosímil que se había impuesto férreamente. El
instrumento a que apeló para reducir esa imposición fue
la tendencia subjetivizadora, el empleo del narrador
niño, la distorsión lírica de una realidad mediante su
iluminación en una conciencia avizorante.

Aceptó las imposiciones de su momento, situándose
aparencialmente en la descendencia de la novela regional, pero tuvo que corroer su rigor y dureza cuando se
enfrentó a la mayor dificultad de su proyecto literario
que fue, como varias veces confesó y explicó, el lenguaje.

El problema del lenguaje de la novela fue considerado por Arguedas en un modo particularizado y restrin-
gido, referido a su dificultad para hacer que los personajes indios hablaran en español, cosa que le resultaba
chocante y contradictoria con su experiencia de que-
chuista que los conoció y trató en quechua. Fue por lo
tanto un planteo inicial de tipo realista: encontrar para
ellos una lengua literariamente verosímil pero al mismo
tiempo una invención enteramente artificiosa pues los
indios hablaban entre ellos quechua y no español. El
aspecto más complejo del problema, a saber cómo trasladar la cosmovisión indígena adaptada a una sintaxis
y a un léxico quechuas, a otra sintaxis diferente como
la española, quedó implicado en su planteo inicial verista y disimulado tras él. Dados los personajes por él
elegidos y las situaciones en que los consideraba, el problema primero era el de la lengua que deberían utilizar,
toda vez que el lector del relato, mayoritariamente,

hablaba español. Como es sabido, procuró armonizar dos elementos aparentemente contradictorios: uno, al que se refirió en múltiples ocasiones, consistió en la creación de una lengua artificial donde combinó un equivalente de la sintaxis quechua con la incorporación dosificada de términos quechuas al español; otro, que quedó implicado por el anterior, consistió en rearticular, mediante esos elementos lingüísticos de invención literaria, un discurso intelectual (pero también un imaginario y una sensibilidad) que testimoniara las operaciones mentales del indígena.

La consecuencia de este arte combinatorio, fue una lengua española, pobre pero a la vez eficaz, una lengua fuertemente comunicante por una connotación literaria marcada, que fue puesta al servicio de mensajes muy nítidos, muy racionales a pesar de las alusiones míticas o supersticiosas que en ellos abundan, arrebatadamente lírica en muchos momentos y siempre capacitada como ninguna para la expresión del sentimiento o las emociones poderosas. Puesto que no hablan así los indios, ni siquiera cuando chapurrean malamente el español, lo que así resultó constituida, fue una lengua literaria específica del habla de ciertos personajes de la novela, en un modo que parece remedar los sistemas expresivos del teatro tradicional (la ópera china es un buen ejemplo de la pervivencia de estos recursos) y por lo mismo contribuyente a los efectos de distanciamiento y de definición de los personajes.

Ya sea mediante una apelación al discurso poético, ya sea por la inserción de las canciones populares, ya sea por el uso de estas estructuras lingüísticas diferentes de la corriente de la lengua española, por estos múltiples caminos se rodeó un lenguaje artificialmente elaborado que más que propio de los indios, resultó el medio expresivo del género novela. El universo de la representación que aporta la obra literaria, quedó nítidamente distinguido del universo real del espectador, no empece la convicción de Arguedas acerca de que las palabras referían muy concretamente la realidad y no empece la

projimidad humana en que fueron situados los personajes indios. Sin disminuir nada de sus condiciones visibles de verosimilitud y de veracidad, por esta vía Arguedas aportó a la novela regionalista que se demoraba en
la lengua mostrenca de las convenciones realistas ya esclerosadas, una vital renovación que comenzó por reconocer que el lenguaje de la novela es una invención
específica de ella, un instrumento artístico puesto al servicio de su naturaleza verbal.

En un texto pocas veces mencionado, perteneciente a
sus ensayos, Arguedas trata del problema de las traducciones del quechua al español, y dice de sus padecimientos en esta tarea, lo siguiente: "Debo advertir que soy
un narrador cuya lengua materna fue y es aún el quechua. En las pocas novelas y cuentos que he escrito se
encontrará, con claridad sin duda, un estilo diferente
al muy original de las narraciones quechuas folklóricas
que he traducido. Esto puede demostrar que he permanecido fiel al contenido y a la forma de los cuentos que
traduje. He intentado una traducción fiel no literaria.
Pongamos un ejemplo: el narrador emplea más de una
vez un giro característico del quechua para describir la
hora, de luz incierta, del crepúsculo: *pin kanki hora.*
La traducción literaria de la frase debería decir: 'La
hora quién eres' o más rigurosamente: 'Quién eres
hora.' Yo he traducido: 'la hora en que no es posible
aún ver el rostro de las gentes y es necesario preguntar
¿quién eres?' Los que hablan quechua han de comprender que se trata de una versión exacta, pues la frase
pin kanki hora contiente este pensamiento." [17]

Si bien es evidente que en la narrativa de Arguedas
no se encuentra el estilo de los cuentos folklóricos, tal
como habíamos apuntado, y si bien es asimismo evidente
que en la traducción que propone como ejemplo intenta reconvertir una forma quechua a la estructura sintáctica y semántica española evitando la equivalencia lite

[17] José María Arguedas, "Cuentos religioso-mágicos quechuas de Lucanamarca", en *Folklore Americano*, Lima,
1960-1961, año VIII-IX, núm. 8-9.

ral (letra a letra, que él llama literaria), es en cambio
notorio que su lenguaje narrativo ha resultado embebido
por formas peculiares de la sintaxis quechua, que sin
duda son más notorias en los diálogos que en los tramos
narrativos a cargo del personaje narrador. A esas estructuras pertenece ese efecto poético muy moderno que
recorre el lenguaje de la novela y que sin percatarlo Arguedas queda ilustrado en su ejemplo de traducción:
los lectores estarán conformes en que la fórmula "Quién
eres hora" tiene una intensidad, promueve una brusca
asociación de cosas lejanas, como querían Réverdy y
Breton para atrapar lo poético, que falta en la larga
frase explicativa en español.

4. La inteligencia mítica

La transformación del modelo narrativo realista que
cumple Arguedas no puede circunscribirse, como ya anotamos, al circunscrito problema del habla de los personajes indios dentro del relato. Si así fuera, estaríamos
ante una reiteración del sistema alternante y contradic-
torio de la novela regionalista latinoamericana que permitió la contigüidad del autor y del personaje dentro
de compartimientos lingüísticos estancos, de tal modo
que el relato implicaba un constante salto de una forma expresiva a otra, de una cultura a otra, de las
cuales la del autor era decretada como la superior,
adecuada a la norma académica y la del personaje popular la inferior propia de un habla que se definía como
corrompida. No es ésa la lección que se desprende de la
narrativa arguediana.

La subjetivación generalizada de sus relatos (dependiente de una visión por lo común infantil, en que se
traducen las típicas operaciones intelectuales del niño
que eluden la normatividad racional) y la inserción de
un componente lírico según diversas instancias que van
de la descripción poética a la canción popular, son dos
eficaces instrumentos de unificación del relato mediante

un lenguaje narrativo nuevo. Aquella lengua artificial creada para la expresión del indio dentro de la novela, se extiende, más remansadamente, al resto de las obras: por un lado aviva al relato mediante una escritura tensa, entrecortada, rápida, donde la realidad se traduce en un juego de pinceladas variadas y los hechos se descargan sin preparación previa, como abruptas centellas, para luego perderse velozmente en la confusión de sus efectos inmediatos, proceso este que es el que explica la diferencia entre el cuento "Agua" donde el autor reconoció que había logrado plasmar una realidad y los anteriores ejercicios cuentísticos que dejó sin publicar aunque prácticamente recorrían los mismos asuntos y los mismos personajes;[18] por otro lado refracta y desperdiga la realidad mediante los fragmentos de prosa lírica que, por el artilugio de una cosmovisión infantil verista, abre el acceso a una cosmovisión mítica; en ella la realidad es animada por las ideas latentes que sólo pueden manifestarse bajo formas simbólicas.

Pero de todas las operaciones transculturadoras que animan la invención de nuevas estructuras literarias en Arguedas, ninguna sea más singular y por otra parte más emparentable con las que signan a los restantes narradores de la transculturación en América Latina, que la que corresponde al ordenamiento de los materiales a lo largo del eje diacrónico del relato. Aparente-

---

[18] El texto que inicialmente encontramos en "La novela y el problema de la expresión literaria en el Perú" (art. cit.) vuelve a ser republicado por Arguedas en el prólogo a *Diamantes y pedernales. Agua*, Lima, Juan Mejía Baca & P. L. Villanueva, 1954: "Era necesario encontrar los sutiles desordenamientos que harían del castellano el molde justo, el instrumento adecuado. Y como se trataba de un hallazgo estético, él fue alcanzando como en los sueños, de manera imprecisa. Logrado naturalmente para mí, para el buscador. Seis meses después abrí las páginas del primer relato de 'Agua'. Ya no había queja. ¡Ése era el mundo! La pequeña aldea ardiendo bajo el fuego del amor y del odio, del gran sol y del silencio; entre el canto de los pájaros nativos guarecidos en los arbustos; bajo el cielo altísimo y avaro, hermoso pero cruel."

mente estamos en presencia, en sus novelas, de un régimen acumulativo donde se suceden diversos fragmentos que se anudan ocasionalmente por un personaje que los vive, que otras veces no cuentan con tal apoyatura y son vinculados por el ambiente o por los imprevistos de una acción que se desperdiga dentro del relato.

Tal comportamiento tiene que ver con el problema de la unidad narrativa que es, en la historia del género, una conquista tardía. Se impone al compás del desarrollo de las estructuras de la civilización industrial moderna. Por eso pasamos del régimen dispersivo de la novela medieval al régimen acumulativo de la novela renacentista (las aventuras de un personaje) para por último, atravesando las vicisitudes peculiares del siglo XVIII que intenta diversos caminos (didáctico, epistolar, etc.) a la estructura que se ha ofrecido como prototípica y no es sino la solución romántico-realista ofrecida por el siglo XIX, donde se logra la unidad en torno al decurso vital orgánico de un personaje al cual se supeditan medio, acción, restantes figuras, etc. Las ampliaciones posteriores (familias, grupos sociales) no son sino aplicaciones del principio de unidad orgánica del siglo XIX a conjuntos más amplios donde empieza a regir la ley social en sustitución de la ley psicológica individual.

Esta última concepción narrativa fue la heredada por la novela regionalista y social latinoamericana y puede reencontrársela en algunos cuentos de Arguedas, sobre todo en su primera producción. A ella trató de retornar en *Todas las sangres* para ofrecer un vasto friso sociológico del Perú, aunque no es de esa fuente que proceden las mejores virtudes de la obra. Pero en la mayoría de sus relatos cortos y en su novela *Los ríos profundos*, o sea en el centro definidor de su original aportación, no es esa concepción la que registramos, sino una especie de retorno al sistema acumulativo que corresponde a etapas anteriores del desarrollo del género. Ya se ha señalado en qué medida las exigencias de una composición musical priman sobre las que atienden a un desarrollo ordenado (y causalizado) de los acontecimientos narrativos. Pero aun en un plano actancial, encontramos discrepancias con la concepción prototípica de la novela realista decimonónica, donde el narrador de tercera persona y el encadenamiento de acontecimientos autónomos mediante el pasado simple, hacían que ella supusiera para Roland Barthes "un mundo construido, elaborado, separado, reducido a líneas significativas y no un mundo arrojado, desplegado, ofrecido".[19]

Las discrepancias con ese modelo, que se traducen en el manejo de núcleos aparentemente independientes, que van de la descripción de un muro del Cuzco sin aparente incidencia causal sobre el relato, a la atención por un trompo infantil casi mágico (el "zumbayllu") en el cual se detiene y concentra la acción, tiene que ver con el funcionamiento de otro plano cultural, de otros mecanismos psíquicos para la aprehensión de la realidad, que no son los que se manifiestan en las estructuras narrativas privativas del realismo. Ad. E. Jensen, entre otros, han establecido las afinidades entre la experiencia poética y la mítica característica de los pueblos primitivos: "No cabe duda alguna de que una poesía vivida como verdadera contiene una afirmación acerca de la realidad que no se deja experimentar por medio de una consideración lógico-causal."[20] Las peculiaridades del pensamiento mítico no postulan obligadamente su irracionalidad, como ha demostrado Lévi-Strauss[21] pero sí un manejo de los materiales a su disposición que concede amplia libertad significativa a múltiples rasgos de la realidad y concomitantemente una extremada utilización del principio analógico. Eso permite construir explicaciones del mundo a partir de núcleos de significación que se van repitiendo, ampliando y modificando

[19] Roland Barthes, "La escritura de la novela", en *op. cit.*, p. 36.
[20] Ad. E. Jensen, *Mito y culto entre pueblos primitivos*, México, Fondo de Cultura Económica, 1966, p. 37.
[21] Claude Lévi-Strauss, *El pensamiento salvaje*, México. Fondo de Cultura Económica, 1964.

en diversas instancias de aplicación práctica a otros campos o asuntos.

La transcripción de estas operaciones, en la novela arguediana, se percibe en la acumulación de intensas, repentinas, "iluminaciones", que son visiones sincrónicas y estructuradas de una captación de lo real donde quedan implicadas todas sus manifestaciones posibles. Estas "iluminaciones" se reiteran referidas a otros temas; allí son objeto de parciales correcciones y sobre todo de demostraciones de la ley analógica que les permiten conectarse con zonas aparentemente muy distantes. En *Los ríos profundos*, el primer capítulo, "El viejo" funciona como un ejemplo de esta iluminación que se transforma en un módulo de aplicación posterior a diversas circunstancias: toda la novela está ya en ese primer capítulo, como en cierto modo, todas las significaciones profundas de *Todas las sangres* está en el asombroso y dostoievskiano capítulo primero. La intensidad de la vivencia, la que en el siglo pasado llamaríase "la inspiración divina", calienta estas primeras repentinas aproximaciones a una interpretación del mundo, establece un modelo de entendimiento de sus factores y colma por sí misma la expectativa cognoscitiva. A partir de él, asistiremos a un doble procesamiento: por una parte se irá montando un encadenamiento causal de acciones y personajes según los requerimientos tradicionales de la narrativa realista; por otra, insurgirán nuevas "iluminaciones" que estarán conectadas o no con ese plano actancial, pero que permitirán otro desarrollo y otra interpretación que para el autor es más profunda y que literariamente es más eficaz.

La novela resultante queda encabalgada entre dos regímenes de composición, entre los cuales, a pesar de su disimilitud, es posible reconocer un equilibrio formal. De hecho reencontramos, en el nivel de las formas literarias, la presencia de dos configuraciones culturales distintas que tratan de armonizarse, pero que fluyen paralelamente y fijan dos lecturas simultáneas. La más rica, desde un punto de vista artístico, es la que responde

a las operaciones de un pensamiento mítico, aunque ella
parecería incapaz de construir por sí sola toda una estructura novelesca, al menos como la entendemos en
nuestra tradición occidental. Es aquí que concurren los
modelos realistas del regionalismo social: ellos tienen
mayor incidencia en *El sexto*, en *Todas las sangres*, que
en *Los ríos profundos* y desde luego que en los cuentos
que pertenecen a un género más afín a esa irrupción
gozosa de las "iluminaciones".

Pero son éstas las que aseguran la originalidad de la
obra de Arguedas. Su fuerza, pero también su carácter
enigmático, radican en la asociación que tienden con
una configuración cultural que no nos es propia. Las
percibimos como "valores literarios", o sea incorporán-
dolas a nuestro texto cultural habitual, pero podemos
sospechar que sólo alcanzan la plenitud de su significado si se relacionan con los elementos componentes de
otro texto cultural, un poco a la manera como Lévi-
Strauss imagina el funcionamiento de los mitos, viendo
en ellos una "matriz de significación" que remite siempre a otra matriz, incesantemente. "Y si se pregunta a
qué último significado remiten estas significaciones que
se significan una a otra, pero que a fin de cuentas es
sin duda necesario que se remitan todas juntas a alguna
cosa, la única respuesta que sugiere este libro es que los
mitos significan el espíritu que los elabora en medio del
mundo del que forma parte él mismo." [22]

[22] Claude Lévi-Strauss, *Lo crudo y lo cocido, op. cit.*, p.
334.

TERCERA PARTE

VI. LA NOVELA-OPERA DE LOS POBRES

Je deviens un opéra fabuleux

G. APPOLLINAIRE

1. Investigación artística e ideológica

*Los ríos profundos** es un libro mayor dentro de la
narrativa latinoamericana contemporánea y si al discurso crítico peruano le llevó veinte años situar la obra en
el puesto eminente que le cabe dentro de las letras del
país, al discurso crítico latinoamericano le ha llevado
otros tantos reconocer su excepcionalidad, sin que todavía pueda decirse que ha logrado concederle el puesto
que no se le discute a *Pedro Páramo, Rayuela, Ficcio-
nes, Cien años de soledad* o *Gran sertão: veredas,* entre
la producción de las últimas décadas.

La dificultad ha procedido de que, en una perspectiva continental de la apreciación, los marcos sociopolíti-
cos nacionales o los marcos autobiográficos en que, alternativamente, se ha hecho descansar la obra, deben
ceder paso a un marco estético que pueda valorar la
novela en tanto invención artística original, dentro del
campo competitivo de las formas literarias contemporáneas de América Latina.

Las motivaciones de cualquier obra literaria son casi
siempre múltiples, como son múltiples los mensajes que
transporta. Incluso entre ellas puede faltar —como percibió lúcidamente Hermann Broch— el propósito ex-

---

* Todas las citas de *Los ríos profundos,* mediante indi-
cación de número de capítulo y de página, remiten a la
edición de la Biblioteca Ayacucho, Caracas, 1978 con prólogo de Mario Vargas Llosa y cronología de E. Mildred
Merino de Zela.

preso de producir una obra de arte; pero la importancia
y pervivencia de ésta, responderá al significado artístico
con que haya sido construido. Es este "añadido" estético
a las motivaciones básicas del autor, hayan sido religiosas, morales, políticas o simplemente confesionales, el que
articula los mensajes y les confiere sentido. A veces dis-
cordando con el propio autor. Entonces rozamos las
fuentes profundas del perspectivismo ideológico, las que
impregnan y cohesionan la obra más allá de los discursos doctrinarios explícitos que contenga o de las inten-
ciones voluntarias del autor.

Diez años después de publicada su novela, Arguedas
evocó[1] la inquietud con que leyó los comentarios críticos iniciales, preocupado porque ellos no detectaban
"la intención de la obra", hasta que apareció el análisis
de César Lévano[2] que realzaba la proposición revolucio-
naria contenida en la escena de los indios que arrostra-
ban la represión militar con tal de oír la misa nocturna
para salvar sus almas. Este evidente intento de mostrar
que aun los seres más sumisos y rendidos, los colonos de
las haciendas, disponían de una fuerza capaz de hacerles
enfrentar el coercitivo e injusto orden legal, enciende el
último y esperpéntico capítulo de la novela. Sin desme-
recer su importancia, debe reconocerse sin embargo que
esa "intención" era un lugar común de la narrativa
indigenista, que si en los primeros autores se manifestó
con idealismo utópico, concluiría fundada en hechos

---

[1] En *Panorama de la actual literatura latinoamericana,*
La Habana, Casa de las Américas, 1970.

[2] "El contenido feudal de la obra de Arguedas", en *Tareas del pensamiento peruano,* 1, Lima, enero-febrero de
1960, ahora en César Lévano, *Arguedas: un sentimiento
trágico de la vida,* Lima, Gráfica Labor, 1969: "¿Acaso
sería forzar demasiado la exégesis si se viera en este episodio de unos ex-hombres vueltos a la vida por obra de la fe
una como anticipación de lo que serán capaces los indios, en este caso los siervos de las haciendas, cuando ad-
quieran ese grado mínimo de conciencia y esperanza que se
requiere para desafiar las balas y para apoderarse de una
ciudad?" (p. 64). Véase también "Correspondencia con
Hugo Blanco", en *Amaru,* 11, Lima, diciembre de 1969.

históricos en los cinco volúmenes de la serie *Cantatas* de Manuel Scorza que relatan las luchas revolucionarias recientes de los sectores indios del Perú. El puesto original de la novela de Arguedas, no deriva por lo tanto de tales motivaciones doctrinales, aunque ellas son evidentes y aunque su percepción de ellas comporta un matiz diferencial respecto a las de otros narradores de su tiempo, como Ciro Alegría.

Puede agregarse que, por haber aparecido esta novela dentro de una escuela literaria que se definió a sí misma, con criterio positivista, en torno a un asunto social concreto y a una militancia sociopolítica, resultó entorpecida la apreciación de su singularidad estética; con el consentimiento del autor, fue subsumida dentro de marcos generales preestablecidos, los que, como si fuera poco, se prevalecían de la enseñanza de dos maestros indiscutidos: Mariátegui para la teoría y Vallejo para la praxis narrativa.[3]

Sin dejar de atender al debate intelectual que recorre el pensamiento peruano entre 1920 y 1960,[4] ni a las correcciones culturalistas que Arguedas le introdujo,[5] me parece indispensable abordar *Los ríos profundos* desde una perspectiva estrictamente artística, sometiendo la obra a un doble análisis:

A. Por un lado investigar qué hay en en ella de invención formal que pudiera equipararse con la alcanzada en los años cincuenta y sesenta por los renovadores de la narrativa latinoamericana, enfrentando esa "displicencia" con que algunos de ellos vieron este libro que de hecho relegaron, dentro de la gruesa dicotomía esta-

[3] Una discusión del punto en Tomás G. Escajadillo, "Meditación preliminar acerca de José María Arguedas y el indigenismo", en *Revista Peruana de Cultura*, 13-14, Lima, diciembre de 1970.

[4] Carlos I. Degregori *et al.*, *Indigenismo, clases sociales y problema nacional*, Lima, Centro Latinoamericano de Trabajo Social, 1978.

[5] Véase mi Introducción a José María Arguedas, *Formación de una cultura nacional indoamericana*, México, Siglo XXI, 1975.

blecida por Vargas Llosa, a la "novela primitiva" anterior a una presunta nueva "novela de creación".[6] El
punto tuvo su aguda conflictualidad en el primer Diario de *El zorro de arriba y el zorro de abajo*, cuando el
propio autor afirmó que se hallaba desposeído de las
modernas técnicas literarias puestas en práctica por Carpentier, Cortázar, Fuentes, etc. Nuestra investigación
nos obliga a estudiar la invención formal no sólo al nivel del manejo de la lengua de los personajes indios en
que obsesivamente la situó el autor (tempranamente
justipreciada en los ensayos de Vargas Llosa)[7] impo-
niendo la misma atención exclusiva y excluyente a varios de sus críticos, sino también al nivel de las estructuras narrativas que organizan la materia novelesca. Tal
investigación parte del reconocimiento de una nítida
distinción crítica entre los materiales utilizados por los
autores, que en el caso de Arguedas fueron tan humildes
como las botas viejas que usara Van Gogh como asunto
de cuadros de evidente originalidad pictórica, y las operaciones intelectuales y literarias puestas en funcionamiento para construir una obra, que son las que le
otorgan su particular significación. El manejo de asuntos y personajes rurales, las francas percepciones sociales
respondiendo a doctrinas que se articularon en los años
veinte en el continente, el aprovechamiento de muchos
recursos del realismo tradicional, son rasgos que Arguedas comparte con Rulfo, aunque tanto en uno como en
otro no pueden asimilarse a la novela social o a la novela de la tierra que florecieron en América simultá-

---

[6] Un examen de estas interpretaciones "displicentes" en
Antonio Cornejo Polar, "José María Arguedas, revelador
de una realidad cambiante", en *Literatura de la emancipa-
ción hispanoamericana y otros ensayos*, Lima, Universidad
Mayor de San Marcos, 1971. El ensayo de Mario Vargas
Llosa, "Novela primitiva y novela de creación en América
Latina", en *Revista de la Universidad de México*, XXIII, 10,
México, junio de 1969.

[7] M. Vargas Llosa, "José María Arguedas descubre al
indio auténtico", en *Visión del Perú*, 1, Lima, agosto de
1964.

neamente con el vanguardismo. Las perversas clasificaciones temáticas de los críticos del regionalismo (Luis Alberto Sánchez, Manuel Pedro González) han conducido a este engaño del que es forzoso salir.

B. Por otro lado, la investigación deberá preguntarse acerca de los vínculos de la invención artística arguediana con la problemática intelectual, cultural, política, etc., del autor, tanto la expuesta explícitamente en numerosos textos ensayísticos, como la implícita acarreada por su peculiar cosmovisión. Este lado de la investigación se sostiene sobre la hipótesis de que las formas se generan en el cauce de una ideología, aunque eventualmente la superen y se desprendan de ella, y que por lo tanto existe un vínculo entre las formas artísticas y la percepción ideológica, pudiéndose transitar de una a otra. Descubrir lo específico, lo irreductiblemente propio, de una forma literaria, implicaría encontrar un camino válido para desembocar en el núcleo donde la ideología del autor opera en modo particularizado, dentro de la ideología del movimiento a que pueda haber pertenecido o del de la época en que vivió. Tanto esta invención estética como su equivalente concepción ideológica, frecuentemente se esconden tras las apariencias manifiestas de la obra: del mismo modo que los asuntos tratados pueden dificultar la captación de las estructuras en que son traducidos artísticamente, del mismo modo el discurso programático que hace el autor en sus ensayos o dentro de su obra, puede entorpecer la captación del punto focal en que se instala su ideología. La cual, incluso, puede haber sido oscura para él mismo.

Aceptando que es en la articulación estructural donde la materia narrativa adquiere la plenitud del sentido estético, donde esos materiales que pueden ser de uso colectivo o mostrenco, alcanzan una precisión *dicente* y *comunicante,* que cabalmente expresa la orientación de una obra, tendremos que aceptar que en esa misma operación se resuelve nítidamente la ideología. Es a esa conclusión que llegará este ensayo: de conformidad con la investigación cumplida, presenciaríamos en *Los ríos profundos* la invención de una forma artística original, en el nivel de las citadas más importantes de la narrativa latinoamericana actual. Incluso podríamos adjetivarla de insólita, vista la audacia con que ha sido elaborada a partir de materiales humildes, escasamente dignificados por las letras. Esa forma fue elaborada pacientemente a lo largo de una década [8] en la cual el autor acumuló numerosos trabajos de folklore y etnología, sintiéndose estéril para la producción literaria, devorado por la problemática cultural del conflictivo medio al que perteneció, ya que nos rehusamos a ver en los padecimientos que confesó experimentar desde 1944 sólo un asunto individual y personal. Esa forma apareció como solución al dilema sobre el cual rotaba su meditación, tal como lo testimonian los múltiples escritos ensayísticos de esos años, de modo que se presentó como adecuada respuesta a una interrogación ideológica que buscaba conjugar muy dispares tendencias, haciéndolas funcionar disciplinadamente al servicio de un cambio espiritual y social. Con todo, yo no podría asegurar si la ideología guió a la forma artística o si la irrupción de ésta clarificó el entendimiento de aquélla.

2. *La palabra-cosa de la lengua quechua*

A diferencia de cierta literatura de las últimas décadas latinoamericanas, Arguedas concibió su narrativa como exacto diagrama verbal de una realidad cuya patencia nunca puso en duda: así era la realidad y así exactamente la decían las palabras, y prácticamente no había distancia entre ambos distantes registros. El júbilo que testimonia su ensayo sobre la composición de *Agua*,[9]

[8] La datación del proceso creativo de *Los ríos profundos,* puede seguirse en William Rowe, *Contribución a una bibliografía de José María Arguedas,* Lima, 1969, ed. mimeográfica.

[9] "Algunos datos acerca de estas novelas", en *Diamantes y pedernales,* Lima, Juan Mejía Baca y P. L. Villanueva, 1954.

que siguiendo sus propias indicaciones se ha visto nacido del certero hallazgo de la transposición de la sintaxis quechua al español, con mayor rotundidad habla de otra cosa. Habla de ese descubrimiento privativo del escritor: la realidad vive y resplandece en un universo de palabras mejor quizás que en las cosas mismas. Los problemas con el referente que han sido detectados en una tendencia solipsista de las letras latinoamericanas actuales,[10] no fueron registrados por Arguedas y ni siquiera tuvo conciencia de que pudiera existir semejante conflicto, como lo testimonia su escándalo ante las criteriosas apuntaciones de Sebastián Salazar Bondy respecto a la distancia entre la palabra y la cosa.[11]

Para él, como raigalmente para la mayoría de los poetas, la palabra *era* la cosa, no meramente su significado representado en un sonido. Sobre esa inextricable relación centró su meditación, no sólo literaria, sino asimismo cultural. Esto puede percibirse como el estrato prerrenacentista del saber que escudriñó Foucault en el pensamiento europeo, pero también puede religarse a una concepción extensiva a las sociedades primitivas o arcaicas y, más generalmente, a las comunidades rurales de las más diversas áreas culturales del planeta. Por su experiencia vital en la niñez, por su trabajo de folklorista y etnólogo en los años adultos, Arguedas estuvo íntimamente vinculado a las comunidades ágrafas, donde la palabra, como privilegiado instrumento de elaboración cultural, se emplea con la reverencia y laconismo de un valor superior, reconociéndosele capacidad encantatoria, poder sobrenatural, alcance sacralizador. Dado el bilingüismo hostil peruano en cuya frontera vivió y dado que fue un escritor, es decir, un hombre que trabaja con palabras, podía preverse su atención por ellas, aunque quizás no en ese grado superlativo que le hizo

---

[10] Véase Jean Franco, "Modernización, resistencia y revolución. La producción literaria de los años sesenta", en *Escritura,* ii, 3, Caracas, enero-junio de 1977.

[11] *Primer encuentro de narradores peruanos, Arequipa 1965,* Lima, Casa de la Cultura del Perú, 1969.

transformarlas en clave sobre la que rotaría su empeño creativo.

Es sabido que la conciencia de la lengua en la literatura se vio acrecentada en las últimas décadas entre los narradores latinoamericanos, comprobación que no implica convalidar algunas candorosas teorías sobre la "novela del lenguaje" que han circulado fuera de todo rigor lingüístico, cuya futilidad queda testimoniada tanto por su desconocimiento del pasado literario como por su olvido de empeños riesgosos en ese campo como fueron los de José María Arguedas y João Guimarães Rosa [12] que guardan entre sí puntos de contacto. Aunque mientras el brasileño trabajó sobre formas dialectales de una misma lengua, examinándolas a la luz de las lenguas extranjeras que dominó, el peruano se circunscribió a dos lenguas internas de América, superpuestas y la vez ajenas.

Buena parte de los problemas lingüísticos que enfrentaron los narradores internacionales de la hora, como Borges o Fuentes, nacieron también de cotejos diferenciales entre el español y las lenguas extranjeras, concretamente el inglés que, en este período, sustituyó al francés como lengua desafiante de las hispánicas. La lengua propia, la maternal española-americana, fue puesta en cuestión por la inglesa, aprendida y ejercitada como segunda, tal como les ocurriera a los poetas modernistas con el francés, lo que en algunos casos (Octavio Paz)

---

[12] En su artículo "Guimarães Rosa: 'Yo no le tengo miedo a nadie' ", Arguedas testimonia su admiración en estos términos: "Es suficiente con eso, majestuoso hermano Guimarães, con no tenerle miedo a nadie, con haber vivido en el campo y en las ciudades y poder escribir, sin miedo, como es este mundo. Y mucho más, si se puede escribir con la pata de las hormigas, con los troncos y flores de los árboles más grandes que sacan jugo hasta de los infiernos, con la garganta de los animales tan diversos, tan misteriosos que andan por las cordilleras y los bosques de Latinoamérica, animales y flores que han recibido polvo venido de todas las tierras y de todos los tiempos, tal como usted sabía hacerlo."

llevó a teorizaciones infundadas sobre la eventual incapacidad referencial del español. Aunque éste fue el modelo de un conflicto generalizado, dentro de él se ofrecieron múltiples situaciones diferentes. Arguedas operó sobre una situación interna del continente, vieja de siglos, que oponía la lengua de la conquista a la lengua autóctona de los dominados. Por eso su problema se asemeja más al de Unamuno en España: adopción de una lengua dominante (el castellano) sustituyendo la maternal, regional y dominada, lo que ya para Ortega y Gasset permitía explicar la obsesión etimológica del escritor vasco, su constante escudriñamiento de palabras que habían sido aprendidas y que por lo tanto él observaba a la distancia, urgando en sus significados y calzándolos en sus significantes. Pero mientras Unamuno ejercitará esta obsesión sobre el español —retrotayéndose por la línea de derivación al latín y al griego originarios— en un tesonero esfuerzo de apropiación de la lengua aprendida, Arguedas se volverá inquisitivamente sobre la lengua maternal, sin atreverse a cumplir la misma tarea sobre el español, que fue sin embargo la lengua en que prácticamente escribió toda su obra literaria. En tanto Unamuno se apropia de los instrumentos de su edad adulta, tratando de clarificarlos por el análisis, Arguedas vuelve por los fueros de la infancia perdida, en una práctica que admite encontradas adjetivaciones, desde infantil hasta piadosa, desde interrogadora hasta reivindicativa.

Aunque casi todas sus observaciones lingüísticas se refieren al quechua y no al español de América, es obvio que fue éste el que le sirvió de punto referencial para detectar las singularidades del quechua, para objetivarlo intelectualmente en una conciencia que, de meramente existencial, se transformó en analítica. Es una aplicación de la que siempre he entendido como línea central de su pensamiento, nacida de su desgarrada existencia: la percepción de lo diferente. Una experiencia que en ese grado radical es difícil encontrar entre los escritores latinoamericanos de su tiempo, a pesar de que casi todos fueron signados por similar problemática en una época marcada por los violentos contactos internacionales y la rápida desprovincianización.

Pero lo que siempre sorprenderá en él —quien a la altura de 1958 disponía del pleno dominio de un español disciplinado y rítmico, despojado de toda retórica, diestramente flexible y lacónico como el portugués de Graciliano Ramos, cautamente poético en la descendencia, siempre castigada, de Güiraldes— es el silencio que guardó sobre los problemas concretos de su manejo de esa lengua española la cual, como alguna vez recordó, hizo suya con tenaz esfuerzo. Porque todos los problemas lingüísticos de que él ha hablado, en definitiva son también del español no sólo del quechua.

El dilema inicial al que tuvo que hacer frente, aunque más arduo no fue distinto en esencia de aquel que debieron considerar los regionalistas del primer tercio del siglo y tampoco fueron de naturaleza distinta las soluciones que halló. Se trataba de dar impostación verista al habla de personajes populares incorporados a una escritura realista: de Latorre a Gallegos, de Rivera a Azuela, se lo logró mediante una estilización de los modos dialectales que, permitiendo la comprensión por parte del público urbano al que las novelas se dirigían, no empañaba la ilusión de realidad que se buscaba. No obstante, ni los regionalistas, ni Arguedas en su primer período, percibieron que fuera necesario procurar la unificación lingüística de sus obras, ya fuera mediante el empaste de conjunto, absorbiéndolo dentro de un habla campesina dialectalizada (que es lo que hará Rulfo), ya fuera mediante la adopción de otra habla verista aunque urbana para el narrador, paralela a la de los personajes populares utilizados (que es lo que hizo Cortázar). Por eso, las obras de los regionalistas, como los cuentos iniciales de Arguedas, deparan un curioso desequilibrio lingüístico entre el habla de esos personajes y el del narrador, cosa que tradujo, en el nivel de la lengua, el desequilibrio cultural y clasista que subyacía al movimiento.

En sus primeros escritos Arguedas tratará de encontrar un habla verista y estilizada para los personajes, lo que habría de resultarle bastante más difícil porque se trataba de indios o mestizos que usaban el quechua y no dialectos del español o del portugués. De los múltiples aspectos que comporta una lengua, se aplicó al examen de dos, sin duda principales, como fueron la sintaxis y el léxico, cada uno de los cuales presentaba problemas diferentes.

En el campo sintáctico, trató de transportar al español la sintaxis quechua. En el plano literario, no en el lingüístico, esta operación acarrearía una suerte de dialectalización, semejante a la de los regionalistas, quienes fueron sus modelos cercanos en la década de los treinta. Pero también, como ocurrió con los regionalistas, ni sus narradores de primera persona que presumiblemente hablaban quechua también, ni con más razón los de tercera persona de los que podría sospecharse que fueran hispanohablantes, quedaron sometidos a las leyes del verismo lingüístico que en cambio sí se exigía para los personajes populares quechuahablantes. En *Agua,* en *Yawar fiesta,* en *Diamantes y pedernales,* reencontramos los desequilibrios ya conocidos de los textos regionalistas: un castellano fluido, a veces algo rígido, siempre fuertemente americanizado, como norma rectora,[13] y emergiendo dentro de él, diálogos en una lengua que, más que dialectal, resultará artificial y que de hecho operará como una señal: apunta a que el personaje que habla es indio o mestizo.

Según Arguedas, él encontró una traslación de la sintaxis quechua a la lengua española. Poco importa, sin embargo, si efectivamente es así, desde el momento que el texto se dirige a un lector hispanohablante que, en principio, no conoce el quechua. Para él esos diálogos no son otra cosa que un artificio convencional, el cual podría haber sido sustituido por algún otro, incluso por

13 Véase cap. 2, "Realismo y retórica narrativa", en Sara Castro Klarén, *El mundo mágico de José María Arguedas,* Lima, Instituto de Estudios Peruanos, 1973.

el simple uso de un signo gráfico al comenzar toda frase de un quechuahablante, escribiéndola entonces en correcto castellano. Siempre la lengua inventada por Arguedas será percibida como un español rudimentario (que elimina artículos, usa abundantes gerundios, prescinde de los reflexivos, conjuga mal los verbos o los fuerza a una ubicación sintáctica desacostumbrada) o como una lengua artificial, similar a la hierática que es habitual en los textos sagrados. Visto el contexto reivindicativo-idealizador en que aparecen estos personajes, dentro de la generalizada ideologización indigenista del movimiento, es esta percepción sacralizadora la que resulta subrayada por el uso de esta lengua así como por la estratégica incorporación de algunas palabras quechuas con una significación ritual (*yawar, danzak, lay'ka*).

Consciente de los desequilibrios de este sistema sin por eso resolver persuasivamente el problema literario verista que afrontaba, Arguedas lo abandonará en sus obras posteriores. Seguirá así la misma vía de los narradores citados en su generación (Rulfo, Cortázar) a la búsqueda de una integración lingüística que empastaba unitariamente el relato. Esta vía será continuada y reforzada por los narradores de las generaciones siguientes. En *Los ríos profundos* rige ya la castellanización mediante un flexible castellano-americanizado, al cual el autor incorpora frases o palabras quechuas ocasionales, traduciéndolas entre paréntesis o en las notas al calce. Los diálogos usan francamente el español indicando en las acotaciones que se está hablando en quechua. La transposición sintáctica que se había propuesto inicialmente, había fracasado. Ni cumplía su propósito verista ni resguardaba la unidad lingüística del texto, aunque sí desempeñaba una función de indicador cultural de múltiple significación según los autores y que en el caso de Arguedas apuntaba a altos y casi sagrados valores tradicionales. Quedaban trazadas por separado las dos vías: o el uso del español o el alternativo del quechua. Ambas serán ejercitadas por Arguedas, la primera para las novelas y la segunda para algunos textos poéticos, dentro de una reforzada dignificación literaria de la lengua quechua.

Con todo, de este fracaso algo queda en la escritura de *Los ríos profundos*. Puede percibirse que la experiencia de una transposición sintáctica se ha desplazado del nivel lingüístico al literario, vistos los rasgos que distinguen a esta novela de las obras anteriores: manejo rítmico, extraordinariamente presto; precisión para utilizar las elipsis; introducción de modos poéticos emparentados con la poesía popular; hilación entrecortada de los episodios narrativos; formas indirectas de acometer los desarrollos narrativos, etc.

El otro aspecto lingüístico a cuyo examen se aplicó Arguedas, fue el lexical, aunque éste no tenía ninguna posibilidad de ser resuelto, ni siquiera en la forma parcial del sintáctico, dada la contradicción entre la opción del español como lengua literaria y la exclusiva atención por las palabras quechuas que no tuvo equivalente en una atención paralela por las españolas. Esto corrobora sus confesiones y disipa cualquier duda que pudiera haber originado: el español fue para él una lengua aprendida tardíamente y aceptada como obligado instrumento de comunicación intelectual, en tanto que el quechua fue su lengua innata (entendiendo por tal esa de que no se tiene memoria de haberla aprendido en la infancia, que parece haber nacido junto con la vida en la boca del ser humano) por lo cual quedó circundada de asociaciones afectivas y dotada de rica polisemia. Todo lo que Arguedas ha predicado sobre las palabras quechuas, podría predicarlo un poeta de la lengua española sobre las suyas. Los enlaces semánticos o las traslaciones homofónicas que registró (evidentes en sus explicaciones sobre *yllu-illa*) se aplicaron exclusivamente a palabras de su lengua materna, esa que de modo exclusivo usó antes de la pubertad, lo que hace previsible que tales palabras conservaran vivamente la red de asociaciones emocionales e intelectuales con que fueron empleadas durante la infancia, que sus sonidos fueran capaces de absorber no sólo otros sonidos analógicos o simplemente contiguos, sino también imágenes, olores, sabores y hasta las concepciones del universo que por esos carriles vienen a nosotros. Si tal es la experiencia de cualquier hablante con respecto a su propia lengua, a pesar de la disciplina abstracta que el sistema educativo y el ejercicio intelectual adulto introducen posteriormente en ella, podrá inferirse con cuánta frescura esos poderes habrán de conservarse en un hombre que, llegado a la adolescencia, pasa a ejercitarse en otra lengua, con la cual cumplirá parte importante de su vida de relación.

En el caso de Arguedas se reproduce una situación sociolingüística, propia de todas las lenguas a las que el idioma que domina despóticamente a la sociedad, obliga a retraerse del consorcio público. En esos casos se transforman en lenguas de la intimidad —familiar, grupal, vecinal, profesional— impregnándose por lo tanto de la carga emotiva que tiende a desgastarse en las lenguas públicas. Es ésta la razón por la cual los usuarios de una lengua pública se ven forzados a una constante tarea de invención lexical, semántica y hasta sintáctica, en el ámbito privado, para flexibilizarla y hacerla buena conductora de la afectividad familiar o grupal.

Las palabras de la lengua de la infancia, conservan una arrolladora fuerza asociativa que es capaz de dar saltos mortales entre los más alejados puntos de la realidad, concitando imprevistas asociaciones de imágenes y recuperando tiempos que parecían, más que olvidados, abolidos. Tres rasgos explican esta fuerza:

1. Esas palabras siguen trabajando sobre un sistema analógico que atiende a las que en la vida adulta podríamos considerar cualidades secundarias de las palabras (visto que las traspasamos para comunicar un significado) pero que en la infancia son primarias: los sonidos o fonemas que las integran. Abundantemente lo revelan los exámenes freudianos de las sobredeterminaciones y desplazamientos lingüísticos que operan en la

mecánica del sueño. Los significantes flotan libremente en esta lengua infantil y se enlazan según los acoplamientos que rigen a los tropos, provocando imprevistos engarces de sentido. No otra cosa dice cautamente Arguedas en su exposición sobre el *zumbayllu* del capítulo VI, fijando primero un ligamen fonético que es evidente, entre *illa* e *yllu*, para pasar luego con menor seguridad a sugerir un ligamen incierto de los significados: "esta voz *illa* tiene parentesco fonético y una cierta comunidad de sentido con la terminación *yllu*" (VI, 52).

2. Además, el universo infantil percibe con mayor respeto que el adulto la energía de las palabras. Pensamos que es debido a que reconoce en ellas la *cosa* referida como presente, aunque dentro de una curiosa gama oscilatoria que va de la sensación de que es un doble fantasmático que convoca a la *cosa*, a la convicción de que la palabra la engendra directamente. Aun en la vida adulta persiste esta asociación infantil, como se lo ve en el manejo del lenguaje obsceno. Esa sabida potencialidad del insulto para provocar por sí solo una herida insoportable, sólo la reencontramos plenamente dentro de la lengua maternal: se disuelve en cambio en las lenguas que nos son ajenas, donde los insultos se transforman en los revólveres de caucho dalinianos. Esto hace comprensible que los personajes de *Los ríos profundos* cuando se insultan, usan el quechua y no el español. Esto resulta ineficiente para el lector al que se dirige el relato, que es un hispanohablante, pero el fuego de la palabra injuriosa, tanto para los personajes como presumiblemente para el autor, sólo se alcanza cuando se utiliza un término quechua: *atatauya, k'anra, k'echas*. Lo mismo ocurre con las palabras que excitan el horror hasta un grado paroxístico: *apasankas, apankoras*, pero nunca arañas.

En su ensayo sobre el *Ollantay*, que es de 1952, Arguedas explicó por qué le resultaba tan difícil traducir al español algunos términos quechuas: "No es posible traducir con equivalente intensidad la ternura doliente que su texto quechua transmite. La repetición de los verbos que llevan en su fonética una especie de reflejo material de los movimientos que en lo recóndito del organismo se producen con el penar, el sufrir, el llorar, el caer ante el golpe de la adversidad implacable, causan en el lector un efecto penetrante, porque los mismos términos están cargados de la esencia del tormentoso y tan ornado paisaje andino y de cómo este mundo externo vive, llamea, en lo interno del hombre quechua. Una sola unidad forman el ser, el universo y el lengua. . ." [14]

En varios textos, con diversos matices, Arguedas se refirió a esta convicción de que el lenguaje (quechua) está ligado a la vida subjetiva y a la realidad objetiva del hábitat serrano; en su expresión extremada llegó a hablar ("Diario I de Los zorros") de un enlace material. En el texto arriba citado es más cauteloso y preciso: no afirma una homologación de conciencia-objeto-lenguaje, sino una concertación, lo que permitiría alcanzar la unidad como en una orquesta en la que intervienen variados instrumentos. Esto permitiría filiar sus argumentos, más que en una concepción mágica peculiar de sociedades tradicionales, en la descendencia del artepurismo europeo y de la poesía simbolista, según la lección de las "correspondencias" baudelairianas. Cuando en cambio se inclina a la posición extremada, debe apelar a los ejemplos onomatopéyicos que sin embargo no son privativos del quechua. No es casualidad que Arguedas haya acentuado, contra toda verosimilitud, el presunto carácter onomatopéyico de la lengua quechua, que su propia exposición sobre el *zumbayllu* está lejos de probar, al margen de que sabemos que las onomatopeyas de los cantos de los mismos animales, tienen transcripciones fonéticas distintas en las distintas lenguas. [15]

[14] *"Ollantay:* lo autóctono y lo occidental en el estilo de los dramas coloniales peruanos", en *Letras Peruanas,* II, 8, Lima, octubre de 1952.
[15] Un análisis del problema, en William Rowe, *Mito e*

En el texto citado se nos dice que la fonética de los verbos refleja materialmente "los movimientos" que se producen en los sentimientos, no los sentimientos propiamente dichos, y las palabras "están cargadas de la esencia" del paisaje, no del paisaje propiamente dicho. Más que un régimen de unívocas transposiciones, lo que hace es aproximar diversos órdenes (o diversas estructuras) gracias a la intermediación homologadora que prestan los esquemas rítmicos o melódicos, lo que seguramente habría aprobado Matila Ghyka. Sus observaciones podrían aplicarse, mejor que al *Ollantay*, al poema de César Vallejo "Los heraldos negros", cuyo desarrollo semántico va acompañado de períodos rítmicos muy marcados, con repeticiones de los verbos ser y saber estratégicamente colocados en las sílabas tónicas.

Pero sean cuales fueren las vías por las cuales se alcanza esa concertación —y trataremos de mostrar que es a través del ritmo y la melodía— lo primero es comprobar que para Arguedas en ella cumple un papel central la lengua. Él no enlaza simplemente conciencia subjetiva y realidad objetiva, sino que construye una tríada: ser, universo, lenguaje, lo que implica conferirle a este último un puesto de igual jerarquía que al sujeto y al objeto. Entiendo que ese puesto clave se debe a la peculiar dualidad del signo lingüístico, pues si en algunos de sus escritos parecería negada la concepción saussuriana de signo, en otros es subrepticiamente rescatada porque resulta indispensable en la concertación buscada.

3. Queda aún una tercera vinculación de palabra y cosa, a la que llamaríamos metonímica. No se trata ya de enlaces de significantes liberados, ni del poder de la palabra para reconstituir la cosa en el imaginario, reponiéndola con la plena intensidad y emotividad vividas en el pasado (el "vecu" bretoniano), sino de que ella arrastra el contorno heterogéneo donde fue emitida, puede imantar los elementos que le fueron contiguos,

espacialmente, o los que, aunque distante en el tiempo y en el espacio, le fueron asociados. Funciona como un punto focal, un aleph, que absorbe un variado abanico de datos o imágenes. Al ser suscitada nuevamente, los irradia sobre el distinto conjunto verbal en que reaparece, impregnando los demás términos con el tesoro que tenía acumulado. Como además se trata de una palabra dicha y no escrita, esta capacidad evocativa se emparenta con la que tiene la música, aunque, como sabemos, ésta la ejerce más libremente pues se halla desprendida de los significados precisos que comporta el signo lingüístico.

Decenas de ejemplos lo ilustran en la novela arguediana: "Acompañando en voz baja la melodía de las canciones, me acordaba de los campos y las piedras, de las plazas y los templos, de los pequeños ríos donde fui feliz" (v,38). Es la melodía, la que le permite recuperar imágenes visuales. Del mismo modo, en un episodio de su adolescencia que contó en uno de sus ensayos: "En el pequeño valle donde está la villa de Pampas, capital de la provincia de Tayacaja, colindante por el sur con Huancayo, escuché de noche los cantos de la trilla de alberjas; me acerqué a la era y pude ver durante unos minutos el trabajo: un grupo de mujeres cantaba a las orillas de la era: [transcribe aquí la canción]. Los hombres molían con los pies la vaina seca de las alberjas a compás. Era noche de luna y había una transparencia que hacía resaltar, casi brillar, la figura de los árboles y de las personas. La voz de las mujeres era la característica de todas las indias que entonan canciones rituales, agudísima. Entonces tenía 16 años y no pude quedarme a ver el proceso de la trilla. Pero aprendí la letra y música de la canción." [16]

No vio la trilla, pero esa letra y esa melodía, que recogió puntualmente, convocan las imágenes con nítida

[16] "Folklore del Valle del Mantaro", en *Folklore Americano*, I, 1, Lima, noviembre de 1953, pp. 239, 241.

precisión, como si ellas las hubieran fijado sobre una pantalla.

La palabra es aquí, nuevamente, música, es canto, ese del que dice en *Los ríos profundos,* "que es, seguramente, la materia de que estoy hecho, la difusa región de donde me arrancaron para lanzarme entre los hombres" (IX,120).

La palabra no es vista como escritura sino oída como sonido. En una época en que la poesía ya se había tornado escritura, él siguió percibiéndola como fonema, vinculando íntimamente las palabras con los marcos musicales. Huella de su formación en el seno de comunidades ágrafas, pasión por el canto donde la palabra recupera su plenitud sonora, en Arguedas la palabra no se disocia de la voz que la emite, entona y musicaliza. Puede por eso decirse que su misma narrativa, más que una escritura, es una dicción.

3. *Función de la música y del canto*

Cuando Arguedas siembra de canciones su novela, no está incorporando simplemente bellos poemas folklóricos, aunque es consciente de que "la letra de las canciones quechuas aprendidas en mi niñez eran tan bellas como la mejor poesía erudita que estudié y asimilé en los libros, maravillado".[17] Está incorporando palabras cantadas, una simbiosis de significantes y significados que se ajusta y perfecciona por la tarea que cumple la pauta musical. A ésta cabe una función tanto en el estricto campo lingüístico como en el semántico, porque da tono, timbre, intensifica ciertas partes, las repite en los estribillos, homologa diferentes textos mediante el mismo fraseo musical, etc. Es eficaz moduladora de la poesía, en un grado superior al de las matrices métricas o rítmicas que de la música se han desprendido.

---

[17] "Canciones quechuas", en José María Arguedas, *Señores e indios. Acerca de la cultura quechua,* Buenos Aires, Arca/Calicanto, 1976, p. 183.

La íntima asociación de la música y la palabra, Arguedas la destacó en sus ensayos, hablando del "haravec" o poeta del antiguo Imperio de los Incas, que, como los trovadores, era también músico: "...su traducción exacta es la siguiente: 'el que crea canciones para sí mismo, para cantarlas él mismo'; ambos términos debieron ser usuales para nombrar a los poetas y músicos antiguos, a los compositores; pues en aquella edad la música, la poesía y la danza, especialmente la música y la poesía, formaban el mismo universo, nacían al mismo tiempo, como la poesía quechua popular de hoy, en que la bella palabra brota ceñida a la música y debe su valor estético a su tierna y palpitante ingenuidad, alejada de todo recurso formal, de lo extra o antipoético." [18]

Todas las veces que en el libro aparece el canto, éste impone al autor una exigencia de la cual se había desprendido ya en la narración y en los diálogos: la transcripción en lengua originaria. De ahí que siempre proporcione, en columnas paralelas, el texto quechua y su propia traducción española. Si hubiera poseído los recursos que el vanguardismo había puesto en circulación, probablemente habría agregado la partitura musical, cosa que practicó en sus ensayos folklóricos. Pero aun sin ella, el lector no se llama a engaño: sabe que en esos momentos la novela está cantando. Se lo dice explícitamente el narrador, quien rodea a las canciones de datos que subrayan su radical condición musical: da noticia de los instrumentos, de las características rítmicas de la composición, de cómo es interpretada, etc. Tiene clara conciencia de la dificultad que plantea la recepción por el lector de las transcripciones musicales en textos literarios y trata de vencerla. Quiere que el lector oiga, como él, la canción.

Se trata siempre de composiciones populares de tipo tradicional, en su mayoría anónimas, pero que siguen

---

[18] "Ollantay...", art. cit., p. 130.

siendo usadas corrientemente. Son las canciones espontáneas del pueblo. Las más frecuentes son los *jarahuis* y los *huaynos*. Los dos *jarahuis* que transcribe aparecen en momentos de alta intensidad emocional: uno cuando Ernesto evoca su partida del *ayllu* donde pasó la infancia y otro cuando las mujeres desafían a los soldados. Según Arguedas a este tipo de composición se le estimaba en el Imperio como a "la forma más excelsa de la poesía y de la música". En un artículo inmediatamente anterior a la publicación de *Los ríos profundos,* dice: "...son cantos de imprecación. No los entonan los hombres, sólo las mujeres, y siempre en coro, durante las despedidas o la recepción de las personas muy amadas o muy importantes; durante las siembras y las cosechas; en los matrimonios. La voz de las mujeres alcanza notas agudas, imposibles para la masculina. La vibración de la nota final taladra el corazón y trasmite la evidencia de que ningún elemento del mundo celeste o terreno ha dejado de ser alcanzado, comprometido por este grito final. Aun hoy, después de más de veinte años de residencia en la ciudad, en la que he escuchado la obra de los grandes compositores occidentales, sigo creyendo que no es posible dar mayor poder a la expresión humana." [19]

Pero la mayoría de las canciones son *huaynos* de distintas regiones del país, tanto antiguos como modernos. Su primacía obedece al principio verista, pues se trata de la composición más popularizada del país y por lo tanto la previsible en las reuniones de las chicherías o de los alumnos del colegio, de quienes dice que hacen competencias llegando a cantar cincuenta *huaynos.*

Además, esta predilección es convocada por la atracción que ejerce su ritmo y que lo hace propicio al baile, tal como lo ha evocado en uno de sus ensayos ("las pasñas que danzan airosas, haciendo girar sus polleras y el rebozo, al compás del wayno, en vueltas rápidas, pero siempre con un ritmo ardiente, con una armonía

[19] "Canciones quechuas", *art. cit.,* p. 178.

de wayno que nunca se equivoca")[20] y más aún, por la
condición de fraguador de la nacionalidad peruana que
ve en él: "el *huaylas* y el *huayno*, mucho más que esos
objetos decorativos, están en camino de convertirse en
patrimonio cultural, en vínculo nacionalizante de los
peruanos".[21] Es una música que religa entre sí a todos
los peruanos, y al tiempo los religa con sus orígenes pre-
hispánicos, cumpliendo las dos condiciones fundamentales de la aglutinación nacional: "como hace cuatro
siglos, cinco siglos, el wayno es la fuerza, es la voz, es la
sangre eterna de todas las fiestas del Perú del Ande".[22]

Estas canciones cumplen una función central en el
relato, pues están engranadas dentro del discurso narrativo, a veces en su superficie argumental y otras veces
en su decurso profundo. Son momentos de alta concentración emocional y artística, a manera de verdaderas
"arias" que en dimensiones reducidas y sobre una tesitura musical, *cifran* los significados que toda narración
está obligada a desarrollar extensivamente.

Pero no aparecen como rupturas dentro de una serie
verbal que les sería heterogénea, tal como las maneja
Bertolt Brecht para producir el distanciamiento. Al contrario, discurren dentro de un uso extraordinariamente
amplio y variado de referencias musicales que nos permiten hablar de una generalizada algarabía o armonía
musical. La fuente de esos materiales es plural: es ante
todo la naturaleza que Arguedas, como buen conocedor,
presenta como una estrepitosa serie musical a la que
concurren ríos, vientos, árboles, insectos, pájaros; son
también los artefactos de la cultura popular, como es el
caso del *zumbayllu*; son también los mil sonidos que
acompañan la vida cotidiana, desde el repique de las
campanas al tiroteo de las armas; son, sobre todo, las
voces en sus mil registros. Todo esto se combina de un

[20] "Fiesta en tinta", en *Señores e indios...*, *op. cit.*, p.
77-78.
[21] "De lo mágico a lo popular. Del vínculo local al nacional", en *Señores e indios...*, *op. cit.*, p. 243.
[22] "Fiesta en tinta", *art. cit.*, p. 78.

modo tan insistente, complejo y alterno, que no encuentro otra comparación para dar cuenta de esa multiplicidad de recursos sonoros que sugerir la presencia de una orquesta, la cual estaría tocando a todo lo largo de la novela, acompañando la vida pública y la privada de los personajes, duplicando melódicamente las referencias visuales habituales.

Creo que hay aquí una realista percepción del comportamiento de los estratos populares, especialmente rurales, que muestran una tendencia nítida a sentirse envueltos en una onda sonora de la cual participan, rechazando las formas del silencio o la soledad individual, pero creo que es también un procedimiento literario eficaz que dota a un texto, dicho más que escrito, de un suntuoso despliegue de correspondencias sonoras. La novela propone un doble musical que es el agente mediador privilegiado entre la comunidad humana y el reino natural, entre la conciencia subjetiva y el universo objetivo, puesto que ambos cantan siempre y pueden cantar al unísono. En la medida en que cantan según ritmos y melodías, construyen el imprescindible pasaje para que ambos hemisferios puedan ajustarse mutuamente, puedan concertarse en una armonía, procuren, al fin, el ansiado orden universal.

En el reino natural, cada objeto es dueño de una voz, tal como les ocurre a los humanos. Las voces naturales pueden armonizar entre sí, solamente, pero también pueden combinarse con las humanas, en una concertación más amplia: "Hasta el interior de las chozas llega el ruido suave del trigal seco, movido por el viento; es como un canto que durara toda la noche. Y cuando el río está próximo, la voz del agua se une a la de los trigales." [23] "La voz de los internos, la voz del Padre; la voz de Antero y de Salvinia, la canción de las mujeres, de las aves en la alameda de Condebamba, repercutían, se mezclaban en mi memoria; como una lluvia desigual caían sobre mi sueño" (VIII,89).

[23] "Los Wayak", en *Señores e indios, op. cit.*, p. 125.

Todo ser, objeto o elementos natural, tiene voz propia ("canta un propio cantar" decía Darío) y esa voz que proclama su singularidad es el puente privilegiado para la eventualidad de que muchas o todas puedan concertarse. Dentro de tal totalidad homogénea, ocupa un puesto excepcional la canción, debido a su doble naturaleza, similar a la del signo lingüístico: es un orden de palabras medidas y un orden de notas musicales igualmente medidas, pero esta estricta correspondencia no imposibilita la clara autonomía de las partes, las cuales son capaces de transportar mensajes distintos, a veces temporalmente discordantes, como ya veremos.

Efectivamente, la música cumple una función similar a la de la matriz métrica, porque establece una pauta rígida, casi inamovible, donde se combinan dos rasgos: el tiempo largo y remoto, sin origen perceptible, del cual procede y gracias al cual nos religamos con el pasado, y la cualidad colectiva que la distingue por ser compartida y aun modelada por numerosos sectores de la sociedad, sobre todo populares. Dentro de esa pauta inamovible se introduce, ajustándose a ella, una letra, que siendo capaz de adaptarse a sus ritmos fijos es capaz al mismo tiempo de conquistar la libertad de nuevos significados que expresan la situación contemporánea de quien la inventa. Se obtiene así un equilibrio de componentes que habitualmente aparecen contradictoriamente: por un lado el pasado y la colectividad, por el otro el presente y la individualidad. Describiendo a los cantores cholos de Namora, lo observa Arguedas: "Cantan en castellano, improvisando casi siempre las letras y todos con guitarra. Son cholos; de indios, les queda sólo la música y lo que ella significa..." [24]

El puesto privilegiado que cabe a la canción en las operaciones transculturadores queda así evidenciado: salva el pasado tradicional (indio) y permite la libertad creativa (chola) del presente.

Es dentro de esa orquesta que circulan las palabras;

[24] "Carnaval en Namora", en *Señores e indios, op. cit.*, p. 91.

si bien no son cantadas en el libro, sí son dichas, entonadas, percibidas como sonidos y pocas veces vistas como escritas. La oralidad, tan propia de la tradición poética hispanoamericana mayor, envuelve a *Los ríos profundos,* aunque no acarrea los juegos homofónicos que para el mismo propósito utilizó Miguel Ángel Asturias en otra área cultural americana. Tal *dicción* de las palabras se puede rastrear tanto en los diálogos y monólogos, a los cuales el libro concede casi la mitad del texto, como en las narraciones que cubren la otra mitad.

Curiosamente, estos diálogos y monólogos transportan casi siempre mensajes nítidos mediante una correcta, y a la par flexible, articulación sintáctica. Visiblemente están puestos al servicio de una comunicación intelectiva y aun pueden incurrir en una grandilocuencia discursiva, como en la rara sabiduría que posee en ocasiones al protagonista. Hay aquí una herencia del realismo europeo del siglo XIX que practicó una tesorera racionalización pero también podemos percibir, para no caer en la trampa de nuestro excluyente perspectivismo cultural, una herencia del manejo preciso, lacónico y parsimonioso de la lengua que es propio de las comunidades ágrafas. Sin embargo, la significación nítida de esos diálogos y monólogos no se agota en su escritura, sino que depende de la entonación con que son emitidos, siendo a veces sólo comprensibles si se los percibe en su circunstancia. El niño Ernesto descubre pronto que los significantes son sensibles registros de los sentimientos, más allá de sus unívocas significaciones, que se tiñen de las pasiones de tal modo que los mismos términos pueden significar distintas cosas según cómo la voz maneje los sonidos. Es así que descubre la duplicidad del Padre Linares, cotejando la forma en que habla en quechua a los colonos para someterlos y la que usa para hablar en español ante las autoridades o sus alumnos con el fin de desarrollar su destino de dominadores (VIII,98). Es así que percibe el diferente comportamiento verbal de los adultos, observando de qué manera el odio enciende a las palabras: "Yo era sensible a la intención que al hablar daban las gentes a su voz; lo entendía todo. Me habría criado entre personas que se odiaban y que me odiaban; y ellos no podían blandir siempre el garrote ni lanzarse a las manos o azuzar a los perros contra sus enemigos. También usaban las palabras; con ellas se herían, infundiendo al tono de la voz, más que a las palabras, veneno, suave o violento" (IX,160).

Esas voces son tratadas en el libro con la misma atención musical que se presta a los instrumentos, viéndolas como instrumentos de la significación: "con su voz delgada, altísima, habló el padre en quechua" (VIII,90); "Se expandió su garganta para pronunciar fúnebre y solemnemente las palabras" (XI,163); "los acompañantes de los muertos cantaban en falsetes himnos" (IX, 165); "Hablaba al modo de los costeños, pronunciando las palabras con rapidez increíble. Pero cantaba algo al hablar" (X,147); "Hablaba en quechua. Las ces suavísimas del dulce quechua de Abancay sólo parecían ahora notas de contraste, especialmente escogidas, para que fuera más duro el golpe de los sonidos guturales. . ." (VII,74).

La multiplicidad de músicas, canciones, sonidos, voces humanas que integran esta orquesta, son subsumidas dentro de otra voz que se extiende mayoritariamente a la novela: es la del narrador que está *diciendo,* más que escribiendo la historia. No empece la precisión lógica de su relato, éste se articula sobre un ritmo agitado, de rara presteza y variabilidad, que le imprime un movimiento constante. Es un procedimiento similar al que manejó Rulfo, reintroduciendo todas las voces de su novela *Pedro Páramo,* dentro de la voz del hijo-narrador, aunque él le imprimió un habla marcadamente campesina mientras que Arguedas desarrolla un habla más culta y más india a la vez. A partir de la frase "Entramos al Cuzco de noche" del primer capítulo, el narrador principal, ya que no el único de la obra, ofrece su voz rememorante para reunir dentro de ella la dispersión de voces que han de sucederse y entrecruzarse, lo que acarrea una solución literaria más ajustada y más homogénea que la practicada en *Agua* o *Yawar fiesta.*

En resumen, las palabras de la obra aparecen situadas en estratos superpuestos: en el nivel inferior, es una prosa española explicativa y racionalizada, y en el nivel superior, la canción en lengua quechua. Entre ambos niveles se distribuyen las diversas instancias intermedias, donde está la narración realista, la agilidad de los diálogos, la efusión lírica en prosa, etc. A lo largo del libro se producen movimientos ascendentes o descendentes que recorren los diferentes estratos verbales o musicales, respondiendo a una fuerza ascensional que sin cesar está empujando la materia hacia los niveles de la prosa lírica o directamente al canto, pasando del castellano al quechua. El episodio de la carta del capítulo VI proporciona un modelo reducido de esos movimientos: se parte de un plano inicial regido por una escritura convencional y muerta, visiblemente palabras sobre un papel; se pasa a un segundo que es aún de escritura pero con ritmo premioso y emocionalismo comunicante; se desemboca entonces en la viva habla del monólogo en alta voz, para por último saltar al nivel máximo en que las insuficiencias percibidas en los anteriores modos verbales son compensadas por el canto: "¡Escribir! Escribir para ella era inútil, inservible. ¡Anda; espéralas en los caminos, y canta! (VI, 60) Y no bien dicho esto, irrumpe un texto en lengua quechua que lo que hace es exhortar a la joven a escuchar, no a leer: "Uyariy chay k'atik'niki siwar k'entita... Escucha al picaflor esmeralda que te sigue; te ha de hablar de mí; no seas cruel, escúchale" (VI, 61).

La ascensión orquestal que vez tras vez crece dentro de la obra, se resuelve, en el más alto nivel, mediante la transposición sonora en un canto donde las voces se conciertan. Lo que para Arguedas significaba esa culminación, queda dicho en su descripción de los himnos en las ceremonias funerales: "Las mujeres siguen gritando. La voz del coro cruza el cielo, vibra en la tierra, como el esfuerzo mayor hecho por la voz humana para alcanzar los límites del mundo desconocido; la intención del canto se siente en todo su poder." [25]

[25] "La muerte y los funerales", en *Señores e indios, op. cit.*, p. 150.

Efectivamente, sólo ese canto coral es capaz de empastar la totalidad del universo visible y aun trascenderlo, haciendo contacto con un trasmundo del cual sin embargo Arguedas estuvo separado por un constitutivo agnosticismo. La nostalgia del orden universal, que la injusticia y el desorden de la sociedad, no han hecho sino incentivar hasta el paroxismo, encuentra su expresión en él.

La música, y en particular la canción (por los caracteres anotados), cumple así una función ideológica central, que podría reponernos un imprevisto neoplatonismo. Ella aparece como el modelo de un orden superior, aunque no divino sino natural, que establece la coincidencia y el equilibrio de una multiplicidad de factores concurrentes merced a que todos pueden compartir una misma estructura rítmica y melódica. Restablece la unidad dentro de la diversidad. Es el modelo de lo "bello natural" que revive en Arguedas. El modo en que es capaz de integrar las fuerzas dispersas, queda manifiesto en el análisis a que sometió Arguedas el título del libro de poemas quechuas de Andrés Alencastre, *Taki Parwa*:

"El título cautiva al lector de sensibilidad indígena. 'Parwa' es el nombre propio de la flor del maíz, de ese penacho gris blanco, jaspeado, en que remata la planta. La adoración que sienten los indios, y otros hombres de la sierra, por esta flor sin brillo, de blanda luz, se sustenta no sólo en la particular belleza de las *parwas* que danzan tan leve y musicalmente en la cima de las colinas —una música armonizada por la naturaleza con el ruido de las hojas—; la adoración a la flor es parte de la que se tiene por el fruto antiguo, por el cereal milenario que ha alimentado al hombre americano desde sus orívenes. 'Taki' sabemos lo que significa: canto y danza. 'Taki parwa' es una frase casi intraducible. Puede explicársele como he intentado hacerlo, pero no es posible una traducción fiel y exacta. No significa canto al maíz, sino canto como la flor del maíz; pero flor del maíz es la más pobre traducción que puede hacerse de 'parwa'. *Parwa* es el único nombre propio de flor en quechua y está cargado de sentido musical y religioso." [26]

4. La ópera de los pobres

En atención a todos estos elementos puestos en juego y a sus peculiares aplicaciones, fue que propuse[27] que intentáramos leer Los ríos profundos, más que como una novela inserta en el cauce regionalista-indigenista (aunque obviamente superándolo) como una partitura operática de un tipo muy especial, pues tanto podía evocar las formas de la ópera pekinesa tradicional como los orígenes renacentistas florentinos de su forma occidental, cuando fue inicialmente propuesta como una transcripción moderna de la tragedia griega clásica.

La importancia que tienen en la novela los componentes musicales y el poder significante que manifiestan, no son propios del género novela, según el canon occidental que toma cuerpo desde el siglo XVIII dentro de la impetuosa prosificación de los géneros literarios que caracteriza a la estética de la edad burguesa. La línea rectora de la sociedad burguesa abandona la poesía en beneficio de la prosa, el universo lírico en beneficio del realista y psicológico, sustituye la oralidad por la escritura; en su período de ascenso disuelve las concepciones mágico-religiosas remplazándolas por las analíticas-racionales y, extrayendo la narratividad del folklore popular y colectivo, la pone al servicio del individuo en el seno de la sociedad.

Curiosamente, la invención de Arguedas parte del último modelo realista y racionalista en el período en que es asaltado por los sectores bajos ascendentes: la novela de crítica social. El gran instrumento narrativo de la burguesía es asumido por los grupos contestatarios

[26] "Taki Parwa y la poesía quechua de la República", en Letras peruanas, IV, 12, Lima, agosto de 1955, p. 73.

[27] Por primera vez en el prólogo a Señores e indios, Buenos Aires, Arca/Calicanto, 1976, pp. 27-28.

imprimiéndole ciertas modificaciones indispensables, como fue la adopción de parámetros colectivos o la
conversión del personaje en tipo representativo de
la clase social, rasgos que aun pervivirán en la creación
arguediana. Pero él introduce una rebelión subrepticia
contra el modelo, la cual tiene puntos de contacto con
la vanguardia de entrambas guerras pero que, por no
haberla conocido y, sobremanera, por haber trabajado
en el cerrado recinto de las culturas internas y populares peruanas, Arguedas no habrá de seguir en sus li-
neamientos generales. Digamos que cumple, a partir
de ese último modelo que desciende a los sectores medios adquiriendo entre ellos una particular y sabrosa
aspereza, una retrogradación hacia los orígenes confusos
del género, retornando hacia la recuperación de sus
formas populares. Esa retrogradación puede llamarse
también revolución, si aceptamos la interpretación etimológica del término, según la cual deben ser recupe-
radas las fuentes primordiales cuando se procura un
avance inventivo hacia el futuro. Parece nacida de la
peculiar ambivalencia de la situación cultural del autor, quien lee de pie, en un patio universitario de Lima,
fascinado, el *Tungsteno* de César Vallejo, escritor a
quien seguirá llamando su maestro en el final de su
vida, compartiendo su pensamiento político, y a la vez
vive atraído por una sociedad tradicional y rural, conservadora de muy antiguas formas pre-burguesas. Es en
el cruce de una novela social y una ópera popular que
se sitúa *Los ríos profundos* y es ese carácter híbrido
insólito lo que hace su originalidad.

Los componentes, literarios e ideológicos, que proceden de la novela social, han sido perspicazmente reve-
lados ya por la crítica. Cabe agregar los que le vienen
de esta subrepticia fuente operática, que procede del
venero de la cultura popular en que un hemisferio
del autor estaba sumergido, mientras otro aceptaba,
cambiándole su signo, una forma nacida de la racionalidad burguesa, compartida por los cuadros intelectua-

les de las clases medias y bajas que acometían el poder.

a] *Juego alterno de personajes individuales y personajes corales.* De sus orígenes campesinos rituales, la tragedia griega y la ópera moderna, conservaron el equilibrado uso de individuos y coro, proponiendo progresivamente plurales "personas" individuales y plurales grupos corales dirigidos por corifeos, entre los cuales se hacía más complejo y rico el conflicto dramático. La misma alternancia la encontramos en la novela de Arguedas, siendo su rasgo llamativo la amplitud y destreza con que son incorporadas las masas corales (las chicheras, los colonos de las haciendas, los soldados) dada la flagrante ausencia de ellas en las mejores novelas latinoamericanas contemporáneas que trabajan sobre conflictos de individuos. El reproche que le dirige Vargas Llosa al afirmar que Arguedas había introducido en la literatura peruana una novedad consistente en "un mundo donde se borran los individuos y los remplazan como personajes los conjuntos humanos" no rige en *Los ríos profundos,* ni tampoco en *Todas las sangres.* La individualidad de los estudiantes del colegio está asegurada por una sutil capacidad de composición e incluso lo está la de personajes episódicos bocetados (el padre, el director del Colegio, el padre negro), aunque Arguedas no deja de sumar en cada uno de ellos los rasgos específicos, privativos, de la individualidad, junto con la cualidad de representantes de sectores sociales nítidamente diferenciados. Pero a ese abanico de personajes, Arguedas agrega ingentes conjuntos corales, brillantemente manejados, que actúan separadamente. Son fundamentalmeste tres: las chicheras que llevan a la cabeza a su corifeo, doña Felipa, los colonos y los *huayruros* con su orquesta acompañante. Cada uno de los grupos es tratado de distinta manera: colectivamente, bajo un solo trazo homogéneo, los colonos; armónicamente pero con matices diferenciales, las chicheras; más pormenorizadas e individualmente, subrayando sus jerarquías castrenses que introducen distintos estratos sociales, los soldados. Pero todos ellos comparten un régimen propio de los coros operáticos: su agrupación bajo ropajes fantásticos donde más libremente funciona la nota imaginativa, sorprendente y aun irreal. Por esa presentación vivaz y colorista, adquieren una dimensión distorsionada y casi expresionista, dentro del relato. Ella es percibida por primera vez por el narrador cuando descubre que los soldados son "disfrazados" y que esas ropas de que van revestidos los vuelven más aterradores aún que los *danzak* (IX, 155); la distorsión adquiere una nota fantasmagórica y sepulcral en el "epodo" de la novela que queda a cargo de los colonos que vienen en las sombras a oír la misa de medianoche, antes de morir de peste, improvisando una letra de aquelarre para "la melodía funeraria de los entierros" (IX, 185); el mismo manejo del coro, pero con una nota jubilosa, corresponde al coro de chicheras, cuyas vestiduras coloreadas son descritas con detalle, se las oye repitiendo conjuntamente las órdenes de su jefe y por último emprenden una marcha que atraviesa el pueblo al son de "una danza de carnaval", con lo cual, anota Ernesto, "la tropa se convirtió en una comparsa" (VII, 77). Cada uno de los coros va acompañado de estrepitosas músicas, ya cantadas "a capella", ya reforzadas por una fascinante orquesta de metales, como en el caso de los soldados.

Aunque los coros van creciendo en importancia mediada la novela, del capítulo VII al XI (cinco capítulos que son mucho más extensos que los seis iniciales), esto no se hace en detrimento de los personajes individuales que van a alcanzar, en los mismos capítulos de la segunda parte, la coronación de sus particulares peripecias. El autor maneja alternativamente a unos y a otros, acercándolos a través de Ernesto y oponiéndolos a través de casi todos los demás personajes individuales, de tal modo que el protagonista cumple una función mediadora en la construcción de los diversos episodios y los otros personajes una función opositora de distintos grados y matices.

b] *Secuencias escénicas sucesivas.* El modo de componer narrativo de Arguedas, no sólo evoca el orden sucesivo y lineal que distingue a la tragedia y a la ópera, sino también las formas primitivas de la hilación cinematográfica antes de la revolución| cumplida por Griffits. La división en capítulos es puramente aparencial, desde la llegada a Abancay del protagonista, por cuanto ella encubre otra organización mediante escenas que el autor distingue utilizando espacios blancos. Desde el capítulo vi (Zumbayllu) hay una continuidad de desarrollo temporal que enlaza un capítulo con el siguiente a través de una serie de escenas que se ordenan cronológicamente y que en su mayoría se inician con una información que establece día y hora en que los hechos han de ser contados. En ese capítulo vi, luego de la introducción teórica sobre las terminaciones *yllu, illa,* tendremos la siguiente serie: 1, "En el mes de mayo trajo Antero el primer *zumbayllu*..."; 2, "Oye, Ernesto, me han dicho que escribes como poeta. Quiero que me hagas una carta —me dijo el 'Markask'a algunos días después del estreno de los *zumbayllus*"; 3, "Después de la última lección de la mañana..."; 4, "La campanilla que tocaba durante largo rato anunciando la hora de entrar al comedor..."; 5, "A las ocho y media tocaban la campanilla indicando la hora de entrar al dormitorio"; 6, "Al día siguiente me levanté muy temprano". El capítulo siguiente, vii "El motín" empalma con el mismo sistema, a continuación: 1, "Esa mañana, a la hora del recreo..."; 2, "A las doce, cuando los externos..."; 3, "Tarde, al declinar el sol...".

La novela está así construida por fragmentos que adquieren su relativa autonomía porque: se producen en un tiempo determinado, colocado rígidamente dentro de una serie cronológica lineal, de tal modo que uno sigue al otro con escaso intervalo de tiempo; porque todos los fragmentos corresponden exclusivamente a lo que puede saber, ver u oír, un solo personaje protagónico que dispone de escasa movilidad (y que in-

cluso cuando evoca algo del pasado, lo hace desde una
precisa circunstancia presente que el narrador subraya)
y porque en su mayoría se trata de escenas, en el sentido teatral del término, o sea un espacio físico único
donde se hayan reunidos determinados personajes a
quienes sucede algo. Son escasas las ocasiones en que el
narrador sigue un desplazamiento libre del personaje
Ernesto de un lado a otro (es el caso del capítulo x,
Yawar Mayu) pues lo frecuente es una escena fija, en
la chichería, en uno de los patios del colegio, en el dor-
mitorio, en el paseo de Abancay, donde se produce un
episodio con relativa autonomía.

La hilación cronológica detallada y lineal, la sucesión de escenas en espacios fijos, la reducción de la
visión a un personaje único, ponen de manifiesto un
primitivismo narrativo, que llega a ser flagrante por
la notoria incapacidad para expresar la simultaneidad
de acciones en un mismo tiempo. Ni siquiera contamos
con el manejo candoroso e irónico que hace Lezama
Lima de los convencionalismos de la novela decimonónica (¿ "Qué hacía mientras tanto... ?") sino con una
rigurosa y ascética linealidad expositiva, que rememora
los problemas que casi todos los géneros (del dramático
al narrativo y al cinematográfico) han tenido en sus
orígenes para organizar la materia literaria. Un aura
elemental, como en los *laude* de Jacopone da Todi,
como en la sucesión escénica de la tragedia primitiva,
como en la ópera popular, sostiene una materia narrativa donde las percepciones psicológicas, sociológicas,
líricas y realistas se agitan y remplazan agitadamente,
casi contradictoriamente con esta simplicidad secuen-
cial.

c] *Pluralidad de formas expresivas para las voces humanas*. Lo que habría de ser patrimonio intransferible
de la ópera moderna, saliendo de la imitación de la
tragedia griega, sería la pluralidad de registros orales,
según el mayor o menor acompañamiento musical. Junto al *canto*, ya individual, ya coral, y junto a la *decla-
ración* que casi podía confudirse con la simple dicción

en alta voz del texto, tendríamos una tercera forma intermedia entre aquellas dos, el *recitativo,* que uno de sus inventores, Girolamo Mei, definía en el xvi como "un alto modo di cantare che l'ordinario". Su función responderá a la necesidad de una mediación progresiva entre la declamación teatral y el canto pleno, que en la tragedia estaba representada por la introducción de las dobles flautas que apoyaban la dicción rítmica del actor, a partir de la cual podía pasar de manera gradual al canto, sin que se percibiera el salto brusco respecto a la declamación. Se trataba de tres estratos fónicos que se superponían, facilitando el ascenso de la voz al canto, los cuales canónicamente serán aceptados por la ópera moderna y en forma más irregular por las manifestaciones más populares (como la opereta y la zarzuela) que concederán la primacía al canto y a la dicción, en desmedro del *recitativo.*

A estas manifestaciones más populares se afilia la novela de Arguedas: la tesitura general estará dada por la "dicción" oral de las múltiples voces de los personajes, todas las cuales están incorporadas a la voz de Alberto que narra y describe; en los momentos privilegiados irrumpirá el canto, tanto en sus expresiones individuales, como "arias", como en las formas corales. Pero no obstante esta tendencia, también es evidente el uso de *recitativos,* en algunos anhelantes monólogos de Ernesto, en las efusiones líricas que promueve el espectáculo de la naturaleza, en los exorcismos mágicos con que procura comunicarse a la distancia, en las imprecaciones contra los enemigos de los indios, en el encendido discurso cuando lo posee la pasión o el fervor.

Los estratos fónicos operáticos tienen así una equivalencia literaria con las distintas formas que adopta la novela: en el nivel inferior, correspondiente a la dicción, estamos ante una narración realista capaz de atender a las variadas conexiones explicativas del relato y el intercambio dialogado de los personajes; en el nivel medio, equivalente a los modos rítmicos del *recitativo* y su relativo desprendimiento de una lengua hablada corriente, nos encontramos con la narración poética constituida por una prosa imantada por comparaciones y metáforas, que se aplica preferentemente a la descripción lírica de la subjetividad o de la impecable belleza del universo; en el nivel superior, el del canto, irrumpe la música y las voces acordes a ella, tanto bajo las especies de la monodia como de la polifonía. Un lugar menos preciso ocupa toda la prosa ensayística que existe dentro de la novela: por su función informativa correspondería al nivel inferior pero es frecuente que también se sume al intermedio por la carga poética que a veces transporta.

Las tres maneras operáticas señaladas discurren dentro de los cauces de una novela de nítida imprenta social, estableciendo con ellos un contrapunto en el cual se puede hacer perceptible el foco ideológico de la obra, que es el que buscamos poner de manifiesto mediante este análisis de las formas artísticas.

Las estructuras musicales se emparentan con las poéticas, oponiéndose a las narrativas, por lo cual se le pueden aplicar los razonamientos de Jakobson sobre las matrices métricas. En la música vocal hacemos dos lecturas o, más correctamente, dos audiciones simultáneas: la que corresponde a los signos lingüísticos que transportan una significación ampliamente codificada y la que corresponde a las melodías o a los ritmos que, en cambio, carecen del mismo preciso diccionario de equivalencias. Estos dos órdenes de la comunicación están acordados pero no repiten las mismas cosas, y aun podría decirse que actúan sobre zonas diferentes, desencontradas. Mientras que la serie lingüística —narrativa o teatral— introduce el principio de la sucesión, la serie melódica introduce el principio de la repetición.

Podemos registrarlo en sólo dos aspectos de la ópera, como muestras de un comportamiento generalizado: en la obertura y en el "aria". La obertura operática hace frecuentemente el recuento de los temas que se van a exponer a lo largo de la obra, los cuales expresa separadamente de las palabras con que ellos reaparecerán dentro de la serie lingüística, de tal modo que cuando los reencontremos sustentando las arias, recuperemos su recuerdo exclusivamente musical, al cual otorgaremos un significado verbal enteramente nuevo. A ello se agrega que esos temas musicales pueden reaparecer en diversos momentos de la obra aplicados a también diversos mensajes lingüísticos, con lo cual generan asociaciones musicales que fatalmente arrastran o imponen otras verbales.

Tanto en *Los ríos profundos,* como en *Todas las sangres,* es evidente la función de obertura musical que se concede a los capítulos iniciales: tienen muy escasa hilación con el posterior desarrollo argumental, son núcleos independientes, extraordinariamente vivaces, donde se nos da, concentradamente, el conjunto de temas profundos que reaparecerán periódicamente en el texto y nutrirán los episodios narrativos, siendo los religadores profundos de acontecimientos algo deshilvanados que se organizarán gracias a la recurrencia melódica. En ellos está dicho todo, de un modo concentrado de alta temperatura poética: son los temas profundos que irrigarán, como verdaderos "ríos profundos", el acontecer de las vidas humanas. Estrictamente, la novela, en cuanto a historia, comienza con el capítulo II de impostación narrativa tradicional: allí se cuenta quién era el padre, cuál la relación con su hijo, cómo deambulan por la sierra y cómo se ve obligado a dejarlo pupilo en un Colegio de Abancay, el cual será el escenario de toda la novela. Pero *Los ríos profundos,* en cuanto estructura musical, necesita del suntuoso capítulo I, con la entrada al Cuzco, la recuperación de los orígenes indios, el muro del Inca Roca que es un río de piedras, la María Angola resonando eternamente por el valle y la opresiva estratificación social (desde el Viejo hasta el pongo) que se traslada a una distribución especial mediante el sistema de los múltiples patios comunicados, que volveremos a reencontrar en el Colegio de Abancay.

En cuanto a las arias, ya hemos apuntado que la

virtud de la melodía tradicional es su capacidad para religarnos con el pasado y al mismo tiempo permitirnos reactualizarlo mediante sustitución de su contenido verbal. En todas las épocas se ha operado este doble proceso que conserva una identidad casi mítica y reintroduce en ella la historia, que es siempre novedad e invención. Todos los hombres de mi edad, hemos cantado el repertorio de canciones populares españolas que se retrotraen a los siglos xv y xvi, con letras referidas a la actualidad de la guerra civil de 1936-1939. Lo mismo hace Arguedas, quien, conviene no olvidarlo, fue el que contribuyó poderosamente a la enorme expansión de la música folklórica mediante adaptaciones modernas que enriquecieron el sector de la mezzomúsica. En el capítulo x (Yawar Mayu) de Los ríos profundos es un tradicional "jaylli" de Navidad el que le sirve a una mestiza provocativa para insultar a los soldados reunidos en la chichería y ellos vacilan desconcertados ante esta alteración de los elementos tradicionales. La frase de la novela con que se anuncia el canto, es altamente significativa: "La muchacha improvisaba ya la letra de la danza; ella, como el bailarín y el músico, estaba igualmente lanzada a lo desconocido" (x, 142). Sí, lanzada a lo desconocido, inventando la historia presente, incorporándose ella como actor de la historia en su circunstancia, pero dentro de una estructura musical que conserva el pasado, recupera el mito incluso.

Es esta doble lectura la que para Arguedas resolvía el conflicto de la transculturación y es ella la que explica el júbilo voluntarioso de su famoso discurso al recibir el Premio Inca Garcilaso. Él conocía bien el carácter mestizo de la cultura peruana y no ignoraba su propio papel de agente transculturador, de modo que el problema está todo él remitido a las formas que adoptaría el proceso de mestización transculturante en curso, procurando que no destruyera las raíces ni provocara la anomia de las comunidades rurales, pero que tampoco cegara las fuentes creativas y la plena incorporación a la historia.

La equivalencia en la literatura, en cuanto forma, es la extraordinariamente original composición de la novela. Estableció una pluralidad de lecturas del texto mediante el uso de diversos niveles que a veces se separan pero que vertiginosamente de pronto convergen. Ellos corresponden a los estratos musicales, poéticos y realistas sobre los cuales zigzaguea la acción, pero además, corresponden a una doble y antitética formulación, la mítica y la histórica. No había leído las lúcidas precisiones de Godelier [28] pero sabía suficiente de mitos como para no caer en las trampas que han acechado a muchos escritores latinoamericanos, de Austrias a Fuentes. Conocía las virtudes, pero también las trampas de los mitos. Y fue un hombre de su tiempo, de su historia, con una conciencia social democrática sin tacha. En los niveles del recitativo y del canto, funciona el mito, mientras que en los de la declamación y la narración funciona la historia, pero de pronto éstos ingresan a los más altos niveles sin que ni uno ni otro valor sean desvirtuados. Es una rara hazaña de la literatura.

Si no es una "beggar's opera" como la dieciochesca de Gray, es, al menos, una *opera de pobres,* como las que intentaron entre ambas guerras Kurt Weil y George Gershwin, porque está construida a partir de los materiales humildes que componen una cultura popular; por momentos, se diría que con los desechos de grandes culturas, tanto la incaica como la española, conservados y elaborados en ese "bricolage" que intentan las comunidades rurales con las migajas que caen de la mesa del banquete de los señores. Toda la acción transcurre en la pobreza, en la basura, en los harapos, en cocinas de indios, caminos lodosos, chicherías de piso de tierra, letrinas de colegios, baldíos, destartalados re-

---

[28] Maurice Godelier, *Economía, fetichismo y religión en las sociedades primitivas,* Madrid, Siglo XXI, 1974. Véase cap. xiv "Mito e historia: reflexiones sobre los fundamentos del pensamiento salvaje".

fectorios. Ningún indicio de educación superior, ni siquiera en los maestros de Abancay; ninguna presencia de las mayores culturas de las que estos seres son los últimos desamparados herederos y hasta en un personaje, Valle, la caricatura provinciana del intento de apropiarse miméticamente de ellas.

Las orquestas que aquí tocan son las de indios (arpa, violín, charango) o las bandas de los regimientos militares, o es un rondín que se toca solitariamente, o es aún menos, el sonido de un trompo al girar; lo que se canta son huaynos, himnos, jarahuis, carnavales. Los elementos ambientales proceden de la región: son los pájaros, las flores, los animales de la zona rural, muy escasamente jerarquizados por el arte y la literatura. Y aun los recursos literarios, no van más allá de la provinciana estilización que se intentó en los años veinte.

Sin embargo, toda esta pobreza está movida por una energía y por una belleza sin igual. Es un universo violento, en constante pugna, cuya dinámica no cede un instante e imprime su ritmo rapsódico a la narración. La tensión y la energía del texto es, como ha visto Dorfman,[29] el estricto equivalente del universo revuelto que se expone: en verdad, son ellas las que lo crean por encima del nivel de la historia y de sus variadas peripecias. Tal fuerza se complementa con dos virtudes mayores: la precisión y la transparencia. La acuidad de la mirada y la velocidad con que dispone los elementos de la composición, van a la par con la precisión con que los recorta y distribuye. Todo se hace nítido, rápido, claro y agudo.

Ninguno de los componentes pobres con que trabaja ha sido recubierto de cosmética y, al contrario, se ha acentuado el desamparo y el horror. Todos son aceptados en su escueta corporeidad y puestos al servicio de

[29] Ariel Dorfman, *Imaginación y violencia en América*, Santiago, Editorial Universitaria, 1970.

un ritmo y de una melodía. Es justamente esta aceptación muda de una materia no prestigiada pero fuerte,
la que sostiene el resplandor espiritual de la obra. Da
origen a una suntuosa invención artística, hace de una
opera de pobres una joya espléndida.

VII. LOS RÍOS CRUZADOS, DEL MITO Y DE LA HISTORIA

1. El contrapunto de los narradores

Si bien hemos afirmado la impregnación operática, de ópera humilde y popular, que caracteriza a *Los ríos profundos,* no por eso dejamos de reconocer lo obvio, que ella pertenece básicamente al género narrativo. Es, por lo tanto, una ópera narrada. Lo cual nos remite al funcionamiento de los narradores.

El autor ha apelado a dos narradores que, a modo de trujamanes situados a ambos lados del escenario imaginario en que discurre la acción, se encargan de relatarla. Dos narradores y no uno como ha señalado insistentemente la crítica, extraviada por la aparencial homogeneidad de la función elocutiva del narrador. Efectivamente es fácil confundir estos dos narradores porque sus perfiles no están delimitados explícitamente, sus entradas no son anunciadas por ninguna referencia metalingüística y su especial autonomía sólo puede detectarse por modificaciones en el manejo de la lengua y en el punto de vista narrativo que se utiliza.

Uno de ellos es el narrador principal, quien es un hombre adulto que evoca una niñez de la cual está separado por un largo lapso de no menos de treinta años. Como en el clásico modelo establecido por *La Divina Comedia,* debe distinguirse este Narrador Principal del niño Ernesto protagonista de los sucesos de la obra: este último está en el centro del escenario y no es sino un personaje, obviamente protagónico, a quien le están sucediendo hechos que están fuera de toda capacidad de previsión y dominio, no sólo por la condición oscura e imprevisible que el futuro ostenta para todo ser humano sino además porque su reducida edad y su escaso poder hacen de él un testigo privilegiado pero no un agente que dirige los hechos. El Narrador Principal, que está supuesto ser Ernesto llegado a la edad adulta, es alguien que rememora, rescatando del pasado una serie de acciones cuyo encadenamiento y solución tiene obligadamente que conocer dado el puesto que ocupa en el decurso temporal. Él cuenta desde fuera de las acciones que desarrolla la peripecia, con una perspectiva que si bien privilegia la visión del personaje Ernesto no deja de hacerse cargo, con un notorio margen de autonomía, de las visiones de los restantes personajes, debiendo por lo tanto dejarnos percibir la fundamentación de esas visiones, cosa que hace manejando un no explícito encuadre sociológico según el cual los comportamientos independientes de los personajes quedan situados dentro de coordenadas clasistas o culturales.

Este Narrador Principal utiliza las formas verbales prototípicas de la narración, pues maneja los tiempos pasados del indicativo. En algunas ocasiones se desliza al uso del pretérito imperfecto, pero en la mayoría abrumadora de los casos se le ve apegado al pretérito indefinido que le asegura la máxima distancia respecto a los sucesos que rememora, con la constancia de la conclusión definitiva de esos sucesos que el tiempo verbal que utiliza le asegura. Pero tanto si maneja el imperfecto como el pasado simple, trabaja, en la clasificación de William Bull,[1] sobre el "retrospective point", prefiriendo su vector cero, el "retro-perfect" del pretérito simple. Él rige las narraciones de los hechos y circunda los diálogos —donde se repone el presente histórico de los sucesos— a través de las acotaciones, usando mayoritariamente en el primer caso la convencional tercera persona y en el segundo tanto ella como la primera persona ("dijo", "me dijo", "le dije").

En frente de él hay sin embargo otro Narrador, que

[1] William E. Bull, *Time, tense and the verbs. A study in theoretical and applied linguistics, with particular attention to Spanish*, Berkeley, 1960.

puede distinguirse por una nota académica y una cultura amplia, pues abarca toda la del Narrador Principal pero se extiende más allá de sus límites merced a un conocimiento sistemático de la realidad peruana. Cumple una función más restringida pues interviene menos en el relato, pero es una función de tipo cognoscitivo ya que a él le caben las informaciones generales destinadas a completar y mejorar la comprensión del lector respecto a los sucesos de la novela. Mientras que el Narrador Principal es un doble de Ernesto con la distancia y el enriquecimiento dado por el tiempo transcurrido, que se restringe a la órbita de la historia, el segundo tiene un pertrechamiento intelectual más vasto y asume una notoria actitud educativa. Como ya dijimos, no es anunciada su presencia: interviene repentinamente en el relato, casi sacándole la palabra de la boca al Narrador Principal, cuando considera indispensable aportar datos no conocidos por los lectores-oyentes. De ahí que éstos aparezcan presupuestos en sus intervenciones de un modo que no es perceptible en el relato del Narrador Principal, quien simplemente construye un universo autónomo, sin un destinatario evidente.

El ingreso de este segundo Narrador que por sus intervenciones se nos define como un etnólogo experto, está señalado en el nivel lingüístico por una alteración de las tesituras temporales. En oposición al Narrador Principal, él utiliza preferentemente los tiempos verbales de presente, de tal modo que se adscribe a otro eje de orientación temporal, el "point present". Si bien ambos narradores parten, obligada y fatalmente, del "yo-aquí-ahora" y si bien ambos "dicen" más que "escriben" sus intervenciones, hay entre ellos flagrantes diferencias: 1, el primero se instala sobre un punto único situado en el pasado para contar algo que en ese punto sucedió pero que ha quedado abolido por el tiempo transcurrido posteriormente, mientras que el segundo se adhiere a un aspecto de lo real mucho menos determinado por las variaciones temporales, el cual por

lo tanto puede percibir como una constante y por lo
mismo puede reencontrar, sin apreciable diferencia, en
el presente; 2, el primero, como ya anotamos, no presupone forzosamente un lector, beneficiándose de esa
aparente neutralidad de la tercera persona del pretérito, mientras que el segundo, por la nota didascálida
de sus intervenciones, ejerce una presión informativa
que postula la existencia de un lector concreto al que
va dirigido el mensaje; 3, ambos manejan prosas radicalmente diferentes, pues mientras la del primero es narrativa, la del segundo es fuertemente discursiva, como
extraída de una clase, al punto que la eliminación de
todas estas intervenciones no afectaría en nada la hilación argumental del relato, aunque sí la comprensión
profunda de múltiples términos y situaciones.

El autor ha combinado de distinta manera la participación de sus dos narradores. En varias ocasiones los
ha separado nítidamente, apelando a la división mediante espacios blancos que también utilizó para inde-
pendizar entre sí las escenas de la novela. En el capítulo II ("Los viajes") el segundo fragmento corresponde a este Narrador Secundario, a quien quizás
convendría llamar Etnólogo, quien con entera independencia de la acción procede a explicar el comportamiento de las aves en los pueblos serranos, utilizando
todos los verbos en presente:

En los pueblos, a cierta hora, las aves se *dirigen* visiblemente a lugares ya conocidos. A los pedregales, a las huer-
tas, a los arbustos que *crecen* en la orilla de las aguas. Y
según el tiempo, su vuelo *es* distinto... etc., etc. (II, 20).

En el capítulo IV ("La hacienda"), como en el capítulo VI ("Zumbayllu"), se concede al Narrador Secundario el primer fragmento, introductorio:

Los hacendados de los pueblos pequeños *contribuyen* con
grandes vasijas de chicha y pailas de picantes para faenas
comunales. En las fiestas *salen* a las calles y a las plazas,
a cantar huaynos en coro y a bailar. *Caminan* de diario
con... (IV, 31).

Y en cuanto al famoso texto sobre el "zumbayllu" que abre el capítulo VI, antes de aparecer en la novela, ya había sido publicado como artículo etnológico diez años atrás.[2]

En otras ocasiones el Etnólogo interviene abruptamente como dentro de un paréntesis y la acción narrada es retomada como si no hubiera habido interrupción, pero frecuentemente esa abrupta inserción ha proporcionado la necesaria información para la mejor valoración de los sucesos.

Dos ejemplos:

1. NP El sol caldeaba el patio. Desde la sombra de la bóveda y del corredor mirábamos arder el empedrado.

   NS El sol infunde silencio cuando cae, al mediodía, al fondo de estos abismos de piedra y de arbustos. No hay árboles inmensos.

   NP Varios moscardones cruzaron el corredor de un extremo a otro. Mis ojos se prendieron del vuelo lento... (IX, 114.)

2. NP Cantaban, como enseñadas las calandrias, en las moreras.

   NS Ellas suelen posarse en las ramas altas.

   NP Cantaban, también balanceándose, en la cima de los pocos sauces que se alternan con las moras.

   NS Los naturales llaman tuya a la calandria. Es vistosa, de pico fuerte; huye a lo alto de los árboles. En la cima de los más oscuros... [etc., etc.]

   NP Mientras oía su canto que, es seguramente, la materia de que estoy hecho, la difusa región de donde me arrancaron para lanzarme entre los hombres, vimos aparecer... (IX, 119-20.)

Lingüísticamente, la distribución de la materia novelesca entre los dos narradores, se ajusta a los dos sistemas de tiempos definidos por Emile Benveniste[3] y

[2] "Acerca del intenso significado de dos voces quechuas", en La Prensa, Buenos Aires, 6 de junio de 1948.

[3] Emile Benveniste, "Le relations de temps dans le verse français", en Bulletin de la Société Linguistique de Paris, 54 (1959).

que él ha denominado "historia" y "discurso", adscri-
biendo al primero el aoristo, el imperfecto, el condi-
cional, el pluscuamperfecto y el prospectivo y al segundo el presente, el futuro, el pasado compuesto,
aunque también el imperfecto y el pluscuamperfecto.
Aunque con algunas variantes, es también la distribución de tiempos en dos grupos que ha propuesto Harald
Weinrich,[4] estableciendo que el primero, donde se reú-
nen el presente, el pasado compuesto y el futuro,
corresponden al "mundo comentado", en tanto que el
segundo, que abarca el pasado simple, el imperfecto y
el pluscuamperfecto, corresponden al "mundo narrado".
Es una distribución de tiempos verbales que basamenta
dos diferentes modos de comunicación lingüística, muy
bien definidos por la fórmula de Benveniste —historia
y discurso— pero que no implican necesariamente que
al pasarse de una a otra en una misma obra, debamos
reconocer un cambio de "narradores". Hay, sí, dos
registros lingüísticos diferentes, en una primera y objetiva comprobación. Visto el uso de espacios blancos
dentro de los cuales a veces circunscribe el autor los
"discursos", deducimos que era consciente de la distinta naturaleza y función que dentro de su novela
desempeñaban Historia y Discurso. Aún puede agregarse que con frecuencia la aparición del Discurso,
apoyado mayoritariamente sobre tiempos verbales de
presente, acarrea una modificación del tratamiento verbal de la Historia. Ésta discurre, tanto en la narración
como en las acotaciones del diálogo, sobre las formas
del pasado simple, pero en la inminencia del Discurso
se inflexiona hacia el uso del imperfecto, generando así
una suerte de gradación, —ví, veía, veo— que no responde a normas de concordancia, sino a deslizamientos
progresivos entre las formas literarias prototípicas de la
Historia y las del Discurso.

En una segunda comprobación, creemos que los dos

[4] *Estructura y función de los tiempos en el lenguaje*, Madrid, Gredos, 1974.

sistemas lingüísticos referidos encajan en dos situaciones narrativas paralelas de la novela, que nos permiten
restaurar el concepto de dos narradores alternos, aunque con conciencia de que el autor los maneja sin un
estricto rigor, con más espontaneidad que cálculo, permitiendo a veces borrosos lindes entre ambos. Siendo
el protagonista de la novela un niño llamado Ernesto,
y no José María, el Narrador Principal debe obligadamente ser un Ernesto llegado a la edad adulta, quien
evoca algunos episodios de su pasado. Que Arguedas,
como cualquier otro novelista, haya manejado para el
personaje percepciones propias y construido su historia
con muchos materiales autobiográficos, nada resta a
que evidentemente eludió la autobiografía y se propuso
crear un personaje autónomo a quien denominó (siempre me he preguntado por qué) Ernesto. La ficta
independencia del personaje Ernesto respecto al autor,
repercute en el narrador adulto, sobre cuyas circunstancias, vida, costumbres, educación, Arguedas guarda
estricto silencio. Nada se dice nunca del Ernesto adulto
que narra y que por este mismo silencio y oquedad
en que se le figura, es, austera y únicamente El Narrador, un personaje ficticio e incalificado que inventa
Arguedas para cumplir las funciones de narrar. Está
distanciado temporalmente del protagonista y a la vez
está consustanciado espiritualmente con él, todavía. Es
simplemente Ernesto adulto y aun su única función
definitoria, la capacidad de narrar, está prevista en el
niño a quien en el colegio se le pide que escriba las car-
titas amorosas y se le considera algo "poeta".

Nada de lo poquísimo que podemos saber de este Ernesto adulto, acredita que a él se deban los Discursos
y tampoco existe en el texto una referencia explícita
que lo confirme. Las intervenciones del Narrador Secundario no aparecen sometidas a las mismas obliga-
ciones de la ficción narrativa ni establecen la forzosa
continuidad que hay entre el protagonista Ernesto y
el narrador Ernesto. Asumen por regla general un tono
neutro, impersonal, que se opone fuertemente al enfoque

personal del Narrador Principal. Discurren como fuentes objetivas de la información sobre la realidad etnológica peruana, a veces con una sutil impregnación poética. Semejan las intervenciones de un profesor o de un ensayista, buen conocedor de todo el material narrado pero además capaz de interpretaciones, generalizaciones y articulaciones que parecen fuera de la órbita del Narrador Principal. En algunas ocasiones, apela desenfadadamente a textos ensayísticos que han sido escritos por José María Arguedas o parafrasea algunas de sus investigaciones etnológicas publicadas en revistas especializadas. Curiosamente, es este Narrador Secundario, que está a cargo de los Discursos, el más reconocidamente cercano a José María Arguedas. A pesar de la objetividad de sus exposiciones, a veces es capaz de hacer alguna referencia personal, como en un ejemplo del capítulo VI, y entonces establece el punto de unión con el Narrador Principal:

NP *Empecé* a darme ánimos, a levantar mi coraje, *dirigiéndome* a la gran montaña, de la misma manera como los indios de mi aldea se *encomendaban*, antes de lanzarse en la plaza contra los toros bravos, enjalmados de cóndores.

NS El K'arwarasu *es* el Apu, el Dios regional de mi aldea nativa. *Tiene* tres cumbres nevadas que se *levantan* sobre una cadena de montañas de roca negra. La *rodean* varios lagos en que *viven* las garzas de plumaje rosado. El cernícalo *es* el símbolo del K'arwarasu. Los indios *dicen* que en los días de Cuaresma *salen* como un ave de fuego, desde la cima más alta, y *da* caza a los cóndores, que les *rompe* el lomo, los *hace* gemir y los *humilla*. *Vuela*, brillando, relampagueando sobre los sembrados, por las estancias de ganado, y luego se *hunde* en la nieve. Los indios *invocan* al K'arwarasu únicamente en los grandes peligros. Apenas *pronuncian* su nombre el temor a la muerte *desaparece*.

NP Yo *salí* de la capilla sin poder contener ya mi enardecimiento. Inmediatamente después que el Padre Director y los otros frailes *subieron* al segundo

> piso, me *acerqué* a Ronlinel y le *di* un puntapie
> suave, a manera de anuncio. (VI, 65.)

La independencia lingüística y literaria de ambos narradores, converge en un punto unificante, "mi aldea",
donde, si no uno, son al menos, parientes.

El significado que encuentro en el empleo de estos
dos narradores, es similar y paralelo al que he observado
en el uso de la canción dentro de la novela, en cuanto
la canción es disociable entre una música que conserva
íntegra la tradición con su aire de eternidad y una
letra que es capaz de traducir las circunstancias del momento original en que se produce. Tanto la función
narrativa como la función del canto, aparecen como
capaces de integrar dos cauces escindibles. Son artificios
que establecen la juntura de dos vías separadas y aun
antitéticas: por un lado el componente histórico (a saber, el accidente único, original, en que se ejerce la
libertad creativa pero que por lo mismo no puede volver a repetirse igual una vez que ha concluido) y el
componente mítico (en el sentido con que lo define Mircea Eliade, en tanto remoto pasado situado en la esfera
de los orígenes, que se reactualiza constantemente sin
que se produzca en él ninguna modificación apreciable, apareciendo como un *ersatz* cultural de la eternidad).

Estas vías de la Historia y del Mito corresponden, al
nivel de los narradores, a la Historia y al Discurso que
ejercen, alternativamente, el Ernesto adulto y José
María Arguedas etnólogo. Mientras el primero cuenta
una serie de episodios que ocurrieron una vez en el
tiempo preciso del pretérito simple y no volverán a repetirse, el segundo se consagra preferentemente al discurso sobre las aves, las montañas, los significados de
la lengua quechua, la música de los instrumentos populares, las celebraciones religiosas, todos esos elementos
fijos a los cuales dedicó tantos escritos antropológicos,
registrando gustosamente en ellos la permanencia más
que el cambio. Son estos propósitos diferenciales los que

exigieron el uso de tiempos verbales específicos que los identificaran: la historia, el "mundo narrado", corresponde a los tiempos pasados; el mito, que es raigalmente un "mundo contemplado", corresponde al presente eterno (como al pasado compuesto o al futuro) que consolida su pervivencia inalterable.

Ambos narradores atienden, en la novela, campos específicos: uno narra todo lo que no puede ser resuelto directamente por el diálogo y el canto; el otro explica todo lo que considera necesario para comprender el relato que hace su compañero y a él pueden ser atribuidas las traducciones de la mayoría de los textos en lengua quechua. Sin embargo, ninguno de ellos se introduce en la acción propiamente dicha, a la que se le reconoce independencia. Ella es el campo propio del personaje Ernesto niño.

2. *La línea de sombra*

"Yo tenía catorce años" dice. No es un niño, es ya un adolescente. Exactamente es un impúber que está ingresando a la pubertad, situado sobre una frontera tan afilada como una hoja de navaja y que ha sido comparada frecuentemente a un segundo nacimiento. Es el momento de la metamorfosis en que, según la clasificación de uso en el Colegio, se pasa de menor a mayor, la cual se produce mediante el ejercicio de la sexualidad. Es el momento en que el adolescente reviste la toga viril e ingresa al mundo de los hombres. Ernesto está en ese punto, aterrado, balanceándose inseguro entre el paso decisivo hacia adelante y la retracción hacia su anterior mundo conocido. Comparte la misma sabiduría insólita que puede encontrarse en las jóvenes impúberes de las narraciones de Juan Carlos Onetti, aunque careciendo de la paz y seguridad, de la confianza e implantación firme en la vida que las caractiza. Al contrario, él existe en el vértigo, en la desesperación, en el horror. Tanto en el caso de Arguedas,

como en el de Onetti, parece evidente la filiación dos-
toiewskiana de esta problemática, aunque ella resultó
suficientemente expandida en la novela europea del
XX, de Conrad a Joyce, como para admitir nutridos
puntos de irradiación: *Le grand Meaulnes* fue uno de
los más difundidos.

La demasiado sabida procedencia autobiográfica de
los episodios de *Los ríos profundos,* ha distraído a lectores y críticos sobre el manejo a que Arguedas somete
esos materiales —tal como cualquier otro novelista—
poniéndolos al servicio de un proyecto literario significativo. No se trata de hilvanar particulares y restrictos
sucesos de un período de la vida, sino de organizarlos
para que sirvan a un designio narrativo y por lo tanto
concurran al establecimiento de una significación.

Elegir a un personaje de frontera, que oscila entre
dos hemisferios y que es consciente de la violencia del
tránsito, implica una voluntariedad del autor y responde
a su subrepticia concepción (heredada de los regionalistas y del movimiento ideológico indigenista) de que
existe un vínculo entre individuo y sociedad, que al
primero puede caberle una función representativa de
un conglomerado mucho más amplio, que en él puede
darse concentradamente un panorama sociológico. Para
esta concepción, hombre y mundo no son simples an-
títesis al estilo romántico, sino vasos comunicantes: en
el individuo vemos reproducida, a un nivel existencial
rico, la conflictualidad social. Biografía y Sociografía
se manejan equilibradamente, ampliándose en la segunda la problemática de la primera. Dada esta perspectiva sociológica, los sucesivos enmarcamientos de la
novela pueden verse como progresivas ampliaciones de
un modelo reducido ofrecido por el personaje protagónico; sus mismas tensiones se reproducen, aunque distribuidas entre diversos personajes, en el marco del
Colegio; y éstas vuelven a ampliarse y a redistribuirse
entre fuerzas sociales —en vez de meros personajes— en
el pueblo de Abancay; por último, como un aura borrosa, puede preverse que el pueblo de Abancay es tam-

bién el modelo reducido del funcionamiento de toda la sociedad peruana. Esta concepción está incrustada en el pensamiento de Arguedas desde *Yawar fiesta* y alcanzará su expansión plena en *Todas las sangres;* dentro de tal proceso de ajuste de una misma concepción de la novela, *Los ríos profundos* representan un punto intermedio y equilibrado donde Biografía y Sociografía juegan a partes iguales.

El personaje de frontera, desgarrado entre dos hemisferios, es la sociedad misma que se sostiene sobre un precario equilibrio que se asegura con una despiadada violencia. A nivel individual el protagonista oscila entre la infancia y la pubertad; a nivel social una ingente parte de los hombres, fundamentalmente los indios colonos de las haciendas, son mantenidos brutalmente en la infancia por los mestizos y mistis que ocupan el puesto dominante, tal como lo percibe Ernesto: "En los pueblos donde he vivido con mi padre, los indios no son *erk'es*. Aquí parece que no los dejan llegar a ser hombres. Tienen miedo, siempre, como criaturas" (IX, 117).

Arguedas ha contado en algunos reportajes y a través de los cuentos de *Amor mundo* su propio y conflictivo trato con la sexualidad que correctamente la crítica ha visto desde la perspectiva de una obliterada educación conservadora católica[5] pero también ha reconocido[6] que en algunos cuentos ("El ayla") supo ofrecer una visión libre y gozosa del sexo. Creo que esto último puede rastrearse también, menos explícitamente, en *Los ríos profundos,* en la distinta combinación en que aparecen sexo y violencia.

La frontera que Ernesto debe traspasar es la del sexo, pero no es éste una entidad neutral, ausente de connotación cultural. Para Ernesto, como para los demás

[5] Antonio Cornejo Polar, *Los universos narrativos de José María Arguedas,* Buenos Aires, Losada, 1975.

[6] Mario Vargas Llosa, "José María Arguedas entre sapos y halcones", en *Los ríos profundos,* Caracas, Biblioteca Ayacucho, 1978.

alumnos del Colegio, el sexo es la violencia y el desprecio, una fuerza incontenible que se inserta dentro de una despótica concepción machista de la vida y se resuelve en una rígida dicotomía: por un lado el ejercicio corporal que queda simbolizado por los acoplamientos con la opa y por el otro la idealización espiritualizada representada por las señoritas Salvinia-Alcira-Clorinda. En las dos vertientes se trata de un apropiamiento violento asumiendo la calidad de dueño, el cual traslada a las relaciones personales amorosas el sistema de dominio que rige a la sociedad. Sexo, violencia y propiedad, son una y la misma cosa en los valores culturales de este grupo social, al cual pertenecen Ernesto y la mayoría de los internos, aunque los comportamientos de cada uno de los integrantes varíen por razones no sólo individuales sino sociales.

Hay un eje divisorio que permite clasificar a los estudiantes del Colegio de Abancay en mayores y menores, haciendo dos grupos con distintos comportamientos. El Director lo reconoce: "Además, éste es chico. Ustedes son casi jóvenes" (xi, 160) pero lo experimentan todos en relación a esa frontera que da acceso al hemisferio adulto, que es el trato con la mujer, ya sexual ya sentimental. El "Peluca" le ofrece a Ernesto la opa: "Yo ahora te la daría, seguro, garantizado. Aprende ya a ser hombre" (x, 149). Es el ingreso a la sexualidad el que asegura preferentemente la calidad de adulto. Dentro de este hemisferio se encuentran, desde el comienzo, en el Colegio, varios personajes —el Lleras, el Añuco, el Peluca— que son definidos como "los malditos" porque en ellos se da asociado el uso de una sexualidad torpe, con la opa, junto con una constante brutalidad despótica en el trato de los menores. También pertenecen al hemisferio de los mayores otros alumnos, representados por el Valle, quienes ejercen una relación sentimental con las "señoritas" de Abancay que no se postula obligadamente como sexual y concomitantemente el desdén por los menores. Si los primeros son vistos como "brutales", los segundos son vistos como "falsos"

por parte de Ernesto: "Gesticulaba, movía las manos
con los dedos en evidentes posturas forzadas; las adelantaba hacia la cara de las niñas y aun su boca la
adelantaba; debían sentirle su humano aliento" (x,
148).

También son variados los grupos de integrantes del
hemisferio de los menores, aunque ya no definidos, por
la relación con la mujer. Todos éstos coinciden, sin
embargo, en una expectativa sexual, más o menos con-
fesa. El Ernesto de los fervorosos dictámenes morales,
vive tentado por el cuerpo de la opa que llegó a ver
desnudo: "¡Cómo temblaba yo en esas horas en que
noche ella caía al patio interior, y los cielos y la tierra
no podían devorarme a pesar de mis ruegos!" (x, 151).
Y su relación distante y anímica con ella, está teñida
de oscuro erotismo así como de afán de apropiación, que
logra gracias a la muerte de ella, trasladándola entonces
a una figura espiritualizada, como las niñas de Abancay.

Por lo tanto, si la frontera que da acceso a la hombría es la presencia de la mujer, el nuevo territorio se
ofrece en una versión dicotómica nítida que podríamos
definir como sexualidad y sentimentalidad, trabajando
separadamente, no sólo según los casos individuales,
sino también según los estratos sociales a que pertenecen los alumnos, como se ve en la diferencia entre
"malditos" y "falsos" que anotamos. En esta serie de
divisiones y subdivisiones vemos el manejo de los valores culturales de una sociedad pero también, conjuntamente, el característico modo de Arguedas de trabajar sobre diferencias y oposiciones, lo cual le lleva a
procurar ejemplos probatorios.

En la novela, Ernesto no atraviesa la línea de sombra, pero lo hace uno de sus compañeros del hemisferio,
el mayor de los menores y su amigo, Antero. Él se incorpora a los mayores y pasa a contemplar a su antiguo
compañero como una "guagua", haciendo amistad con
el fornido, franco y sano Gerardo. Esta transformación
se ejecuta simultáneamente sobre los dos registros anotados —sexo y violencia— que de este modo quedan es-

trechamente vinculados como formas de acceso a la hombría. La mujer pasa a ser vista como un objeto de cacería al que progresivamente se domina: "Gerardo ya tumbó una, en el Mariño. La hizo llorar, el bandido. La probó" (XI, 157). Los estratos inferiores de indios son percibidos con mirada de amo capaz de reprimirlos por la fuerza: "Yo, hermano, si los indios se levantaran, los iría matando, fácil" (IX, 118). Ambos registros están estrechamente vinculados a la propiedad, tal como lo complementa Antero para explicarse ante Ernesto: "Pero a los indios hay que sujetarlos bien. Tú no puedes entender, porque no eres dueño" (IX, 118). La tríada de sexo, violencia y propiedad es así asumida plenamente al entrar al hemisferio adulto.

Es ésta una concepción cultural del sexo y obviamente no la única. Ernesto se rehúsa a aceptarla, a pesar de que el deseo lo alebresta. Recae entonces en la otra vía de la dicotomía, la espiritualización de modelos no nativos (rubias de ojos azules) que no es sino la contrapartida de la brutalidad sexual —y que por lo tanto la contiene como su reverso fatal— y en el manejo del eje vertical de origen religioso (sobre todo católico) que remite, por separado, la pureza a lo alto y la materialidad a lo bajo.

Pero existe otra concepción del sexo y la vida, semejante a la que Arguedas mostró en "El ayla", aunque no ha sido suficientemente explicitada en la novela. Son las relaciones libres de las chicheras con los parroquianos, impregnadas de alta y sabrosa temperatura sensual y al tiempo de una alegría descontractada. En la escena tercera del capítulo X ("Yawar Mayu") que rota en torno al papacha Oblitas y es de los más felices cuadros populares de la novela, se ofrece la silueta de una de las mozas que atiende el negocio de doña Felipa, en su ausencia: todos los datos concurren a mostrar una excitación sensual de Ernesto ante los atractivos corporales de la muchacha, con algunas repentinas timideces, pero sin ninguna sensación de pecado o de repugnancia. —"¡Caray, guapo! —dijo la

moza. Tenía la cara sucia; sus pechos altos y redondos
se mostraban con júbilo bajo su monillo rosado." "Sus
lindas caderas se movían a compás; sus piernas desnu-
das y sus pies descalzos se mostraban sobre el sucio
suelo, juvenilmente." El arpista observa su entusiasmo
y lo aprueba socarronamente y luego el Cabo dirige a
la moza "una frase sensual, grosera" que sin embargo
da lugar a una jocunda escena en que "reímos todos".
Las dos vías separadas (sexo y sentimiento) que ator-
mentan el ingreso al hemisferio adulto de los alumnos
del Colegio, aquí se dan entreveradas, sumadas a la
chicha y al baile y, sobre todo, establecidas en una
relación de hombre y mujer donde no parece haber
dominación, apropiación, sino libre consentimiento de
las partes: las chicheras aceptan o niegan los requerimientos de que son objeto y en un pintoresco fragmento, en que se desliza una confesión atribuible al Narrador Secundario, se afirma esta independencia femenina
que hace llorar a más de un hombre: "Varias mestizas
atendían al público. Llevaban rebozos de Castilla con
ribetes de seda, sombreros de paja blanqueados y cintas
anchas de colores vivos. Los indios y cholos las miraban
con igual libertad. Y la fama de las chicherías se fun-
daba muchas veces en la hermosura de las mestizas que
servían, en su alegría y condescendencia. Pero sé que la
lucha por ellas era larga y penosa. No se podía bailar
con ellas fácilmente; sus patrones las vigilaban e ins-
truían con su larga y mañosa experiencia. Y muchos
forasteros lloraban en las abras de los caminos, porque
perdieron su tiempo inútilmente, noche tras noche, be-
biendo chicha y cantando hasta el amanecer" (v, 36).

Aunque hubiera sido más destacada esta solución
alternativa, no hay duda de que el mundo de los adultos se define en esta novela como en las de Onetti: es
una degradación, que cabe en una sola palabra, el
poder. El poder con el cual oprimir o vejar, a los indios, a los pobres, a las mujeres, a los débiles, a los
negros, a los rebeldes, haciendo de todos ellos criaturas
sometidas. Tal conglomerado supera con mucho el

escueto tema sexual, extensamente considerado en la novela, y explica no sólo la retracción de Ernesto, sino también su opción, que repite el verso martiano: "Con los pobres de la tierra / quiero yo mi suerte echar." En Arguedas, como en Martí, conserva viva una llama cristiana, mucho más poderosa que las otras animaciones políticas o sociales de la época.

Desde el momento que ese afán de compartir no consigue fundamentos objetivos debido a la debilidad e infantilismo del personaje, se instaura el desajuste entre deseo y acción que rige su comportamiento desequilibrado. No dirije ni ejecuta ninguna acción de peso, limitándose a refractarlas y a otorgarles entonces un sentido. Su papel no puede definirse como pasivo, ya que es una conciencia en vilo que participa emocional e intelectualmente de la peripecia, pero su acción no modifica los sucesos reales en un ápice. Esto vuelve a establecer una escisión a todo lo largo de la novela: en el fondo de ella discurren numerosos episodios, algunos parcialmente encadenados como el motín de las chicheras que acarrea la entrada del ejército, otros deshilvanados como los correspondientes a los diversos personajes del Colegio o los correspondientes a una imprevisible y repentina peste; en el primer plano, separadamente, existe en cambio una continuidad torrencial y confusa que está dada por la conciencia del personaje Ernesto y por su función testimonial. A ella corresponde vincular entre sí sucesos con muy escasa relación (el Viejo, el padre, Cuzco, las chicheras, Abancay, los colonos) articulándolos para que se integren en un discurso subjetivo con sentido. Los componentes de la peripecia están visiblemente desintegrados, se suceden como núcleos independientes con poca hilación causal: el muro del palacio de Inca Roca y la historia de la opa; los cortejos amorosos de las adolescentes y el motín de las chicheras; el padre de Ernesto y el Hermano Miguel, negro; el Pachachaca y el zumbayllu, etc. Es un desperdigamiento en que apenas parece intuirse una vocación de muestreo de una totalidad social.

Este fragmentarismo tiene algo de la típica narración episódica popular que se concentra en un núcleo sin establecer enlaces causales con otros núcleos, cercanos o lejanos, procurando alcanzar una articulación de la acción más general. Es en la conciencia de Ernesto donde son sometidos a una tarea interpretativa, a veces racional y otras veces mágica, que permite que engranen unos con otros como las partes obligadas de una demostración. Concurren así a forjar un mensaje.

Es ésta la función primordial de Ernesto en la novela y para que pueda ejercerla se le dota de algunos rasgos que en ocasiones parecen impuestos con chirriante voluntariedad.[7] A la violencia exterior corresponderá una violencia interior de distinto signo, porque es amorosa y lírica; a la confusión que siembra el caos en la realidad social le cabrá compensatoriamente una clarividencia casi alucinada que por momentos evocará la penetración de Aliocha en los Karamazov. Desde sus primeros diálogos con el padre, en el Cuzco, hasta sus conversaciones de adulto con el Padre Linares en el Colegio, que a éste mismo sorprenden, Ernesto estará dotado de una lucidez que no responde a los mecanismos del razonamiento intelectual o a la acumulación de informaciones, sino a una suerte de penetración fulgurante de las cosas. Por momentos habla y actúa como un "poseído". En la medida en que Arguedas se propone llevar la novela a una culminación de aquelarre, acentuando y desmesurando los recursos literarios de tipo realista para que alcancen una dimensión alucinante, mueve con frenesí al personaje y hace de él un desaforado: de hecho es en la conciencia de éste donde conquista esa impostación expresionista, mucho más que en los sucesos del último capítulo.

El padre Linares, esa versión provinciana del staretz

---

[7] Los personajes de la novela reconocen la extraña capacidad de Ernesto para abordar los asuntos centrales: dice el Director "¿Por qué contigo hemos de hablar de asuntos graves?" y Antero: "Me has hecho hablar. No sé por qué contigo se abre mi pensamiento, se desata mi lengua."

Zosima, observa con inquietud la condición extraña y enajenada del personaje y la va definiendo: es una criatura confusa, es un ser que desvaría, es un loco y un vagabundo, es francamente un demente. Puesto sobre una frontera inestable, el personaje alterna su afectividad y su razón, su erotismo y su idealismo, su rebeldía y su impotencia, su ternura y su odio. Por ese desequilibrio íntimo y por la violencia demencial que lo mueve cada vez más, adquiere la calidad operática adecuada para protagonizar la acción. Está en el centro de una escena por donde cruzan personajes secundarios y masas de coristas respondiendo a acciones propias e imprevistas, nada preparadas, las que se descargan repentinamente. El fragmentarismo de la peripecia no está sólo en la irresolución de los núcleos, sino también en su falta de antecedentes: las acciones explotan bruscamente, sus transformaciones no son anunciadas, el humor de los personajes es impredecible, repentinamente se generan vórtices que conmueven la totalidad y sin anuncio son luego aventados.

Este funcionamiento repercute, constructivamente, sobre el personaje, forzándolo a bracear para abarcar el conjunto, pero son los rasgos suyos los que contaminan la peripecia. Su tensión erizada, la desmesura de sus reacciones, la agitación y el desconcierto, dan la pauta de la acción novelesca. Ante la lluvia de obuses cayendo sobre las trincheras de la primera guerra mundial, el poeta Guillaume Appollinaire exclamaba: "Je deviens un opera fabuleux." Es Ernesto quien se transforma en una "ópera fabulosa" dentro de la gran partitura operática que es la novela. Es él quien danza, canta, odia, grita, ama, corriendo sin cesar detrás de los personajes y conjuntos para enlazarlos a todos con una interpretación que es, en definitiva, la interpretación de sí mismo que busca oscuramente.

3. Los niveles de las concepciones míticas

Es evidente la importancia que reviste el pensamiento mítico en *Los ríos profundos*, cosa que el propio autor ha reconocido, como componente de su proyecto narrativo. Pero también es evidente que para este punto ha habido demasiadas respuestas convencionales en los análisis críticos de que ha sido objeto, sobre todo por no respetar los tres niveles diferenciales que pueden reconocerse en una obra literaria: el correspondiente a los materiales —mitos consolidados— que se recolectan de fuentes sociales externas a la obra; el peculiar del funcionamiento de los personajes creados por la ficción narrativa; el correspondiente a la estructura general de la obra, por encima de los personajes inventados, el cual puede emparentarse, aunque a veces también deslindarse, del propio autor y siempre revela conexiones con el pensamiento de grupos sociales de la época.

A esto se agrega la imprecisión en el manejo de la palabra "mito" o "pensamiento mítico", según las distintas concepciones antropológicas en curso. Seguiremos aquí el cauce general instaurado por la obra de Claude Lévi-Strauss[8] estableciendo, con anterioridad a nuestro análisis, una síntesis de los principios básicos que atenderemos.

El pensamiento mítico no es una peculiaridad exclusiva de las sociedades arcaicas o primitivas o de culturas no occidentales, pudiéndose reconocerlo aun en las sociedades más avanzadas, separado o confundido con formas del pensamiento que llamamos científico, del cual se distingue, no por sus mecanismos o formas abstractas, que son los mismos, sino por los distintos campos y materiales con que trabaja. Simultáneamente, el hecho de que la mayoría de las sociedades incluyan muy diferentes grupos humanos, pertenecientes a diver-

[8] Fundamentalmente en *El pensamiento salvaje*, México, FCE, 1965; *El totemismo en la actualidad*, México, FCE, 1965 y en los tomos de las *Mitológicas*, México, FCE y Siglo XXI.

sas estratificaciones educativas y sociales, nos conduce
a prever que en ellas encontraremos manifestaciones
diversas del pensamiento mítico. Esto lo probó José M.
Arguedas, observando que dentro del mismo grupo indio
o mestizo, un mismo mito cambiaba de significación
según la estratificación social de sus integrantes.[9] Arguedas en cambio no intentó examinar las concepciones
míticas en funcionamiento dentro de los diversos estratos no indígenas, tarea que generalmente está a cargo
de los sociólogos, que a veces la enmarcan dentro del
campo de la ideología, aunque no haya diferencia
esencial entre la falsedad ínsita del mito y la de la
ideología, al menos en la visión que de ésta nos ha
dado Karl Marx.

Cualquier sociedad, primitiva o desarrollada, antigua o moderna, desarrolla su pensamiento mediante historias, creencias, doctrinas, que son sistemas interpretativos del mundo, los que entiende legítimamente fundados en la realidad que ha logrado conocer y dominar.
En la medida en que "la experiencia humana se divide
espontánea y necesariamente en dos campos, lo que,
en la naturaleza y la sociedad, está directamente con-
trolado por el hombre, y lo que no está",[10] esas historias,
creencias o doctrinas parten de lo conocido para fraguar
explicaciones de lo desconocido e incontrolado, aplicando los procedimientos con que operan en su realidad
conocida a aquella ignorada y transponiendo a ésta sus
materiales, sus conocimientos y sus sistemas de relaciones. La lectura de los mitos primitivos nos dice sobre
la sociedad que los generó, lo que la lectura de los actuales mitos sobre la vida en el espacio ultraterrestre
(que ha desarrollado el más voluminoso género litera-

[9] "Mitos quechuas pos-hispánicos", en *Amaru* 3, Lima,
julio-septiembre de 1967, recogido en *Formación de una
cultura nacional indoamericana*, México, Siglo XXI, 1975.

[10] Maurice Godelier, "Mito e historia: reflexiones sobre
los fundamentos del pensamiento salvaje", en *Economía, fetichismo y religión en las sociedades primitivas*, México, Siglo XXI, 1974, p. 371.

rio del presente, la "science fiction") nos dice sobre la sociedad donde han surgido. Pero para los hombres primitivos como para los modernos, estas historias funcionan como verdades y no aceptarían la connotación de "falsedad" que se ha agregado a los mitos desde su condenación por los griegos, al contrastarlos con sus descubrimientos geométricos. Antiguos y modernos manejan mitos, pero no les llaman así; para ellos, los mitos son los que manejan los otros, menos civilizados.

Por eso mismo, el mito, en cuanto tal, es transparente a quien lo ejerce y jamás lo vive como una falsedad, del mismo modo que nadie vive su ideología como una falsa conciencia o una falsa racionalización, sino como una doctrina legítima fundada en valores objetivos. Pero en el texto de los mitos que, como ha dicho Barthes, no son otra cosa que cuentos, historias, por lo tanto asimilables a textos literarios, quedan registrados tanto el sistema social que sirve de punto de partida presupuesta a toda la elaboración mítica como el trabajo intelectual que articula todos los datos en un discurso interpretativo coherente. Lo que nos permite adoptar la definición de Godelier: "los mitos nacen *espontáneamente en la intersección* de dos redes de efectos: los efectos *en* la conciencia de las relaciones de los hombres entre sí y con la naturaleza, y los efectos *del* pensamiento sobre esos datos de representación a los que hace entrar en la maquinaria compleja de los razonamientos por analogía".[11]

El funcionamiento del pensamiento mítico y los productos de éste, los mitos, aparecen de distinta manera en *Los ríos profundos*, según los niveles del texto literario.

Los más evidentes son los que proceden de la cultura india peruana, como remanentes contemporáneos, en el seno de comunidades rurales, de una vasta mitología tradicional. Éstos son "mitos consolidados" que conocemos por los discursos del Narrador Secundario de

[11] *Op. cit.,* p. 377.

la novela, por lo que los personajes dicen haber aprendido en el seno de sus grupos sociales originarios o por el comportamiento —explicado— de algunos personajes populares, como son los colonos. Nada de este material ha sido inventado por el escritor y aunque evidentemente ha seleccionado, dentro de un colmado repertorio de materiales, los que resultaban más apropiados para el desarrollo de su obra de ficción, se ha limitado a transponerlos de la realidad a la novela. En todos estos casos, de los que puede ser un buen ejemplo el mito de K'arwarasu, antes citado, del capítulo vi, el mito es contado abreviada y didácticamente, sometiéndolo así a un proceso analítico racional que pone en evidencia su osatura ideológica. Es un mito explicado desde una perspectiva analítica y no existencial. La novela figura que Ernesto cree existencialmente en ese mito y, por lo mismo, algo cambia en él al invocar a la montaña, pero el discurso del narrador lo sitúa a la distancia, como una creencia de indios, con lo cual deja de participar en ella: no es una fe compartida.

El segundo nivel está representado por las concepciones míticas de los personajes, en especial los alumnos menores del Colegio de Abancay y, entre ellos, sobremanera, el protagonista Ernesto. Aunque algunas proceden de la fuente indígena anterior, no son reductibles a ella íntegralmente. Primero porque reconocen una miscigenación intensa con otras fuentes míticas, sobre todo las cristiano-católicas y segundo porque sobre ellas inciden en diversos grados correciones que impone el proceso educativo, la procedencia social del que las emite y la experiencia llevada a cabo en una sociedad civil. Es este nivel el que ha sido mejor y más insistentemente estudiado por la crítica, con particular relación a Ernesto. Dentro de una perspectiva levistraussiana similar a la nuestra, lo ha hecho cabalmente Rowe en su excelente libro.[12] El riesgo de estos análisis radica en la extrapolación de la perspectiva

[12] *Mito e ideología en la obra de José María Arguedas*, Lima, Instituto Nacional de Cultura, 1979.

mítica-infantil de Ernesto a la totalidad de la novela.

Aun sin salir de este nivel de los personajes, deben realzarse las modificaciones que ellos aportan a la elaboración de concepciones míticas, que evocan las confesiones de los shamanes recogidas por antropólogos y examinadas por Lévi-Strauss [13] acerca de la tarea interpretativa y acondicionadora de los mitos cuando se produce una ampliación de la zona de conocimientos de una comunidad. En el capítulo VIII y en el IX, se narran dos escenas en que asistimos a la trasmisión de mensajes a la distancia por medios mágicos: son dos ejemplos nítidos de concepciones míticas infantiles, quizás de procedencia india aquí, pero conocidas en sociedades occidentales también las que modernamente han adoptado, como tantas otras concepciones mágicas, un disfraz científico bajo las formas de la telepatía. Lo singular de ambas situaciones, es el debate que traban sus actores acerca de los medios a poner en práctica, descartando unos y adoptando otros según la mayor incorporación que hayan tenido a los conocimientos científicos. El acto mágico se realiza, con plenitud de fe, pero se adecua a esa ampliación del mundo conocido gracias a datos científicos. En el primer ejemplo, Antero afirma que la música y el mensaje pueden subir al sol y corrige una creencia india: "Es mentira que en el sol florezca el pisonay. ¡Creencias de los indios! El sol es un astro candente, ¿no es cierto? ¿Qué flor puede haber? Pero el canto no se quema ni se hiela. ¡Un *layk'a winku* con púa de naranjo, bien encordelado! Tú le hablas primero en uno de sus ojos, le das tu encargo, le orientas al camino, y después, cuando está cantando, soplas despacio hacia la dirección que quieres; y sigues dándole tu encargo. Y el *zumbayllu* canta al oído de quien te espera" (VIII, 94).

En el segundo ejemplo, Ernesto y Romero discuten cómo hacer llegar el mensaje mediante el rondín, uno afirmando que debe ser sobre otro cielo que el pesado

[13] *Antropología estructural*, Buenos Aires, EUDEBA, 1969

de Abancay y otro que se puede trasmitir por el agua
y por la sangre, a lo cual se agrega luego el consejo de
Palacitos para sacar del rondín la lata con la marca de
fábrica para facilitar la fluencia de la música. Son operaciones de magia infantil, no necesariamente vincula-
bles a fuentes indias, y que muestran cómo se elaboran
apelando al horizonte de sus conocimientos que son
postulados como objetivas comprobaciones de lo real.

Dado que los mitos traducen la armazón sociológica
del grupo que los inventa, es comprensible que en los
mitos indígenas que nos son referidos en la novela, en-
contremos un sistema de relaciones personales, para lo
cual las fuerzas superiores deben ser figuradas de algún
modo antropomórfico. Se trata del sistema propio de
la comunidad, el que conoce y ejerce, el que por lo
tanto trasmite al hemisferio desconocido mediante un
pensamiento analógico. En el nivel de los personajes,
en cambio, aunque reencontramos vagas personificaciones, es mucho más llamativa que esa presencia borrosa,
la notoria ausencia de los dioses. Ni los dioses del universo mitológico indio ni tampoco, lo que es aún más
sorpresivo tratándose de alumnos de un colegio católico, los dioses cristianos. Lo que cede en la tarea de estos
infantiles mitógrafos es la armazón sociológica indígena
y la católica. Respecto a ellas se produce un deslizamiento agnóstico, que no llega en ningún momento a
una negación, y la sustitución de sus personajes sobre-
humanos por fuerzas naturales poderosísimas, de oscura
significación: el mejor ejemplo es el río Pachachaca,
reverenciado como una potencia pero al mismo tiempo
dotado —sobre todo por Antero y Ernesto— de una
pluralidad de significados y de comportamientos. Diría
que esta concepción mitificadora infantil está armonizada con su percepción de la realidad circundante,
desde el ángulo de la minoridad y debilidad de estos
personajes: se trata del reconocimiento del Poder que
está por encima de ellos y los rige omnímodamente. La
tríada que conducía al hemisferio adulto —sexo, vio-

lencia y propiedad— no hacía sino reconocer las formas del poder de la sociedad.

Ese poder, sin embargo, no se restringe, como en los mitos indígenas, a una persona, sino que tiende a diluirse entre varias que los ejercen como iguales depositarias de la fuerza. Son más perceptibles los efectos del poder, su capacidad coercitiva que origina el sufrimiento, que la persona que lo detenta. Para una novela escrita en el cauce de la narrativa indigenista no deja de sorprender que no aparezcan nunca los dueños de las haciendas con colonos (salvo el paradigmático Viejo del capítulo inicial que oficia de obertura), ni que aparezcan las autoridades civiles locales, ni que tampoco aparezca el Comandante de la tropa enviada para la represión. Las instancias personales del poder se han diluido y se expresan a través de formas colectivas —los dueños de haciendas— o a través de los servidores del poder —los soldados— que también forman una colectividad heteróclita. Hay un poder personificado, no obstante: es el Director del Colegio, como habitualmente se denomina al Padre Linares, y en su tratamiento, en la relación que los alumnos sostienen con él, claramente se percibe una ambivalencia de sentimientos. Cuando nos acercamos a las personificaciones, ellas mueven encontradas reacciones, de odio y de amor, de repulsión por sus sinuosidades y acciones despóticas y de atracción por su paternal protección. No otra cosa ocurre cuando percibimos la personificación de una fuerza natural, en el diálogo de Antero y Ernesto del capítulo IX sobre el río Pachachaca;

—Vamos al río, "Markask'a" —le rogué en quechua—. El Pachachaca sabe con qué alma se le acercan las criaturas; para qué se le acercan.
(...)
—Si entras a él, no. Si desafías su corriente, no. Querrá arrastrarte. Romperte los huesos en las piedras. Otra cosa es que le hables con humildad desde la orilla o que lo mires desde el puente.
(...)

—Pero en medio de la corriente asusta más; mejor dicho, allí parece demonio. No es ese Señor que figura cuando lo contemplas. Es un demonio; en su fuerza te agarran todos los espíritus que miran de lo alto de los precipicios, de las cuevas, de los socavones, de la salvajina que cuelga en los árboles, meciéndose con el viento. ¡No has de entrar; no has de entrar! Yo, pues, soy como su hijo... (IX, 119.)

Esta bivalencia se extiende a las diversas apreciaciones del río en una novela que usa el término en su título, hasta el punto de dar lugar a una reflexión consagrada a estas desconcertantes oposiciones, procurando dar razón de la pluralidad connotativa con que se usa: "¿Por qué en los ríos profundos, en estos abismos de rocas, de arbustos y sol, el tono de las canciones era dulce, siendo bravío el torrente poderoso de las aguas, teniendo los precipicios ese semblante aterrador? Quizá porque en esas rocas, flores pequeñas, tiernísimas, juegan con el aire, y porque la corriente atronadora del gran río va entre flores y enredaderas donde los pájaros son alegres y dichosos, más que en ninguna otra región del mundo" (X, 138).

No empece estos casos de personificación, la tendencia dominante de la imaginación mítica de los alumnos del Colegio es hacia el reconocimiento de fuerzas naturales que actúan respondiendo a un sistema de leyes de que se las dota, respondiendo a esa instancia superior y enigmática que es el Poder. De ahí que la mayoría de las apelaciones mágicas estén destinadas a dar fuerzas a la propia debilidad o a la de los seres desvalidos y perseguidos (doña Felipa) para contrarrestar el ejercicio arrancador del Poder. Pero en todas estas operaciones es visible un cambio sustancial de la estructura cognoscitiva sobre la que opera la magia: no son mitos indios; son mitos de quienes pueden ser indios, mestizos o blancos pero, con distinto grado, han abordado un mayor conocimiento de la sociedad y la naturaleza y hablan desde otra armazón sociológica.

Nos queda el tercer nivel, el de la estructura significativa de la novela, el del autor o el de su medio social. Tanto en el agenciamiento de personajes y situaciones, como en la tarea de los narradores, se nos ofrece otra instancia interpretativa, que no puede asimilarse pasivamente a la de los personajes, haciendo de Ernesto el portavoz de José María Arguedas. Son muchos los narradores que han trabajado sobre mitos o han construido personajes movidos por creencias mágicas. Baste citar a Asturias y a Carpentier. Pero en ellos y manifiestamente en Carpentier, nadie ha pensado que las creencias licantrópicas de los personajes de *El reino de este mundo* sean compartidas, ni por la novela ni por el autor. Deslizamientos de ese tipo se han producido, sin embargo, en la apreciación de *Los ríos profundos* y de Arguedas.

Si se visualiza la obra completa de Arguedas parece casi innecesario afirmar que ha trabajado siempre desde una perspectiva realista y aun verista, aunque la haya inflexionado con un acento poético sensible y retenido. Ese realismo ha procurado al mismo tiempo un entendimiento social de la nacionalidad peruana que remata en *Todas las sangres* con un vasto muestreo sociológico y en *El zorro de arriba y el zorro de abajo* con una interpretación espiritual profunda de los conflictos que animan desde los orígenes hasta el presente al pueblo peruano. El constante trato de Arguedas etnólogo con las culturas indias y mestizas, populares o tradicionales, enriqueció su comprensión del funcionamiento mítico de los hombres de su país y es comprensible que haya trasladado estas percepciones a la creación de sus personajes. Más aún, es posible rastrear en sus ensayos, como en sus novelas, el reconocimiento de la energía contenida en esas cosmovisiones que la racionalidad dominante en los grupos ideológicos y políticos de la época desdeñaba y una reivindicación amorosa de las potencialidades que testimoniaban. De eso a compartir tales creencias, hay mucho trecho que Arguedas no recorrió. Aun en sus más admirativas páginas sobre las costumbres y creencias indias no se encuentra rastro de identificación con ellas, sino de respeto y de comprensión.

No quiere decir esto que no fuera proclive a los procesos de ideologización y de mitización. Un personaje como Rendon Winka lo ilustra. Pero esos procesos partían de otra fuente y trabajaban sobre otro campo del conocimiento, pasible de ser trasladado a la zona oscura y desconocida. Si admitimos que cualquier filosofía o doctrina, aun la fundada con mayores visos de objetividad y de cientificismo, es pasible de una inflexión ideológica y aun de una mitización, podremos preguntarnos si algo así no le ocurrió a Arguedas con los sistemas cognoscitivos que recogió del medio intelectual universitario de sus años juveniles y del ambiente impulsado por las ideas de *Amauta* y de su director, Mariátegui. En sus últimos años, al recibir el Premio Inca Garcilaso de la Vega, reconoció esta influencia doctrinal rectora pero también la forma aproximativa en que la hizo suya.

Fue leyendo a Marx y después a Lenin que encontré un orden permanente en las cosas; la teoría socialista no sólo dio un cauce a todo el porvenir sino a lo que había en mí de energía, le dio un destino y lo cargó aún más de fuerza por el mismo hecho de encauzarlo. ¿Hasta dónde entendí el socialismo? No lo sé bien. Pero no mató lo mágico.[14]

Más importante aún que su afiliación al pensamiento socialista, es la constancia del modo personal, vivencial, con que lo hizo suyo, lo que de eso pudo transformar en energía íntima al diseñar un orden del mundo y de la acción humana y cómo tal concepción "científica" de la sociedad no afectó su inclinación por lo mágico. Una posible lectura de este texto, a la

[14] "No soy un aculturado", en Juan Larco (comp.), *Recopilación de textos sobre José María Arguedas*, La Habana, Casa de las Américas, 1976, p. 432.

luz de muchas páginas narrativas y ensayísticas de
Arguedas, diría que la teoría socialista se incorporó,
en él, a una concepción mágica del universo, en una
de esas transformaciones que ya son bien conocidas en
la historia y evolución del pensamiento socialista
en nuestra época. No es necesario apelar a Kautsky, ni
tampoco examinar el comportamiento ideológico de
muchos estratos populares, para saber que muchas
veces el socialismo fue transformado en religión o en
una creencia sincrética donde se mezclaron las más
dispares, y aun las más contradictorias, pervivencias
históricas. La difusión del socialismo por América
Latina, África y Asia está plagada de tales comprobaciones.

Creo que así ocurrió con Arguedas. El socialismo
no fue para él simplemente una teoría ni un método,
sino preferentemente una creencia sostenida sobre una
explicación persuasiva del funcionamiento de la sociedad. Gracias a él entendió el mundo, vio nítidamente su funcionamiento, las fuerzas que en él opera-
ban y la fatalidad de un desenlace utópico en el cual
más creía porque acarreaba la liberación de los indios
sometidos y ultrajados. Diría que sus tendencias personales encontraron acomodo dentro del socialismo: su
populismo, su afán reivindicativo, su sentimiento estremecido de la justicia y del bien, incluso un sentimiento
amoroso cuyas fuentes son probablemente cristianas.
El socialismo entró en su cauce personal y por él fue
modelado. Lo trabajó libremente, existencialmente, lo
plasmó a sus impulsos interiores y, así trasmutado,
percibió que cumplía fehacientemente con sus íntimos
deseos. El socialismo, por lo tanto, funcionó como un
mecanismo eficaz para religar los dos hemisferios culturales en que se movió Arguedas. Gracias a él podía
encontrarse una comunicación entre los hombres avan-
zados del hemisferio occidental y los hombres que
seguían viviendo dentro del hemisferio tradicional pero
en una situación de atroz sometimiento. Sus concepciones culturales eran diametralmente opuestas pero

coincidían en una reclamación social y económica concreta que abría el camino hacia una liberación de los sometidos y una eventual integración de una nación escindida. Pienso que no fue sólo Arguedas quien vivió así el socialismo en América Latina, aunque pocos como él lo hicieron con tal frescura e inocencia, con tal fervor y esperanza.

Es éste el fundamento de la concepción mítica que transparenta por sí misma la novela, separadamente de los personajes que contiene. Efectivamente, hay una concepción mítica que modela los materiales narrativos, que selecciona de un modo y no de otro, que articula los sucesos y les confiere significación. Esta concepción mítica poco tiene que ver con la de los indios o con la de Ernesto y sus compañeros del Colegio de Abancay; maneja otra zona conocida de la realidad y otras doctrinas interpretativas, pero similarmente las aplica a la zona desconocida donde actúan fuerzas compulsoras, exorcizándolas y apropiándoselas mediante un conocimiento. Es la transposición mítica del socialismo que hizo Arguedas y, en cierto modo, el grupo intelectual que efectúa la primera incorporación del pensamiento marxista a la vida nacional.

Desde esta perspectiva vuelve a ser comprensible y persuasiva, la explicación que siempre dio Arguedas de su novela, visualizándola como una novela social de inmediata y ríspida militancia.[15] Desde su perspectiva, la rica incorporación de percepciones mágicas en los personajes, no era sino un reconocimiento realista del funcionamiento de la cultura peruana popular y ella no alteraba una concepción social nítida proyectada por el autor, la cual descansaba en el manejo de las categorías sociales establecidas por el marxismo y de los mecanismos fatales de la transformación de la estructura social.

Es evidente en la novela la calidad representativa

[15] *Primer encuentro de narradores peruanos, Arequipa, 1965,* Lima, Casa de la Cultura del Perú, 1969.

que se le ha concedido a cada personaje, más allá de su propia conciencia de clase. Raras veces el personaje asume esta conciencia, pero el autor atiende a que sus lectores perciban que hay un ligamen entre las ideas expresadas o los sentimientos puestos en juego y la procedencia social. Para evidenciarlo apela a una información puntual sobre la ubicación clasista de cada una de sus criaturas narrativas, aunque procurando que eso nada reste a su autonomía personal, salvo en el ejemplo demasiado idealizado de Ernesto. De los muchos adolescentes reunidos en el Colegio de Abancay, la novela atiende sólo a unos pocos, a los cuales individualiza con nombre propios y cuyas acciones narra con suficiente extensión como para que alcancemos percepción clara de que son caracteres individuales. Pero además, en todos los casos, agrega una información sobre sus orígenes que incorpora una resonancia clasista a sus comportamientos particulares. Éstos expresarán el carácter particular y a la vez el comportamiento de la clase o grupo social dentro de la clase a que el personaje pertenece. La personalidad y las ideas de Valle, Lleras, el Añuco, serán distintas de las del Markask'a, Palacitos o Romero, porque unos son mayores y otros menores, pero después de tal división podremos hacer otra nueva entre ellos que claramente distingue a unos y otros por la continuidad que testimonian respecto a la clase de la cual proceden. Como el código que establece equivalencias entre individuo y clase no es nunca explicitado, y como es posible prever el peso de la subjetividad con que lo visualiza el autor, habrá siempre comportamientos que puedan no resultar claramente comprensibles para el lector. Este encontrará que Valle, Antero, Palacios, Romero, apuntan con bastante nitidez hacia ciertos funcionamientos clasistas pero podrá preguntarse en qué medida la irregular conducta del Añuco está vinculada a la clase hacendaria de la cual procede aunque como un bastardo.

El equilibrio entre individuo y clase social puede sin

embargo, y a pesar de esos reparos, pesquisarse entre los alumnos del Colegio. Pero ese equilibrio desaparece cuando pasamos a la intervención en la novela de las masas corales. En ellas predomina su calidad de representaciones de amplios conjuntos clasistas y se disminuye hasta desaparecer la nota individual. Aquí estamos ante la acción directa y franca de una clase social, se reconozca o no a sí misma como tal y por lo tanto los individuos no alcanzan nunca suficiente autonomía: como en el ejemplo mejor, el de doña Felipa entre las chicheras, encontraremos una tipificación más que un carácter. El concepto clasista con que se trabaja se hace por lo tanto evidente.

Además, a este subyacente cañamazo clasista, debe agregarse otro, también de tipo general, interpretativo de la variedad regional peruana. Arguedas no sólo hereda una teoría de las clases sociales sino también una teoría geocultural del país, con lo cual la coordenada vertical que permite colocar a las clases, superpuestas, según su estratificación en la pirámide de la sociedad, se complementa con otra, horizontal, que las redistribuye según el mayor o menor grado de modernización que a su vez se equipara a las regiones (costa, sierra, selva) en que está dividido el Perú. La cogitación de Ernesto (x, 133) acerca de la extraña situación cultural del indio Prudencio, amigo de Palacitos, quien aparece como clarinetista en una orquesta militar, apunta a las alteraciones inesperadas que el cruce de ambas coordenadas, social y geocultural, puede deparar. Entre los personajes es el caso de Gerardo, el costeño, de quien se hace amigo Antero, abandonando la amistad con Ernesto y a quien éste, sin embargo, no puede percibir sino a través de una conflictiva confusión de sentimientos, que es la misma que se registra en Romero, oscilando ambos entre una retracción de origen clasista y una aproximación admirativa por su comportamiento franco y nada acomplejado.

El sistema de remisión de entes individuales a entes sociales proporciona la armazón sociológica de la cual parte Arguedas, aunque, como vimos, no se maneja con un código rígido, admite modificaciones entre diversas distribuciones y no se aplica, flagrantemente, en el caso del protagonista, Ernesto, quien funciona como excepcionalidad respecto a sus orígenes de clase. Si la "armazón sociológica" perceptible tras los mitos indígenas apuntaba a relaciones personales e interpretaba antropomórficamente las fuerzas superiores, dotándolas de una total y caprichosa libertad para conceder amparo o negarlo, si la "armazón sociológica" perceptible entre los alumnos del Colegio en su tarea de mitización reconocía la presencia de fuerzas naturales que a veces se personificaban pero que, sobre todo en el escenario social, se diluían entre numerosos y lejanos seres, la que podemos reconocer en Arguedas es nítidamente la estructura de las clases sociales con una fuerza que deriva de su violento apropiamiento de las capacidades productivas y conduce directamente a la lucha de clases en que sólo la asociación disciplinada de los miembros de los estratos inferiores puede darles acceso a un futuro triunfo.

Es éste el origen de la violencia que domina el panorama de la novela. Ella nace de la dominación de una clase sobre otras clases, de su explotación sistemática y es ella la que concita la rebelión de los sometidos apelando a la fuerza que les proporciona el número. De conformidad con el sistema reiterativo que preside la composición de la novela y que registra los sucesivos acercamientos a un núcleo significativo, perfeccionando vez tras vez su cabal alcance, la obra construye dos líneas paralelas en cada una de las cuales acumula sucesivos levantamientos de los sometidos contra los dominantes: en la línea que corresponde a la peripecia dentro del Colegio, son las insurrecciones de los menores contra "los malditos", o sea los mayores abusivos, que no sólo culminarán con la derrota de éstos sino también con el reconocimiento de su perversidad y extravío que se revela en sus miserables destinos; en la línea de las peripecias en la región de Abancay, es la rebelión de las chicheras seguida por la de los colonos atacados por la peste, las cuales sin embargo no alcanzan el triunfo pero sí lo profetizan en el futuro, de conformidad con el utopismo que Arguedas recoge de su concepción socialista. Puede decirse que es invertido aquí el signo del magisterio cumplido por Luis Valcárcel en la cultura peruana: a la restauración de la edad de oro india en el pasado, se sustituye la expectativa de su realización histórica en el futuro. El modo en que Arguedas leyó las versiones del mito de Inkarrí que conociera en estos años puede recuperarse en su asunción del utopismo socialista.

Las dos líneas se tienden paralelamente y, en la conciencia de Ernesto, son animadas por una erizada ansia revanchista. El adolescente capaz de testimoniar el más estremecido amor por las criaturas desvalidas, es el mismo cuyo corazón rebosa un odio implacable contra los que ejercen la represión y la crueldad. No le alcanza con su desaparición, pide también su padecimiento, como se percibe en sus imaginaciones acerca del destino del Lleras. La peste que ataca a los colonos adquiere el simbolismo de un Poder contra el cual luchan los desheredados, del mismo modo que Ernesto y los menores han luchado contra el poder de "los malditos". La última frase de la novela equipara a la peste y al Lleras como los vencidos, los que serían llevados por el río al país de los muertos, estableciendo así la convergencia de ambas vías de la lucha y la insurrección.

En cada una de ellas quedan sueltos elementos dispares: en la social, son los colonos; en la privada de los estudiantes del Colegio, Ernesto. Con fervor aceptará este último el anuncio del Director de que deberá trasladarse a la hacienda de su tío, el Viejo, cuando se entera de que tiene bajo su poder centenares de colonos. El utopismo que ha ido articulando los diversos episodios de la novela en sus últimos capítulos, vuelve a funcionar aquí religando las dos líneas separadas: Ernesto irá ahora a ocupar el puesto de animador de la rebeldía ante los Colonos y, por lo tanto, irá a entablar un combate que casi parece cósmico, con el Viejo, con el Poder que sojuzga, tortura y mata. Como el Eugenio de Rastignac enfrentado al poder que toda la ciudad de París simboliza, al cual quiere conquistar, Ernesto parece decirse: "Maintenant, a nous deux!" Es también el combate de David y Goliat que estableció el modelo de un cambio sustancial de los poderes en el mundo.

Una fiebre utópica recorre la agitación del último capítulo. Es el momento en que el narrador de la novela parece ser arrastrado por el vértigo del personaje. La temperatura emocional del relato testimonia bien la participación del narrador (y tras él de Arguedas) en una arrebatadora imagen mítica; es la previsión fulgurante de un combate en que la Historia, como extenso repositorio de injusticia y sufrimiento, resulta vencida por la instauración de un Mito radiante que instaura el orden, la armonía, la justicia y la voluntad. A partir de una teoría social manejada por un pensamiento mitizador, el hemisferio oscuro de lo no conocido, que es tanto el Poder como su Futuro, ha revelado la solución adecuada, se ha rendido a la energía vital y mágica que conforma la fe de los rebeldes.

pel ediciones crema de fábrica de papel san juan, s. a.
preso en talleres gráicos victoria, s.a.
vada de zaragoza núm. 18-bis — méxico 3,
s mil ejemplares más sobrantes para reposic
de noviembre de 1982

Adoum, J. E. *Entre Marx y una mujer desnuda* (Premio Villaurrutia 1976) [2a. ed.]

Alegría, F. *Los días contados*

Arlt, R. *Antología*

Asturias, M. A. *El espejo de Lida Sal* [10a. ed.]

Benedetti, M. *La casa y el ladrillo* [7a. ed.]

Benedetti, M. *La muerte y otras sorpresas* [16a. ed.]

Benedetti, M. *El cumpleaños de Juan Ángel* [15a. ed.]

Benedetti, M. *Con y sin nostalgia* [5a. ed.]

Benedetti, M. *Cotidianas* [4a. ed.]

Bianco, J. *Las ratas. Sombras suele vestir* [3a. ed.]

Borges, J. L. *Nueva antología personal* [11a. ed.]

Breton, A. *Antología* [4a. ed.]

Britto García, L. *Rajatabla* [2a. ed.]

Campos, J. *Celina y los gatos*

Cardoza y Aragón, L. *Dibujos de ciego*

Cardenal, E. *Nueva antología poética* [2a. ed.]

Carpentier, A. *El recurso del método* [22a. ed.] [Rústica de bolsillo]

Carpentier, A. *Concierto barroco* [ed. de bolsillo] [13a. ed.]

Carpentier, A. *La consagración de la primavera* [12a. ed.]

Carpentier, A. *El arpa y la sombra* [6a. ed.]

Carpentier, A. *La novela latinoamericana en vísperas de un nuevo siglo y otros ensayos* [3a. ed.]

Carpentier, A. *Obras completas*

Carvalho-Neto, P. de *Mi tío Atahualpa* [3a. ed.]

Caudet, F. (comp.). *El hijo Pródigo* (antología)

Cerretani, A. *Matar a Titilo*

Cirules, E. *Conversación con el último norteamericano*

Collazos, O. *Biografía del desarraigo*

Cortázar, J. *Territorios* [Ilustrado] [2a. ed.]

Cortázar, J. *La vuelta al día en ochenta mundos*. Vol. 1 [15a. ed.]

Cortázar, J. *La vuelta al día en ochenta mundos*. Vol. 2 [15a. ed.]

Cortázar, J. *Último round*. Vol. 1 [5a. ed.]

Cortázar, J. *Último round*. Vol. 2 [5a. ed.]

Dalton, R. *Las historias prohibidas del Pulgarcito* [5a. ed.]

Dorfman, A. *Viudas*

Fernández Moreno, C. *Buenos Aires, me vas a matar*

Fernández Retamar, R. *Circunstancia y Juana*

Flores, A. *Narrativa hispanoamericana 1816-1981*. Historia y antología. Vol. 1: *De Lizardi a la generación de 1850-1879*

Flores, A. *Narrativa hispanoamericana 1816-1981*. Vol. 2: *La generación de 1880-1909*

Flores, A. *Narrativa hispanoamericana 1816-1981*. Vol. 3: *La generación de 1910-1939*

Flores, A. *Narrativa hispanoamericana 1816-1981*. Vol. 4: *La generación de 1940-1969*

Flores, A. *Narrativa hispanoamericana 1816-1981*. Vol. 5: *La generación de 1970-1981*

Fuentes, C. *Zona sagrada* [16a. ed.]

Fuentes, C. *Todos los gatos son pardos* [11a. ed.]

Gardea, J. *Los viernes de Lautaro*

Donato 1970)

Hernández, L. J. *Nostalgia de Troya* (premio Magda Donato 1970)

Ibáñez, S. De. *Poemas escogidos*

Kapuscinski, R. *El emperador*

Labastida, J. *De las cuatro estaciones*

Lavín, H. *La crujidera de la viuda*

Leante, C. *Los guerrilleros negros*

Mir, P. *Cuando amaban las tierras comuneras*

Montemayor, C. *Las llaves de Urgell* (Premio Villaurrutia, 1970)

Navarrete, R. *Luz que se duerme*

Navarrete, R. *Aquí, allá, en esos lugares*

Onetti, J. *La novia robada* [3a. ed.]

Ortega, J. *Antología de la poesía hispanoamericana*

Paz, O. *Corriente alterna* [13a. ed.]

Paz, O. *Posdata* [15a. ed.]

Paz, O./Chumacero, A./Aridjis, H./Pacheco, J. E.

Poesía en movimiento (México, 1915-1966) [15a. ed.]
Piglia, R. *Nombre falso*
Pitol, S. *Nocturno de Bujara*
Puga, M. *Las posibilidades del odio* [2a. ed.]
Puga, M. L. *Cuando el aire es azul*
Randall, M./Moreno, Á. A. *Sueños y realidades del guajiricantor*
Roa Bastos, A. *Yo el Supremo* [10a. ed.]
Saer, J. J. *Nadie nada nunca*
Sánchez, H. *Los desheredados*
Scorza, M. *La tumba del relámpago* [2a. ed.]
Segovia, T. *Anagnórisis*
Tizziani, R. *Noches sin lunas ni soles* [2a. ed.]
Traba, M. *Conversación al sur*
Valdés, N. *Zoom*
Viñas, D. *Los hombres de a caballo* [5a. ed.]
Viñas, D. *Cuerpo a cuerpo*
Vitier, C. *De Peña Pobre*
Walsh, R. *Obra literaria completa*
Yurkievich, S. *Fricciones*
Zaid, G. *Ómnibus de poesía mexicana* [8a. ed.]
Zaid, G. *Asamblea de poetas jóvenes de México*

SIGLO XXI DE ESPAÑA Y SIGLO XXI DE COLOMBIA

Benet, J. *Teatro*
Gómez Valderrama, P. *La otra raya del tigre* [2a. ed.]

CRITICA LITERARIA

Chevallier, M. *La escritura poética de Miguel Hernández*

Chevallier, M. *Los temas poéticos de Miguel Hernández*

Gallas, H. *Teoría marxista de la literatura* [3a. ed.]

García, G. L. *Macedonio Fernández: la escritura en objeto*

Rama, Á. *Transculturación narrativa en América Latina*

Silva, L. *El estilo literario de Marx* [4a. ed.]

Soriano, M. *Los cuentos de Perrault: erudición y tradiciones populares*

Todorov, T. *Teoría de la literatura de los formalistas rusos* [3a. ed.]

Valverde, J. M. *Antonio Machado* [3a. ed.]

SIGLO XXI DE ESPAÑA

Valente, J. A. *Las palabras de la tribu*